Księżycowa Dama

Romans Historyczny

W serii pojawią się m.in.:

Mary Balogh

„Między występkiem a miłością"
„Miłosny skandal"
„Złodziej marzeń"
„Pojedynek"

Adrienne Basso

„Poślubić wicehrabiego"
„Skazany na miłość"
„Uwieść aroganta"
„Zakład o miłość"

Connie Brockway

„Bal maskowy"

Meagan McKinney

„Księżycowa Dama"
„Lodowa panna"
„Łowcy fortun"
„Niegodziwa czarodziejka"
„Uzurpator"
„Zamek na wrzosowisku"

Amanda Quick

„Czekaj do północy"
„Fascynacja"
„Od drugiego wejrzenia"
„Ryzykantka"
„Wynajęta narzeczona"

MEAGAN McKINNEY

Księżycowa Dama

Przekład
MARIA WÓJTOWICZ

Tytuł oryginału
Moonlight Becomes Her

Korekta
Anna Tenerowicz

Druk
DRUK-INTRO S.A., Inowrocław

Serię przygotowało Wydawnictwo Amber
na zlecenie Polskie Media Amer.Com S.A.

ISBN 978-83-241-3163-1

Warszawa 2009

Dla Jude'a Nicholasa Foreta,
oficera i dżentelmena

Prolog

R afael Belloch odsunął skórzaną zasłonę w oknie powozu, gdy
mijali ratusz. Wysunął głowę przez okno i zawołał do stangreta:
— Jedź tędy, przez Baxter Street!
— Ależ to Five Points, proszę pana! A w dodatku już się
ściemnia.
— Trafiłeś dwa razy w dziesiątkę. Jedź jak mówię!
— Roi się tu od ciemnych typów... Wylęgarnia szumowin!
— Nic mnie to nie obchodzi! Rób, co każę!
— Jak pan sobie życzy.
Woźnica zadął w trąbkę, by ostrzec inne pojazdy. Potem
smagnął lejcami konie po lśniących zadach i lakierowany powóz
skręcił w najbliższą przecznicę.

Rafe opadł ze znużeniem na obite pikowanym atłasem siedzenie i przyglądał się, jak dzień umiera w krwawej łunie zachodu. Księżyc wschodził właśnie nad Upper Bay. Ze swego miejsca
Belloch mógł dostrzec od strony Manhattanu zarys wieży. To
nieukończony jeszcze most wznosił się dumnie nad miastem na
przeciwległym brzegu East River. Zwisająca z filarów plątanina
prętów wyglądała jak pajęcza sieć na tle ciemniejącego nieba.

Wstępniaki nowojorskich gazet przepowiadały, że pokraczna
struktura runie lada chwila pod własnym ciężarem. Ale Rafael widział już na Zachodzie, jak jego ludzie — inżynierowie i robotnicy
— wiercili tunele kolejowe w granitowych skałach rzekomo nie do
przebicia. Most nie runie, będzie stał. Mógł się o to założyć!

Wydawało się, że teraz nawet najbardziej fantastyczne marzenia mogą się urzeczywistnić. Niektórzy wierzyli, że w tej epoce cudów wszystkie zdobycze nauki zostaną wykorzystane dla dobra ludzkości. Rafe słuchał z pogardą tych pyszałkowatych zaślepieńców. Owszem, ludzie potrafili już rozsadzać góry i budować drapacze chmur, ale głodne dzieci nadal żebrały w mrocznych zaułkach Baxter Street. Postęp przynosił pożytek tym, którym pęczniały portfele. Na ludzką duszę nie miał żadnego wpływu. Ani na skamieniałe serce wypełnione jedynie myślą o zemście.

Turkot kabrioletów i kolasek ucichł w oddali, gdy powóz opuścił dobrze utrzymane ulice o trotuarach z szaroniebieskiego piaskowca i wjechał na poszczerbione bruki slamsów. Przez chwilę, póki nie dotarł do jego uszu chrapliwy zgiełk Five Points, Rafael zanurzył się w dziwnie kojącą ciszę. Było tak cicho, że słyszał bijące na Anioł Pański dzwony kościoła św. Patryka.

Za dnia na Baxter Street nie brakowało „przyzwoitych" przechodniów. Dla wielu magistrackich urzędników Lower East Side stanowiła istny raj. Można tu było wpaść do ulubionej trafiki i za jednym zamachem odwiedzić zaprzyjaźnioną damę lekkich obyczajów. Nierzadko obie znajdowały się pod jednym dachem.

Sytuacja w tej części miasta nieco się poprawiła od osławionych czasów, gdy członkowie konkurujących gangów rozwalali sobie nawzajem czaszki w biały dzień. Nawet słynny Karol Dickens nie ośmielił się pojawić tu bez eskorty. Ale to było przed ponad trzydziestoma laty. Teraz w miejscu starej gorzelni stały kościół i misja. Mimo to większość nowojorczyków nadal unikała Five Points, zwłaszcza po zachodzie słońca. I właśnie dlatego Rafe Belloch odwiedzał od czasu do czasu te strony. On – jeden z filarów nowojorskiej elity. On – ulubieniec Caroline Astor, wyroczni „braminów z Fifth Avenue", jak ich pogardliwie określał.

Ich? Nas, poprawił się w duchu. Niestety, nas.

Jazda przez Five Points była znakomitą odtrutką, ilekroć ogarniało go zbytnie samozadowolenie. Luksus i wysoka pozycja społeczna związane z niedawno zdobytym bogactwem mogły sprawić, że spocznie na laurach. Musiał więc od czasu do czasu przyjrzeć się znów ludzkiej nędzy. Przypominała mu, że jego życiową misją jest zemsta. Zemsta na tych, którzy teraz byli gotowi bratać się z nim. Na podłych bogaczach, którzy spowodowali ruinę i hańbę jego rodziny. Którzy bez mrugnięcia okiem skazali go w dzieciństwie na nędzną egzystencję w Five Points. Ponure cienie przeplatały się ze światłem gazowych latarń. Powóz mijał butwiejące drewniane domy. Od czasu do czasu migały między nimi wysokie ceglane domy czynszowe. Współczucie zmagało się w duszy Rafaela z obrzydzeniem, gdy spoglądał na zaludniających te kąty włóczęgów, żebraków, złodziei, morderców, ulicznice i oszustów. A przede wszystkim na tłumy bezdomnych dzieci, porzuconych lub osieroconych, zdanych tylko na własne siły, walczących z bezpańskimi psami o suchy kąt do spania.

Na Wall Street powinni stworzyć jeszcze jedną giełdę: brudu i nędzy, pomyślał. Tego towaru nigdy w mieście nie zabraknie!

Powóz podskoczył nagle i zatrzymał się. Po chwili ruszył znowu.

Mijali właśnie skrzyżowanie trzech przecinających się ulic, za którym rozciągał się istny labirynt mrocznych, nędznych zaułków, pełen niezliczonych melin. Świat, o którym nie mówiło się i nie czytało, chyba że w brukowej prasie. Powóz skręcił w jeden z zaułków i znowu się zatrzymał, tak raptownie, że zadźwięczały łańcuszki przy uprzęży.

Rafael omal nie spadł z siedzenia. Wysunął głowę przez okno.

– Psiakrew! – zaklął. – Wilson, co ty, u diabła…

Nim skończył, smukła kobieca ręka podsunęła mu pod nos wilgotną szmatę. Zdążył odwrócić głowę, ale poczuł ciężki odór chloroformu. Nie stracił przytomności, lecz był jak ogłuszony potężnym ciosem w głowę.

Opadł bezwładnie na siedzenie. Wszystkie zmysły odmówiły mu posłuszeństwa. Wokół rozbrzmiewała kakofonia niezrozumiałych dźwięków. Potem ktoś jednym szarpnięciem otworzył drzwiczki powozu.

– Wysiadaj, durniu, i lepiej się pośpiesz, bo cię podziurawię!

Nadal otumaniony i walczący z mdłościami Rafe znalazł się na brudnej, zaśmieconej uliczce. W gęstniejącym mroku ledwie mógł dostrzec potężnego mężczyznę w płaszczu z szorstkiego, luźno tkanego materiału i w spodniach z żaglowego płótna wetkniętych w drewniane chodaki. W prawej ręce nieznajomy ściskał kawaleryjski pistolet.

Rafael spojrzał w górę i nad jego lewym ramieniem zobaczył drugiego napastnika. Siedział na koźle obok Wilsona i przykładał mu wielki nóż do gardła.

Nagle ktoś podsunął mu do twarzy latarnię, tak blisko, że niemal całkiem go oślepił.

– Patrzcie no, ale się wystroił! – mruknął mężczyzna stojący na ulicy. – Szczęście nam sprzyja, kochanie!

„Kochanie", jak się Rafe szybko zorientował, świeciło mu właśnie w twarz latarnią. Była to ta sama kobieta, która zamroczyła go chloroformem. Twarz miała do połowy zasłoniętą czarną maską, a odgarnięte do tyłu ciemne włosy przewiązała szkarłatnym szalem naszywanym paciorkami. Ubrana była w połataną spódnicę z brązowej wełny i brudnozielony aksamitny żakiet, który uwydatniał jej obfity biust.

Mierzyła go zimnymi oczyma, które połyskiwały w otworach czarnej maski jak odłamki lodu. Rafaelowi przemknęło przez myśl, że serce ma równie zimne, dostrzegł jednak w spojrzeniu jej zdumiewająco błękitnych oczu ból i wyrzut, zupełnie jakby miała żal do całego świata.

Właścicielka tych oczu nie mogła być zatwardziałą zbrodniarką. Jeszcze nie!

Kąciki jej ust drgnęły w leciutkim uśmiechu. Błękitne oczy błysnęły, zaraz jednak odwróciła je, jakby nieco zmieszana.

– Poznaliście chyba, kto to taki? – rzuciła kpiąco do swoich kompanów zaskakująco dźwięcznym, miłym głosem. – Rafael Belloch we własnej osobie! Waligóra, jak go nazywają. Drąży tunele i wznosi mosty dla Kansas-Pacific. O, przepraszam! Podobno przejął już tę korporację.

– Dobry Boże! Masz rację, dziewczyno. To Belloch!

Trzeci bandzior prychnął pogardliwie z wysokości kozła.

– Jasne, jasne! A ja jestem Jay Gould!

– Mówię ci, psiakrew, że to Belloch! – upierał się osiłek terroryzujący Rafaela pistoletem. – Dopiero co widziałem tę gębę w „Heraldzie". Popatrz tylko na uprząż: kapie od złota!

– Oczywiście, że to Belloch – potwierdził słodki głosik. – Taką przystojną buźkę zapamięta każda kobieta!

W następnej chwili w jej głosie zabrzmiała wyraźna drwina.

– Oj, panie Waligóro! Za daleko się pan zapuścił od Fifth Avenue!

– Być może – odparł Rafe. W głowie już mu się rozjaśniło, a urzeczenie nieznajomą szybko ustępowało miejsca wściekłości. – Za to wam trojgu coraz bliżej do więzienia przy Ludlow Street!

– Jak nam będzie zależało na twojej opinii – warknął grubiańsko oprych stojący obok kobiety – to sami ją od ciebie wyciągniemy. Dawaj portfel i zegarek. I bez żadnych sztuczek!

Rafe wyciągnął z wewnętrznej kieszeni surduta portfel ze świńskiej skóry, a z kieszonki kamizelki złoty zegarek z dewizką.

– A teraz płaszcz, baronie – poleciła kobieta. Ujrzał iskierki wesołości w jej pięknych oczach.

– Baronie? – powtórzył, pozbywając się okrycia. – Skąd ten zaszczytny tytuł?

– Zasłużył pan co najmniej na takie wyróżnienie w imperium rabusiów!

– Skoro zaliczam się do rabusiów, to może raczej wy powinniście podnieść rączki do góry?

– Tylko się zgrywa na bohatera – prychnął pogardliwie ten z kozła. – Stracha ma, że hej!

– Wcale nie ma stracha. – Kobieta przyglądała się uważnie twarzy Rafaela w świetle latarni. – Nasz pan Belloch nie jest bojaźliwy. Ten szyderczy grymas na jego twarzy to nie żadne udawanie. Już sobie pewno układa w myśli, jak by nam spuścić lanie! Wszystkim trojgu.

Zaśmiała się melodyjnie.

– Widzę, że potrafi pani czytać w myślach! – rzekł Rafe. – Czy jest pani równie biegła w seansach spirytystycznych i wróżeniu z fusów? Czemu kobieta obdarzona taką urodą i wykształceniem marnuje się jako pospolita złodziejka?

Jej oczy pociemniały. Spojrzenie skrzywdzonego dziecka znikło bez śladu.

W tym momencie Rafe pojął, że ta kobieta nie chce, aby jej przypominać, że została stworzona do wyższych celów. To był jej słaby punkt i tym z pewnością należało tłumaczyć wyraz bólu pojawiający się w jej spojrzeniu.

– To zajęcie, panie Belloch – odparła chłodno, przewieszając sobie przez ramię jego płaszcz, jakby to był koronkowy szal – z pewnością bardziej mi się opłaci niż harowanie za marne grosze w fabryce odzieży. Tam bym się dorobiła tylko ślepoty!

– Gadane to ty masz, Belloch! – mruknął drwiąco ten z kozła, przyciskając nóż jeszcze mocniej do gardła Wilsona. – Wy, kolejowe rekiny, zdarlibyście skórę nawet z umarlaka! My przynajmniej kradniemy uczciwie: twarzą w twarz. Tacy jak ty chowają się za plecy Wall Street: niech banki odwalają za nich brudną robotę!

Rafael powstrzymał się od odpowiedzi. Nie miał wątpliwości: obaj mężczyźni z przyjemnością by go zamordowali. Skupił się na studiowaniu twarzy pięknej bandytki. Chciał utrwalić sobie w pamięci każdy uroczy szczegół niezakryty przed jego wzrokiem. Szlachetne czoło; delikatny zarys nosa; słodkie, pełne wargi. Odnajdzie ją na pewno i wtedy zedrze z niej maskę!

Wpatrywał się chyba zbyt długo. Jej oczy znów stały się lodowate.

– Proszę się nie ograniczać do płaszcza, panie Belloch – rzuciła zjadliwym tonem. – Przyda się nam i reszta pańskiego ubrania. Dostaniemy za nie ładny grosz u handlarza starzyzną.

– Reszta? Czy to żart, na Boga Ojca?!

Wzdrygnął się, gdy lufa kawaleryjskiego pistoletu wbiła mu się w pierś.

– Słyszałeś, co dama do ciebie mówi! Ściągaj łachy!

– Zbieram na posag – wyjaśniła z kokieteryjnym śmieszkiem.

Belloch opanował gniew.

– Myślisz, że uda ci się zrobić ze mnie pajaca?! – wykrztusił.

– Owszem, tak właśnie myślę, panie Belloch. Niewątpliwie dumny i odważny z pana mężczyzna. Ale żaden z was nie jest bohaterem na golasa.

– To rozważania teoretyczne czy głos doświadczenia?

Znowu odwróciła wzrok.

– Chcę mieć pewność, że uda się pan prosto do domu. Proszę się rozbierać!

– Potrzebna mi łyżka – upierał się. – Buty mam nowe i strasznie ciasne.

– Niech go szlag! – wybuchnął mężczyzna na koźle. – Zastrzelę tego drania!

– Nie! – Kobieta odwróciła się błyskawicznie w jego stronę z gracją baletnicy wykonującej piruet. – Żadnego strzelania!

Podeszła do Rafe'a. Przyjrzał się jej z bliska, jeszcze dokładniej. Przez kilka sekund jej oczy płonęły ciepłym blaskiem i miały barwę najpiękniejszych niezapominajek.

Nie była więc całkiem zimna. Ani całkiem pozbawiona sumienia.

– Rozbieraj się szybciej, mój panie, bo jeszcze się rozmyślę co do tego strzelania! – powiedziała niemal proszącym tonem.

Kipiąc ze złości, Rafe spełnił jej polecenie. Oddał surdut, kamizelkę i koszulę z cienkiego płótna. Dama wcale nie udawała wstydliwej i przyglądała mu się bacznie.

– Kto by pomyślał! Ma mięśnie jak ze stali! – zauważył bandzior z kozła.

Kobieta błądziła niemal tęsknym wzrokiem po silnej piersi i smukłej talii Rafaela.

– Teraz rozumiem, dlaczego pani Astor ma do pana słabość! No, szybciej, panie Belloch: buty i spodnie!

Buty schodziły opornie i omal się nie przewrócił, ściągając je. Złodziej wymachujący pistoletem wyrwał mu obuwie z rąk.

– Możeśmy niegodni, żeby ci je sznurować, ale ukraść jakoś nam się udało, do licha!

Wręczając kobiecie spodnie, Rafe spytał wyzywająco:

– Kalesony też?

Jej zuchwała odpowiedź zbiła go z tropu.

– Jak najbardziej – odparła. – Wstęp był ogromnie interesujący. Niechże mi pan teraz nie sprawi zawodu!

– Dość tej zabawy! – zaprotestował ten z kozła, zeskakując na ziemię. – Zostaw w spokoju jego gacie, rozpustnico! Nie mam ochoty wylądować na Blackwell's Island tylko dlatego, że zachciało ci się oglądać tego pięknisia!

Obaj mężczyźni pociągnęli ją za sobą jak niesfornego urwisa. Rafe dostrzegł, że słodkie wargi wygięły się w lekkim uśmieszku. Była zadowolona ze swej psoty.

Kiedy trójka rabusiów znikała w mrocznej uliczce, usłyszał przekorny głos dziewczyny:

– We dnie i w nocy będę myślała o tym, co mnie ominęło, panie Belloch!

To było wyraźne wyzwanie.

– A myśl sobie, myśl, ty impertynencka dziewucho! – burknął Rafe pod nosem.

To tylko zaostrzy jej apetyt, dodał w duchu. I mój też.

Przysiągł sobie na wszystkie świętości, że bez względu na to, o czym ta dziewczyna będzie myślała, przyjdzie dzień, gdy ujrzy całą nagą prawdę.

1

Panie i panowie – oznajmił Paul Rillieux mocnym, dźwięcznym głosem. – Wielu ludzi posiada niewytłumaczalny jak dotąd dar nawiązywania kontaktów z siłami... nazwijmy to... nadnaturalnymi. Określamy ich jako wrażliwych na ponadzmysłowe bodźce. Nie pretenduję do miana jednego z tych wybranych, jednakże zajmowałem się trochę naukami tajemnymi. Dowiedziawszy się o moich zainteresowaniach, pani Astor poprosiła mnie o niewielki pokaz telepatii. Telepatia to udokumentowana już w sposób naukowy możność przechwytywania myśli innych osób za pośrednictwem przenikającego naszą ziemską atmosferę gazowego pierwiastka zwanego eterem.

Podwyższenie na końcu ogrodowej galerii, dotąd zajęte przez orkiestrę grającą walce i motywy z różnych oper, opustoszało. Muzycy ustąpili miejsca na podium staremu wynalazcy i badaczowi, który zasłynął również jako jasnowidz.

– Wszyscy wiemy – dodał Paul Rillieux z przymilnym uśmieszkiem – że życzenie pani Astor ma moc równą rozkazowi najwyższych władz. Tak więc stawiłem się na wezwanie i oto jestem.

Skłonił się gładko uczesanej matronie, z której szyi spływała istna kaskada brylantów. Dama skinęła łaskawie głową, jakby zezwalając zebranym na okazanie uznania dla dowcipu mówcy. Rozległ się powstrzymywany dotąd śmiech, zarówno na przybranej odświętnie galerii, jak i w otaczających ją ogrodach.

Elektryfikację dolnego Manhattanu rozpoczęto zaledwie przed rokiem, tuż po ukończeniu budowy elektrowni na Pearl Street. Teraz nawet rezydencję Maitlandów, usytuowaną w dolnej części Fifth Avenue, oświetlały żarówki umieszczone w mosiężno-kryształowych kinkietach. Kinkiety miały kształt putti – szelmowsko uśmiechniętych cherubinków, a między nimi wisiały ogromne gobeliny utrzymane w zielonej tonacji.

– Umysł ludzki to psyche, czyli dusza – perorował Rillieux – a zarazem pneuma, czyli duch, jej eteryczny dwojnik. Ta para rzadko pozostaje w harmonii. Człowiek świadomie zastanawia się nad tym, co będzie na obiad, podczas gdy jego podświadomość zamartwia się skrycie jakimś niedotrzymanym przyrzeczeniem lub marzeniami, które się nie ziściły.

Opierając się lekko na trzcinowej laseczce, Rillieux mierzył wzrokiem otaczający go wykwintny tłum. Oprócz Caroline Schermerhorn Astor wśród jego słuchaczy znajdowali się: Alice Vanderbilt; hrabia de Chartrain, francuski arystokrata na wygnaniu; debiutująca w towarzystwie Antonia Butler, przyszła dziedziczka fortuny dorównującej fortunie Vanderbiltów; oraz gospodarz przyjęcia Jared Maitland, potentat w dziedzinie obrotu nieruchomościami.

Obecność pani Astor dowodziła, że dama owa wreszcie uległa pod coraz silniejszym naporem mnożących się jak króliki nowobogackich. Przybywali oni głównie z zachodu i mieli okropne maniery, za to pieniędzy jak lodu, toteż nawet pani Astor nie mogła już udawać, że nie istnieją. Prawdę mówiąc, w zalewie tych „nowych pieniędzy" zaczęły się zakorzeniać nowe radykalne poglądy. Przebąkiwano coraz głośniej, że nie jest naprawdę bogaty ktoś, kto może dokładnie określić, ile posiada. I tak oto niepoliczalne fortuny nowych drapieżców usuwały w cień stare, odziedziczone po przodkach majątki.

– Komuś spośród tu obecnych – obwieścił Rillieux – przyśniło się niedawno utracone przed kilkoma laty ukochane zwierzątko. Dama ta znów tęskni w cichości ducha za swym ulubieńcem. A ktoś inny, choć stara się całą duszą uczestniczyć w tym wspaniałym przyjęciu, tak naprawdę wciąż myśli o zakupie nieruchomości przy... ależ tak, przy West Fifty-fourth Street.

W grupie kobiet stojących tuż obok podestu rozległy się gorączkowe szepty.

– Niesamowite! Thelma mówi, że nie dalej jak przedwczoraj śnił się jej Jip, ten szkocki terier! – zawołała półgłosem Lydia Hotchkiss, postawna dama w sukni ze złotawozielonego atłasu.

– I zapewnia, że do tej pory nikomu o tym nie wspomniała!

– Nie miałem pojęcia, że w tej chwili o tym myślę. Ale muszę przyznać, że rzeczywiście zastanawiam się od pewnego czasu nad kupnem posesji przy West Fifty-fourth Street – powiedział Albert Gage, adwokat, którego kancelaria przy Wall Street reprezentowała interesy połowy miasta: zarówno nowobogackich, jak i przedstawicieli „starej gwardii".

– Nie myślał pan o tym świadomie, panie Gage – tłumaczył mu Rillieux.

Na sekundę spojrzenie starego jasnowidza spoczęło na drobnej młodej kobiecie siedzącej samotnie na ławeczce z kutego żelaza, zdobionej motywem laurowych liści. Niemal niezauważalnie skinął głową i po minucie młoda dama zaczęła przechadzać się wśród zafascynowanych jego występem gości.

– A ktoś jeszcze inny. – Rillieux zawiesił głos, przyciągając spojrzenia wszystkich z wyjątkiem damy krążącej wśród tłumu niczym puma w pogoni za zdobyczą. – Ktoś z nas wścieka się w duchu na... – uśmiechnął się nieco sztucznie – ależ tak! Na bezczelnego reportera z „New York Heralda".

Niespełna półgodzinny popis Paula Rillieux został nagrodzony gromkimi brawami.

Mystere zauważyła, że nawet ci nie do końca przekonani przyłączyli się do ogólnego aplauzu. Każdy, kto zyskał przychylność pani Astor, miał zapewnioną popularność. A kto się jej naraził, ponosił klęskę.

Trzymając w jednej ręce oszronioną szklankę lemoniady, a w drugiej biały koronkowy wachlarz, Mystere wracała na swoje miejsce na ławeczce z kutego żelaza. Przemykała bez pośpiechu wśród wielkich finansistów i potentatów przemysłowych.

Tylko jeden spośród nich przyciągnął jej uwagę. Choć oczy miała skromnie spuszczone, jak przystało przyzwoitej pannie, dostrzegła, że mężczyzna bacznie jej się przygląda. Zauważyła też, że wzgardził przepisowym frakiem „starej gwardii" – był ubrany w ciemny garnitur z czesankowej wełny.

Odpędzając od siebie złe przeczucia, Mystere przemknęła obok Philipa Armoura, który zbił majątek w Chicago na paczkowanym mięsie. Właśnie przemawiał do grupy handlowców, swoich kolegów po fachu.

– Najlepsze tereny są już wykupione – zapewniał. – A choć weźmiemy w końcu szturmem Brooklyn, rosnąć nie można inaczej niż w górę! Tak jak się to już robi w Chicago. Zresztą nie mamy innego wyboru, kiedy statki pchają się jak szalone przez cieśninę!

Nawet Mystere wiedziała, że podczas wojny secesyjnej Wall Street finansowała armię Unii, a teraz zbierała nieprawdopodobne wprost żniwo w długim okresie powojennego ożywienia gospodarczego. Obecność pani Astor na balu u Vanderbiltów odnotowała cała prasa, gdyż w ten sposób czcigodna dama nadała prawo obywatelstwa milionerom „od kilofa i łopaty", którymi niegdyś tak pogardzała.

Reszta starej gwardii poszła w jej ślady: u Maitlandów zjawili się wszyscy co znaczniejsi Knickerbokerzy – czyli rdzenni nowojorczycy – w całym splendorze swej solidności, przyzwoitości i pewności siebie. Jednak dawne uprzedzenia nie znikają od razu. Grupa ta unikała demonstracyjnie Armoura i jemu podobnych, którzy łamali ściśle dotąd przestrzeganą zasadę nierozmawiania o interesach podczas wieczornych spotkań towarzyskich. Nie odrzucali więc całkowicie swych wulgarnych bliźnich, ale wyraźnie wskazywali, gdzie jest ich miejsce.

– Cóż, handel jest pożyteczny – zauważyła kiedyś pani Astor. – Tak jak rynsztoki!

Mystere była o krok od ławeczki, gdy nagle czyjaś dłoń zacisnęła się na jej prawym łokciu.

– Panno Rillieux! – zawołał postawny mężczyzna o bladej, nalanej twarzy. – Wygląda dziś pani czarująco. Nie widzieliśmy się od balu u Vanderbiltów.

– Dziękuję za komplement, panie Pollard. Rzeczywiście, nigdzie ostatnio nie bywałam. Dopiero pani Astor skłoniła mnie do wyjścia dziś wieczorem.

– I dobrze zrobiła! Chociaż trudno się dziwić, gdy ktoś stroni od życia towarzyskiego w obecnych czasach – ironizował Abbot Pollard. – Osaczają nas już ze wszystkich stron! Była pani może ostatnio w Upper East albo Upper West? Wszędzie te okropne szeregowe domy i czynszowe kamienice! A co się dzieje w parku? Boże, zmiłuj się! Aż się roi od murarzy i ekspedientek! Zjeżdża się ta hołota tramwajami albo tą okropną, smrodliwą El*! Gdy ktoś ma ochotę na spokojną przejażdżkę powozem, musi się przeprawić na drugi brzeg Harlem River! Aż obrzydzenie człowieka bierze, ale taka to już polityka Tammany**.

Pollard słynął ze snobistycznych tyrad, więc Mystere posłała mu łagodny uśmiech i odparła:

– Parku nie założono tylko dla bogaczy. Miał być salonem dla całego miasta, nie pamięta pan?

– Cóż za szlachetne sentymenty, moja droga! Jest pani bardzo młoda i bardzo jeszcze naiwna. Jeśli o mnie chodzi, nigdy nie wpuszczę do mojego salonu ludzi, którzy potrzebują gęstego grzebienia do wyczesywania wszy!

Mystere miała mu odpowiedzieć, ale nagle zza jej pleców jakiś mocny męski głos włączył się do dyskusji.

– To niesprawiedliwa i okrutna uwaga, Abbot. Spotkałem wiele dobrze wychowanych, inteligentnych i pięknych ekspedientek. Zapomniał pan, że noblesse oblige, mój panie?!

Mystere poczuła dreszcz przerażenia. Odwróciła się i spojrzała prosto w błękitnozielone oczy Rafaela Bellocha. Uśmiechał się uprzejmie, ale widać było, że ten uśmiech wiele go kosztował. Miał gęste kasztanowe włosy, przystrzyżone zbyt krótko jak na wymogi ostatniej mody, szerokie czoło i rzymski nos.

– Efektem noblesse oblige – odciął się Pollard – są brudne świnie z czwartego okręgu wyborczego i populistyczni demagodzy, tacy jak Tom Foley, podburzający przeciwko nam Włochów i Irlandczyków. W sześćdziesiątym trzecim ta hołota omal nie podpaliła miasta! Następnym razem pewnie im się uda, skoro i ty, Belloch, stałeś się już poplecznikiem takiego „oświecenia"!

Tupiąc nogami, czerwony z irytacji Pollard oddalił się. Mystere zauważyła, że Belloch w gruncie rzeczy nie słuchał jego wywodów. Chciał po prostu kąśliwymi uwagami przepłoszyć

---

* El – elevated railroad – kolej naziemna (przyp. tłum.).
** Tammany Hall – organizacja polityczna (jej nazwa pochodzi od imienia indiańskiego wodza Tamanenda), która wywarła znaczny wpływ na Partię Demokratyczną, a w latach 1865–71 rządziła Nowym Jorkiem (przyp. tłum.).

starszego pana. A teraz przyglądał jej się z wyraźnym zainteresowaniem.

Poczuła ściskanie w żołądku. Do tej pory udawało się jej unikać spotkania z tym mężczyzną, ale oto stał przed nią. Rafe Belloch. Baron z imperium rabusiów, jak go kiedyś nazwała. Wpatrywał się w nią przenikliwym wzrokiem. Kiedy przemówił, jego głos miał w sobie tyle miękkości co ostrze brzytwy.

– Ta hołota nie może znieść Tammany – zauważył. – Ale gdyby nie Tammany, to kto by zakładał szpitale i przytułki dla ubogich?

– Nie byłabym taka pochopna, panie Belloch, w wygłaszaniu peanów na cześć przytułków. – Mystere natychmiast pożałowała niebacznie wypowiedzianych słów, więc dodała lżejszym tonem: – Pollard to nieszkodliwy stary uparciuch. Jak się panu podobał występ mego stryja?

Rafael ani na chwilę nie odrywał od niej wzroku.

– Bardzo inteligentny i zajmujący, nie ulega wątpliwości. Ale choć dokoła roi się od finansistów, nikt jakoś nie rozszyfrował jego sekretu!

Na kilka sekund te niepokojące słowa zawisły między nimi, groźne i oskarżycielskie. Mystere ogarnęła panika. Wszystkie otaczające ich dźwięki, nawet pogodne tony straussowskiego walca, zmieniły się w raniącą uszy kakofonię.

Wie o wszystkim! – myślała w niemym przerażeniu. Nadeszła straszliwa chwila publicznego zdemaskowania!

Jednakże obłudy i fałszu uczył ją nie lada mistrz. Obdarzyła więc swego rozmówcę przesadnie skromnym uśmieszkiem i rzekła:

– Sekret mojego stryja, panie Belloch? Doprawdy nie wiem, o czym pan mówi.

– Ależ to bardzo proste! Zadziwiające, panno Rillieux, jak wiele można się dowiedzieć, wysyłając kogoś na przeszpiegi. Choćby tylko po to, by zbadał dokładnie czyjś ekwipaż. Albo jeszcze lepiej, na pogawędkę z rozmowną pokojówką, na przykład w przebraniu reportera z jakiegoś brukowego pisemka.

Poczuła taką ulgę, że aż się uśmiechnęła. Jej pewność siebie wzrosła. Belloch nie odkrył ich wielkiego sekretu, tylko jeden z pomniejszych!

– Cóż, to całkiem możliwe – przyznała bez większego zainteresowania. – Ja osobiście nie bardzo wierzę w nauki tajemne, popisy mego stryja uważam tylko za nieszkodliwą rozrywkę. Bardzo prawdopodobne, że stosuje jakieś sztuczki.

– Oczywiście, zwłaszcza że sama pani Astor patrzy na to przez palce. O ho! O wilku mowa...

Wybitna matrona zmierzała prosto ku nim. Towarzyszył jej ulubiony pupilek Ward McCallister, zachowując należyty dystans niczym księżyc krążący wokół macierzystej planety. Oficjalnie Ward był doradcą w sprawach towarzyskich, nieoficjalnie pełnił nieraz rolę swata.

– Dobry wieczór, Mystere. – Caroline Astor cmoknęła młodą kobietę w policzek. – Ostatnio prawie wcale się nie pokazywałaś. Nie musisz przecież niknąć w cieniu sławnego stryja! Nie zapominaj, że „wejście w wielki świat” należy rozumieć dosłownie. Jesteś debiutantką, a nie nowicjuszką w klasztorze!

Zwróciła się do Bellocha.

– A fe, Rafaelu! Tego już doprawdy za wiele! Jak mogłeś się zwracać do Emile'a per monsieur? Przecież każdy wie, że należy go tytułować Monsieur le Comte! Okropnie zirytowałeś biedaka!

Rafe pokornie schylił głowę.

– Jestem doprawdy skonfundowany głębią mej ignorancji, Caroline! Stokrotne dzięki za pouczenie. Postaram się być godny mojej mentorki!

– Jesteś niepoprawny! – Uniosła swą wypielęgnowaną dłoń i musnęła przelotnie policzek winowajcy. – Skofundowany? Też coś! Zupełnie cię to nie obeszło! Gdybym nie czuła do ciebie takiej sympatii, mój piękny dzikusie, pogniewałabym się na dobre! A ty wiesz o mojej słabości i wykorzystujesz ją haniebnie!

Mówiła żartobliwym tonem, ale w spojrzeniu, jakim go obrzuciła spod półprzymkniętych powiek, było coś więcej niż pusta kokieteria. Przynajmniej Mystere odniosła takie wrażenie. Caroline Astor znów zwróciła się do niej.

– Strzeż się tego człowieka, moja droga! – ostrzegła. – W Nowym Orleanie nie miałaś chyba do czynienia z mężczyznami jego pokroju. Rafe to niby idealista... ale strasznie zblazowany; twoja młodość i naiwność zapewne go podniecają. Przywykł osiągać wszystko, czego zapragnie. I zmierza do celu najprostszą drogą!

Caroline i Ward oddalili się. Mystere miała nadzieję, że Rafael pójdzie za ich przykładem, nadal jednak tkwił przy niej i mierzył ją ni to oskarżycielskim, ni to podejrzliwym wzrokiem.

– Czy to nie zabawne? – spytał, wskazując zgromadzony tłum. – Przedpotopowe mamuty przemieszane z nowobogackimi pod szerzej ostatnio otwartym parasolem ochronnym Caroline! Ciekawe, do której grupy pani należy, panno Rillieux – do tych z karetek pocztowych czy do tych z pullmanowskich wagonów?

– Jak na kogoś, kto się tak groźnie marszczy i tak gorzko ironizuje, był pan zdumiewająco potulny w obecności Caroline – odparowała.

– Ależ oczywiście! Nikt nie udaje się do Rzymu, by zwymyślać papieża!

Mystere roześmiała się, myśląc równocześnie: czego on właściwie ode mnie chce?! Z pewnością jej nie poznał. Wyglądała zupełnie inaczej niż przed dwoma laty. Prawdę mówiąc, z umyślnie ściśniętym biustem robiła wrażenie młodszej niż wtedy. Gdy jej mentor Paul Rillieux uznał wreszcie, że jest wystarczająco dobrze przygotowana, pozwolił jej zrzucić okropne łachmany. Wyglądała teraz jak ucieleśnienie niewinności w kreacji z błękitnego atłasu od słynnego Charlesa Fredericka Wortha.

Belloch nie mógł więc jej poznać. Ona za to doskonale pamiętała, jak stał niemal nagi w zaułku przy Five Points; wściekłość i chęć odwetu malowały się wyraźnie na jego twarzy. Wyglądał imponująco i Mystere nieraz widziała we śnie tę twarz, która utrwaliła się w jej mózgu niczym portret na fotograficznej kliszy.

Zerknęła na niego, by dodać sobie ducha. Ale to nie pomogło. Zauważyła, że co i rusz zmieniał miejsce, jakby chciał ją obejrzeć dokładnie ze wszystkich stron.

Nadal wiedziała o nim niewiele więcej, niż wyczytała w gazetach przed dwoma laty. Był jednym z filarów nowojorskiej elity, do której należeli również ona i Paul Rillieux. Ale oni dostali się do wielkiego świata dzięki poparciu pani Astor, Belloch zaś miał tam prawo wstępu od urodzenia. Przebąkiwano wprawdzie o jakiejś tragedii czy – jak to niektórzy określali – skandalu. Całkiem możliwe, że coś w tym było, gdyż Rafe Belloch miał masę znajomych, lecz prawie żadnych przyjaciół. Dorobił się bajecznej fortuny na budowie kolei, spędzał część roku w swojej imponującej posiadłości w Wirginii (znakomite tereny łowieckie!) i posiadał prywatny jacht parowy – wyposażony równie luksusowo jak pasażerski statek oceaniczny – dzięki czemu mógł urządzić sobie rezydencję na State Island, rozmyślnie gardząc Manhattanem. Stanowił jedną z najświetniejszych partii – i właśnie dlatego w tej chwili panna Antonia Butler wpatrywała się weń jak kot w mysią dziurę.

– Panno Rillieux – odezwał się, przerywając jej rozmyślania – co pani sądzi o aferze z Księżycową Damą?

Mystere nie zawahała się nawet sekundę.

– Przyznam, że niezbyt się tym interesowałam. Za to prasa poświęca jej, zdaje się, wiele uwagi.

– I nic dziwnego! W końcu ta złodziejka drwi sobie z naszej nowojorskiej elity! Robi z nas durniów, okradając podczas spotkań towarzyskich. Kiedy podwędziła Caroline najpiękniejszą brylantową bransoletkę, mogła być pewna rozgłosu.

W jego przenikliwych oczach było jakieś przesłanie, ale Mystere nie potrafiła go rozszyfrować.

– To niemądre przezwisko… nawet jeśli złodziej jest rzeczywiście kobietą – rzekła uprzejmym, nieco znudzonym tonem.

– Podobno jest „nieuchwytna jak promień księżyca i zwinna jak dziki kot" – zacytował Rafe słowa któregoś z żurnalistów i oboje wybuchnęli śmiechem. Jednak niebieskozielone oczy nadal wpatrywały się bacznie w twarz Mystere.

– Opisywano ją również – dorzucił – jako Walkirię, mocarną i władczą. Nie do pokonania przez zwykłego śmiertelnika. Niestety, nielicznym świadkom mignęła tylko w ciemności, i to tyłem. Przypuszczam, że prasa wymyśliła tę potężną amazonkę dla większego efektu. Moim zdaniem Księżycowa Dama jest raczej drobna i wyjątkowo zręczna, a nie wielka i silna.

– Widzę, że jest pan nią zafascynowany!

– Owszem, panno Rillieux, ogromnie interesują mnie metody działania przestępców z wyższych sfer.

– Doprawdy?

Przysunął się jeszcze bliżej. Czuła teraz na twarzy jego oddech, wilgotny, ciepły, przesycony słodkawym zapachem niedawno wypitej brandy. Znów ogarnęła ją panika. Przez moment obawiała się natychmiastowego zdemaskowania. Nogi się pod nią uginały, czuła, że musi usiąść. Ale nieubłagany wzrok Bellocha przykuwał ją do miejsca niczym lufa pistoletu.

– Widzi pani, panno Rillieux, najsprytniejsi przestępcy działają w zespołach, niekiedy nawet powstają wielkie sprzysiężenia.

– Oczy Rafaela zwęziły się. – Wcale by mnie nie zdziwiło, gdyby się okazało, że osławiona Księżycowa Dama była niegdyś zwykłą uliczną złodziejką, grasującą po Nowym Jorku z bandą podłych opryszków. Te typki trzymają się razem: lubią mieć przy sobie kogoś, kto odwróci uwagę od ich przestępczych działań. Kto wie, może Księżycowa Dama dokonała dziś kolejnego wyczynu, podczas gdy pani stryj urzekał nas swoim popisem...

Rzuciła mu baczne spojrzenie, gotowa natychmiast zaprotestować, choć marzyła wyłącznie o ucieczce.

Uroczy uśmiech, który ujrzała na jego twarzy, zupełnie ją zaskoczył.

– Znowu to spojrzenie! – powiedział niemal szeptem. – Pełne wyrzutu... mówiące o dawnych ranach. Skąd u młodziutkiej debiutantki z Nowego Orleanu podobny wyraz twarzy?

Mystere odwróciła się, udając zainteresowanie innymi uczestnikami balu, ale przepiękne barwy atłasowych sukien rozmyły się w napływających jej do oczu łzach. Zastygła bez ruchu, powtarzając sobie, że nie musi się niczego obawiać. Belloch nie ma żadnych dowodów. To tylko zwykłe podejrzenia. A ona musi to robić, jeśli chce przeżyć. Znosiła to od dawna i będzie znosić nadal, by nie stracić nadziei odnalezienia Brama. Kiedy odnajdzie brata, on zabierze ją stąd – od tego brudu, od tych kłamstw. Przy nim będzie bezpieczna. Wszystko znów stanie się dobre i piękne.

Dla takiego celu warto było kraść i umierać ze strachu.

Ta myśl zdławiła w niej lęk.

– Zupełnie nie rozumiem, o czym pan mówi, panie Belloch! Cóż to za głupstwa o zbrodniczych sprzysiężeniach i starych ranach? Chyba wypił pan za dużo brandy! – roześmiała się lekko.

– Jakim cudem nie zauważyłem pani do tej pory? Dopiero dziś przyjrzałem się pani dokładnie, panno Rillieux. Nie wiem, jak zdołała pani schować się przede mną podczas tych wszystkich imprez towarzyskich, ale teraz, gdy wreszcie zwróciłem na panią uwagę, muszę przyznać, że wydaje mi się pani dziwnie znajoma!

– Badawczym, nieco ironicznym wzrokiem omiótł jej postać.

– Choć przyznam, że widzę pewne różnice. Kobieta, którą mi pani przypomina, była... jak to określić...? dojrzalszej budowy.

Pani wydaje się małą, trwożliwą myszką. Ale to tylko potwierdza moją teorię o umyślnym zmyleniu ofiary, nieprawdaż?

– I bez wątpienia – odcięła się pogardliwym tonem – mój stryj także uczestniczy w tym zbrodniczym sprzysiężeniu?

– Być może – odpowiedział z wymuszonym uśmiechem.

– A pani może jest Księżycową Damą.

Mówił to tonem na poły żartobliwym, lecz w jego ciemnych oczach nie dostrzegła rozbawienia.

Poczuła, że jakaś lodowata dłoń zaciska się na jej sercu. Nim zdążyła odpowiedzieć, ponad dźwięki muzyki i gwar rozmów wzbił się pełen przerażenia okrzyk.

– Och! Moja broszka! Ktoś ukradł mi broszkę!

2

Pani Pendergast, małżonka Johna Roberta Pendergasta z Grammercy Park, ściskała się oburącz za szyję, jakby chciała się udusić. Gdy tylko wieść o kolejnej kradzieży rozeszła się wśród zebranych, wszystkich ogarnęło nieopisane podniecenie. Ekscytowano się jednak – jak zauważyła Mystere – nie tyle stratą broszki, ile możliwością przyłapania tajemniczej Księżycowej Damy na gorącym uczynku.

– No cóż, panie Belloch – zdobyła się na lekki ton – widzę, że jako jasnowidz dorównuje pan memu stryjowi. Przed chwilą przewidział pan, co się stanie!

Belloch skrzyżował ramiona na piersi i wpatrywał się w nią bacznie jak przyczajony w gąszczu lew w upatrzoną ofiarę.

– Istotnie. I pomyśleć, że omal nie zrezygnowałem z dzisiejszego przyjęcia!

Chcąc uniknąć badawczego spojrzenia Rafaela, Mystere udawała, że bardzo interesuje ją to, co się dzieje dokoła. Pani Pendergast, z wyrazem przerażenia i zdumienia na twarzy, nadal ściskała wysoki kołnierz swej sukni, rozchylony teraz przy szyi, gdy znikła spinająca go broszka.

– Jesteś pewna, że nie upadła na ziemię? – spytała z niedowierzaniem Thelma Richards. – Jakim cudem ktoś mógłby ją odpiąć... i to tak, żebyś tego nie zauważyła? Dosłownie ukraść ci ją spod nosa?!

– No właśnie, jakim cudem? – szepnął Belloch do Mystere, nadal nie spuszczając jej z oka. – Widać, że Księżycowa Dama jest prawdziwą mistrzynią w swoim fachu!

– Czy to nie zbyt pochopny wniosek, mój panie? – odcięła się bez drgnienia powiek. – Nie ustalono jeszcze, czy to w ogóle była kradzież, a tym bardziej, kto jej dokonał!

Zaczęła odsuwać się od niego w nadziei, że zdoła zgubić go w ruchliwej ciżbie, ale Belloch miał wyraźnie inne zamiary. Ujął dziewczynę pod ramię i powiódł przez rozgorączkowany tłum w stronę poszkodowanej.

Tak się akurat zdarzyło, że na przyjęciu był szef policji kryminalnej Thomas F. Byrnes. Należał do ulubieńców nowojorskiej elity, gdyż to on ustanowił „nieprzekraczalną granicę" na północ od Fulton Street, dzięki czemu groźni kryminaliści z innych dzielnic nie ośmielali się niepokoić nowojorskiej finansjery. Po spiesznym i bezowocnym przeszukaniu przez służbę ogrodów oraz posadzki w galerii inspektor Byrnes zwrócił się do zrozpaczonej pani Pendergast.

– Jaka to była broszka, łaskawa pani?

– Jaka? No... złota broszka z kwiatowym ornamentem. Pięć owalnych opali, panie inspektorze, i dwadzieścia dwa okrągłe rubiny.

– Bardzo cenna, jak sądzę?

Matrona zbladła jeszcze bardziej.

– Bardzo.

– Życzę powodzenia, inspektorze! – zawołał z tłumu Belloch. – Coś mi się zdaje, że to szukanie igły w stogu siana. Wygląda na to, że Księżycowa Dama znów zaatakowała podczas imprezy towarzyskiej. Może dokładne zrewidowanie wszystkich obecnych tu dam byłoby najlepszym wyjściem?

Mówił żartobliwym tonem, więc kilku panów parsknęło, słysząc ten nieco ryzykowny dowcip, a niektóre panie wyraźnie się obruszyły.

– To byłaby dla mnie prawdziwa przyjemność, panie Belloch – wyznał Byrnes – ale i nader nierozważne posunięcie. Natychmiast by mnie przenieśli na skrzyżowanie przy South Street, do kierowania ruchem ulicznym!

Antonia Butler zdołała pochwycić spojrzenie Bellocha i uśmiechnęła się do niego. Ta pannica ma stanowczo zbyt duże zęby! – pomyślała krytycznie Mystere. Obie weszły w wielki świat w tym sezonie, ale zgodnie z planami Paula Rillieux, debiut panny Butler wywołał większe poruszenie. Ojciec Antonii zbił niezłą fortunę w Canton w stanie Ohio, zaopatrując w dwutlenek węgla producentów napojów gazowanych. Potem, podobnie jak Rockefeller, Carnegie czy Armour, przeniósł się do Nowego Jorku i zaczął obracać swym kapitałem.

Mystere przyglądała się manewrom Antonii. Panna Butler pod jakimś pretekstem odłączyła się od swego towarzystwa i zmierzała prosto w stronę jej i Bellocha. Ten ostatni na szczęście puścił ramię Mystere, a poprzedniej poufałości nikt nie dostrzegł w ogólnym zamieszaniu.

Antonia wyglądała całkiem ponętnie w obcisłej atłasowej sukni przybranej czarnym aksamitem. Mystere musiała to przyznać, acz bez przyjemności. Jej własna suknia, choć nie gorsza gatunkowo i dobrana idealnie do jasnej cery Mystere, uszyta była tak, by jej właścicielka wydawała się raczej niedojrzałym dziewczątkiem niż młodą kobietą.

Córka milionera była niewątpliwie piękna, ale sztywna jak porcelanowa lalka. Z iście kobiecym krytycyzmem Mystere pomyślała, że Antonia ma w sobie tyle życia, co poruszająca się we śnie lunatyczka. Jeśli zaś okazywała jakieś uczucia, były to fochy antypatycznej pensjonarki. Lubiła się pysznić swoim bogactwem i chętnie kłuła w oczy nowymi błyskotkami i fatałaszkami, co zdawało się świadczyć, iż zaznała niegdyś biedy. Najgorsze było jednak to, że zawsze traktowała niepozorną jak myszka Mystere niczym sierotkę przygarniętą z litości przez nowojorską elitę.

– Dobry wieczór, Mystere – powitała ją protekcjonalnym tonem. – Występ twojego stryjka był całkiem zajmujący! Nie sądziłam, że w waszej rodzinie drzemią takie aktorskie talenty!

To również było charakterystyczne dla Antonii: wygłaszanie obraźliwych uwag słodziutkim tonem. Na chwilę Mystere ogarnął gniew. Gdy jednak Antonia zaczęła znów szczerzyć zęby do Rafe'a, poczuła do niej wdzięczność, że przyciągnęła jego uwagę.

– Ach, panie Belloch! W o ileż lepszym położeniu jesteście wy, dżentelmeni, od nas, biednych kobiet! Musimy siedzieć w domu i czekać, podczas gdy wy latacie jak motylki, gdzie się wam podoba! Doprawdy mógłby pan od czasu do czasu odwiedzić i nas!

– Co to, to nie, panno Butler! Kiedy raz zdobyłem się na odwagę, by złożyć pani wizytę, była pani otoczona istnym rojem adoratorów.

– Ależ panie Belloch! Czyżby zląkł się pan konkurencji...? A powiadają, że rusza pan z posad góry! – Rzuciła Mystere spojrzenie mówiące: „a ty czemu się tu jeszcze plączesz?" i dodała: – Sądziłam, że woli pan ambitne wyzwania od łatwych zdobyczy?

– Owszem, panno Butler, jeśli mogę się spodziewać jakichś konkretnych korzyści.

Była to uwaga dość obcesowa, ale Antonia nie wydawała się urażona. Zerkając to na Mystere, to na Rafaela, odpowiedziała:

– Ojciec zawsze mi powtarza, że nie ma zysku bez ryzyka. Mam nadzieję, że sukcesy finansowe nie uczyniły pana zbyt... mało ambitnym w sprawach osobistych.

Wyraźnie zadowolona z siebie życzyła im obojgu miłej zabawy i wróciła do swojego towarzystwa.

– Może i otacza ją rój adoratorów – zauważyła Mystere obojętnym tonem – ale wyraźnie widać, że bez trudu zająłby pan wśród nich pierwsze miejsce.

– O, może się kiedyś z nią zabawię – odpowiedział bez entuzjazmu.

– Ze mną też ma się pan zamiar zabawić? Tak pan to traktuje: jako rozrywkę?

– Tak, ale z każdą kobietą prowadzi się całkiem inną grę. Proszę mi powiedzieć, czy to prawda, że pani stryj jest jednym z największych faworytów pani Astor?

Pyszałkowaty ton jego głosu zirytował ją, więc zbyła go krótko.

– Okazała nam wiele życzliwości. Jak pan wie, jesteśmy w Nowym Jorku od niedawna.

Odpowiedział jej nieprzystojnym wybuchem śmiechu.

– Co najmniej od dwóch lat, o ile mi wiadomo!

– Prowadzi pan różne gry z wieloma kobietami, więc zapewne pomylił mnie pan z kimś innym – rzuciła chłodno.

Udał, że nie słyszy jej słów. Zmrużył tylko podejrzliwie oczy.

– Caroline wspomniała mi, że pani stryj w młodości dużo podróżował.

– Istotnie, odbywał dalekie podróże. Było to jednak, zanim zamieszkałam razem z nim w Nowym Orleanie.

– A, prawda. Pani rodzice zmarli na... cholerę, czy tak?

– Na żółtą febrę – sprostowała. – To poważny problem w Nowym Orleanie. W siedemdziesiątym pierwszym roku wybuchła wyjątkowo ciężka epidemia.

Pani Pendergast i inspektor Byrnes udali się do salonu w celu sporządzenia szczegółowego raportu. Mystere zaczęła się rozglądać i wreszcie napotkała wzrok Paula Rillieux, który siedział przy marmurowym stoliku w towarzystwie Alice i Alvy Vanderbilt. Próbowała się odsunąć od Bellocha, on jednak znów przytrzymał ją za ramię.

– Nowy Orlean to czarujące miasto – ciągnął dalej, mimo że dziewczyna wyraźnie chciała zakończyć rozmowę. – Choć rzeczywiście położone w niezdrowej okolicy. Byłem tam kiedyś w interesach. Proszę mi powiedzieć: czy nadal palą kukłę „tego nędznika Butlera"?

– Kogo?

Twarz mu pociemniała.

– Chyba pani ze mnie kpi? – rzucił.

Mystere opanowała zdenerwowanie. Nazwisko kojarzyło się jej z czymś... nie tylko z Antonią. Zaczęła szukać w pamięci. Przypomniała sobie lekcje z Paulem.

– Ach, oczywiście! Ma pan na myśli Bena Butlera, generała Unii, który zdobył Nowy Orlean podczas wojny secesyjnej.

– Jestem zaskoczony, że panna z Nowego Orleanu nie zorientowała się od razu, o kogo chodzi. O ile mi wiadomo, to najbardziej znienawidzony wróg w dziejach tego miasta. Podobno traktował wszystkie damy z Nowego Orleanu jak ulicznice.

– Niewiele pamiętam z czasów wojny, panie Belloch. Zapomina pan o moim wieku. Dopiero w tym roku debiutowałam w towarzystwie – przypomniała mu.

– Panno Rillieux, czas nie leczy wszystkich ran. Byłem w Nowym Orleanie zaledwie pięć lat temu. Wszyscy tam nadal psioczyli na Butlera!

Niepokój Mystere wywołany pytaniami Bellocha przerodził się w jawne oburzenie. Co za nieznośny upraciuch! Energicznym ruchem wyswobodziła się z jego uścisku.

– Udowodnił mi pan, jaka jestem głupia, panie Belloch! Ale dość już tych zniewag! Żegnam pana!

Odwróciła się błyskawicznie, aby nie mógł znów jej zatrzymać. Gdyby spróbował, gotowa była wołać o pomoc. Oczywiście wybuchłby skandal, nie mogła jednak pozwolić, żeby Rafael wyszedł z tego jako zwycięzca. Był zbyt groźnym przeciwnikiem.

– Nigdy nie nazwałbym pani głupią – usłyszała za sobą jego głos.

Nie odwróciła się, tylko wyprostowała jeszcze bardziej i odeszła. Niech się śmieje, niech drwi!

Kiedy powóz wyminął kamienną bramę rezydencji Maitlandów, Paul Rillieux zażył niuch tabaki i zatrzasnąwszy wieczko srebrnej tabakiery, zwrócił się do Mystere:

– No cóż, moja droga, obejrzyjmy tę najnowszą błyskotkę.

Uniosła lewą rękę i spod gronostajowego wyłogu ukazał się ozdobiony falbaną mankiet haftowanego rękawa. Umieszczona tam zaciągana sznureczkiem kieszonka była całkowicie zasłonięta sutymi fałdami. Po latach żmudnych ćwiczeń pod kierunkiem niesłychanie wymagającego Paula Mystere potrafiła ukryć dowolną sztukę biżuterii tak zręcznie, że nawet uważny obserwator nie dostrzegłby niczego podejrzanego w geście dziewczyny poprawiającej bezwiednie rękaw.

Wyjęła broszkę i podała ją Paulowi.

Potarł paznokciem zapałkę. W blasku płomienia rozbłysły drogie kamienie na cennym klejnocie.

– Co za robota! – oświadczył z podziwem. – Miałem wielu utalentowanych uczniów, Mystere, ale ty przewyższasz talentem ich wszystkich!

– Talentem? – powtórzyła z goryczą. – O talencie można mówić w malarstwie, poezji czy sztuce aktorskiej, nie przy kradzieży!

– Mylisz się. A poza tym my wcale nie kradniemy. Już ci to tłumaczyłem. My przejmujemy na własność. To całkiem co innego. Kradzież jest czymś niskim, wulgarnym, pospolitym. Przyłapany złodziej maże się i płaszczy. Przywłaszczenie, wręcz przeciwnie, jest oznaką wyrafinowania i wyższego umysłu, dowodem odwagi. Takie zawładnięcie czymś nie wymaga moralnego usprawiedliwienia. Rzymianie wiedzieli, co mówią, gdy zachęcali: *pecca fortiter* – grzesz śmiało! Jak myślisz? W jaki sposób nowojorska elita dorobiła się majątków? Zagarniając to, na co miała ochotę.

Zapałka zgasła, a Rillieux wetknął broszkę do kieszeni płaszcza.

– Skoro już mowa o nowojorskiej elicie – dorzucił. – O czym rozmawiał z tobą Belloch? Nie wyglądało mi to na pustą salonową konwersację.

– On mnie podejrzewa. Nie tylko o to, że jestem Księżycową Damą. Zaczęło się od napadu w Five Points. Zapamiętał mnie.

– Bzdura! To było dwa lata temu. Postawił ci jakieś konkretne zarzuty?

– To były tylko sugestie, ale…

– Daj spokój, moja droga. Dobrze wiemy, że masz skłonność do przesady. Robisz z igły widły. Miałaś wtedy na twarzy maskę. Poza tym robisz wrażenie młodszej, odkąd troszkę ci… zniwelowaliśmy kobiece kształty.

– Bardzo możliwe, że bierze mnie za siedemnastolatkę. Ale jest tylko zbity z tropu, nie dał się całkiem oszukać. Nie masz pojęcia, jak mnie wypytywał o Nowy Orlean! I o ciebie. Raz omal mnie nie przyłapał. Chodziło o „tego niegodziwca Butlera". Dzięki Bogu, uważnie studiowałam wszystkie książki, które mi dałeś, więc zaraz mi się przypomniał.

– Niech Belloch nie wtyka nosa w nasze sprawy. Trzymaj się od niego z daleka!

– Spróbuję. Ale jeśli on nie zechce trzymać się z dala ode mnie?

– Lepiej, żeby to zrobił, bo inaczej źle skończy.

– Co masz na myśli? – spytała z nutką przestrachu w głosie.

– Nie twój interes. Nie przejmuj się Bellochem. To dziwak. Podobno ma nie wszystkie klepki w porządku. Pomieszało mu się w głowie wskutek rodzinnego skandalu i utraty majątku przez rodziców.

– Mnie wydawał się całkiem normalny.

Powóz przeciął Broadway przy Madison Square, gdzie wznosiły się liczne hotele, a potem jechał Ladies' Mile aż do Fourteenth Street, największego centrum handlowego na świecie. W Marble Palace, u Lorda & Taylora i w innych wielkich magazynach było pusto i ciemno. Otwarte były jeszcze tylko restauracja Delmonico's i kilka sklepów specjalistycznych.

– Paul? – spytała Mystere niepewnym głosem. – Czy za tę broszkę dostaniemy dużo pieniędzy?

– Chyba tak. To już zależy od Helzera, jak wiesz. Czemu pytasz?

Paul był zdziwiony. Mystere nigdy nie zadawała takich pytań.

– Chodzi o to... Zastanawiałam się... Może mogłabym dostać większą dolę?

– A to po co? Brakuje ci czegoś? Nie zapominaj, że muszę dbać o cały dom i o nas wszystkich. Masz piękne apartamenty, porządne ubrania, kieszonkowe, możesz korzystać z powozu i stangreta, kiedy tylko zechcesz. – Pogroził jej palcem. – Nie powinnaś trwonić pieniędzy, moja droga!

Protekcjonalny ton Paula zirytował ją. Mimo iż Belloch budził w niej lęk, podzielała jego pogardę dla nowojorskiej elity. Ci ludzie uważali się za lepszych i mądrzejszych od innych, a dali się nabrać takiemu staremu oszustowi jak Rillieux tylko dlatego, że szykownie się ubierał i miał iście francuski wdzięk.

Jej milczenie wzbudziło podejrzenia Paula. Przemówił głosem niższym o oktawę, z wyraźną pogróżką.

– Nie ścierpię Judasza w naszym gronie, Mystere, zapamiętaj to sobie! Trzymamy się razem: jeden za wszystkich, wszyscy za jednego! Nikt nie wynosi z domu rodzinnych sekretów. Zrozumiano?

Przez chwilę zmagała się ze łzami i ściskaniem w gardle.

– Tak – zdołała wreszcie wykrztusić.

Rillieux, który doskonale orientował się w jej nastrojach, zmienił ton na współczujący.

– Zapomniałaś już o sierocińcu, z którego cię wyciągnąłem?

Czy zapomniała?! Do śmierci nie zdoła go zapomnieć! Lodowate zimno w nocy, okrutne kary i ciągły głód: tylko dwa razy na dzień miska panady, chleba rozdrobnionego w gorącej wodzie, z pływającymi po wierzchu kawałkami rzepy. Dzięki Paulowi odeszła stamtąd jako ośmioletnia dziewczynka i uczyła się złodziejskiego fachu aż do dwudziestego roku życia. Zaczęła od zwykłego kieszonkowca i przy pomocy Paula zdobyła najwyższe kwalifikacje. Porzuciła dawne nędzne życie jak wąż porzuca starą skórę. Nie pozbyła się jednak bolesnych wspomnień ani strachu, że tamto mogłoby się powtórzyć.

– Nie! – odpowiedziała z przekonaniem. – Nie zapomniałam. I jestem ci wdzięczna. Byłeś dla mnie dobry.

Odsunęła zasłonkę w oknie i wyjrzała na zewnątrz. Manhattan był nadal tylko częściowo zelektryfikowany; na ulicach płonęły gazowe latarnie. Wschodzący właśnie księżyc srebrzył wieżę kościoła Świętej Trójcy.

Głos Paula Rillieux, nadal łagodny, przerwał jej rozmyślania.

– Chodzi o Brama, nieprawdaż? Ciągle za nim tęsknisz. Wciąż myślisz o swoim bracie.

– Ma dwadzieścia sześć lat – powiedziała bardziej do siebie niż do Paula. – Jeśli jeszcze żyje... Tylko on mi został z rodziny, nikt więcej.

– Mylisz się, kochanie. Masz nas. Wszyscy jesteśmy rodziną: ja, ty, Baylis, Evan, Rose, a niebawem dołączy do nas jeszcze ten mały Hush, kiedy będzie gotów. Skoncentruj się na tym, co masz, nie na tym, co utraciłaś. Bram przepadł dwanaście lat temu. Mówiąc otwarcie: większość tych, których porwano na morze, nie wytrzymuje tak długo. Mało prawdopodobne, żeby się odnalazł.

Powieki Mystere zadrżały; znów zapiekły pod nimi słone łzy. Paul miał zapewne rację, ale ona nie mogła wyrzec się sekretnych, kosztownych poszukiwań! Pozostała jej tylko nadzieja. Tylko ona trzymała ją przy życiu.

Powóz toczył się pod torami El. Właśnie jeden z ostatnich pociągów przejechał nad nimi wśród stuku i dymu. Mystere słyszała, jak klnie siedzący na koźle Baylis, którego obsypał deszcz sadzy. W szparach pomiędzy stalowymi wspornikami błysnął znowu blady księżyc. Mimo rzuconej w rozmowie z Bellochem uwagi na temat bzdurności przezwiska Księżycowa Dama, Mystere wiedziała, że jest ono niesamowicie trafne. I to nie tylko dlatego, że była „nieuchwytna jak promień księżyca"!

Po raz pierwszy Księżycowa Dama zwróciła na siebie uwagę prasy podczas wielkiej nowojorskiej gali związanej z otwarciem Mostu Brooklińskiego. Było to w końcu marca. Tego wieczoru władze miejskie Nowego Jorku i Brooklynu urządziły pokaz ogni sztucznych – taki, jakiego jeszcze nie było na świecie! Przez wiele godzin nocne niebo nad East River jarzyło się feerią barw. Wszyscy mieszkańcy – bogacze i biedacy – wylegli na ulice, by podziwiać fajerwerki.

A potem, skoro tylko wypaliły się ostatnie „rzymskie świe-
ce", spośród ciemnych chmur wynurzył się księżyc w pełni
i zalał nowy most nieziemską poświatą. Ta naturalna iluminacja
zachwyciła widzów jeszcze bardziej niż sztuczne ognie. I właśnie
wtedy Mystere ukradła bransoletkę pani Caroline Astor.

W taki oto sposób Księżycowa Dama jednym wyczynem zdobyła sławę, pobudziła wyobraźnię tłumów i stała się bohaterką
dla tych, których życie nie rozpieszczało. Wkrótce potem okra-
dzenie przez nią stało się niemal powodem do dumy. Jej ofiarami
byli wyłącznie przedstawiciele nowojorskiej elity. Nigdy się nie
zniżyła do okradania mieszczuchów. Obserwowanie jej poczynań, spekulacje na temat tego, kim jest i kogo wybierze na następną ofiarę, wprawiało w podniecenie nawet „przedpotopowe
mamuty" z wielkiego świata.

Znów głos Paula przerwał jej rozmyślania.

– Masz – powiedział, wciskając jej zwitek banknotów. –
Może od czasu do czasu zdołam wyskrobać dla ciebie nieco więcej pieniędzy. Musisz mi jednak przyrzec, że ich nie zmarnujesz
na poszukiwania Brama!

Zmarnować? Ależ skąd! – pomyślała Mystere. Zmarnowała-
by je, wydając na suknie albo perfumy! A poszukiwania Brama
były jej niezbędne do życia jak powietrze.

– Nie zmarnuję tych pieniędzy – przyrzekła. – Na pewno
ich nie zmarnuję!

3

Odkąd Caroline Astor znalazła się pod urokiem erudycji i europejskiego czaru Paula Rillieux, został on w pełni zaakceptowa-
ny przez nowojorską elitę. Nikomu nawet nie przyszło do głowy
sprawdzić, ile jest prawdy w jego opowieściach o wielkim bogactwie, tytule barona i rodowych dobrach we Francji. Nie potrze-
bując zatem żadnych innych rekomendacji, Paul zajął obszerny
budynek z brunatnego piaskowca w pobliżu Great Jones Street
i Lafayette Place, jeden z najlepszych adresów w Nowym Jorku.

Całe skrzydło na górze przeznaczono na prywatne apartamenty Mystere. Następnego ranka po wieczorze u Maitlandów wstała wcześnie, gdyż przed południem miała umówione spotkanie w Central Park.

Umyła się prędziutko i lekko upudrowała twarz. Potem nastąpił najbardziej uciążliwy punkt codziennego rytuału. Stanęła w samych majteczkach przed lustrem w srebrnej ramie przybranej zielonym aksamitem i zaczęła bandażować sobie biust paskami płótna. Zabieg był trudny, a skutki bardzo niemiłe, ale Rillieux bardzo się przy tym upierał.

– Potrzebujemy ładniutkiej debiutantki, nie pięknej kobiety – tłumaczył. – Mężczyźni, patrząc na ciebie, powinni myśleć: „No cóż... może za rok albo dwa. Jeszcze nie teraz". Niech się gapią gdzie indziej, kiedy ich będziesz uwalniać od niepotrzebnych drobiazgów.

Mystere skończyła krępowanie piersi i narzuciła jedwabną koszulkę. Potem podeszła do masywnej szafy z żółtodrzewu i wybrała suknię z czarnego batystu. Była niegustowna i niezgrabna, ale tego ranka potrzebowała właśnie takiego stroju. Włożywszy suknię, zaczesała do tyłu swe mahoniowe włosy i upięła je w zgrabny węzeł na karku.

Zupełnie nieciekawa, ponura toaleta, pomyślała z aprobatą. Dla pełnego efektu włożyła wdowi czepek z welonem. Znakomicie! Uboga wdowa może podróżować sama bez obawy, że ktoś ją zaczepi! A jeśli przesłoni twarz welonem, z pewnością nie rozpozna jej podczas spotkania w parku nikt z nowojorskiej elity.

Wzdrygnęła się, gdy ktoś nagle zastukał do drzwi jej garderoby.

– Nie śpisz już, Mystere? – odezwał się kobiecy głos.

Mystere pośpiesznie zdjęła czepek i ukryła go w plecionej torbie – dosłownie w ostatniej chwili. Szczęknęły otwierane drzwi i do pokoju wetknęła głowę kobieta koło trzydziestki z papilotami na ogniście rudych włosach, ukrytych częściowo pod czepkiem pokojówki.

– Już na nogach, o tej porze... i w dodatku ubrana, no, no! Ja dopiero co wstałam.

– Dzień dobry, Rose.

Rose O'Reilly była kobietą o chropowatej skórze i przedwcześnie zniszczonej twarzy. Spojrzała z dezaprobatą na czarną suknię Mystere.

– Nie zadasz szyku w tym łachmanie!

Mystere zignorowała tę uwagę.

– Czy Paul już wstał?

– A jakże! Siedzi z Hushem w saloniku na dole. Pora na lekcję, rozumiesz.

– W porządku. Zaraz schodzę.

Rose miała już zamknąć drzwi, ale się zatrzymała.

– A tak nawiasem mówiąc, to trąbią o tym wszystkie gazety!

– O czym…? A, masz na myśli broszkę pani Pendergast?

– Ale szum się zrobił, powiadam ci! Evan mówi, że nawet mleczarz gadał o tym bez końca, a policja obiecała, że złapie złodzieja. Tworzą jakiś oddział specjalny, żeby tylko dopaść Księżycową Damę. Mówiłam Paulowi, żebyście tak nie ryzykowali, ale on mi na to: „Zamknij gębę, ja wiem, co robię". Mam nadzieję, że wie, bo inaczej wszyscy na tym marnie wyjdziemy.

Wygłosiwszy tę orację, Rose znikła, ale jej ostrzeżenie sprawiło, że Mystere poczuła się niespokojna. Zwłaszcza gdy przypomniała sobie Rafe'a Bellocha i jego oskarżycielskie spojrzenie, którym ją przeszywał ubiegłej nocy. Był niczym tygrys w klatce czekający tylko, że jakiś dureń otworzy drzwi.

Warto jednak było podjąć to ryzyko. Nikt z pozostałych, nawet Hush, który mimo młodego wieku był zdumiewająco sprytnym kieszonkowcem, nie dostarczał błyskotek, które można by porównać z łupem Księżycowej Damy. Nie mogli jej dorównać po prostu dlatego, że nie mieli takiego dostępu do bogaczy jak ona. A im cenniejszą zdobycz przynosiła, tym większy udział w zyskach przyrzekał jej Rillieux. Rozpaczliwie potrzebowała pieniędzy!

Sięgnęła do górnej szuflady biurka z pozłacanego brązu w stylu Ludwika XVI po niewielkie pudełko z brzozowego drewna. Wyjęła z niego ostrożnie arkusz papieru – wymięty, wystrzępiony, w jednym miejscu nawet rozdarty. Rozłożyła kartkę i spojrzała na stare, wyblakłe już pismo. W duszy robiła sobie wyrzuty, że znów ogląda ten dokument, ale bywały chwile, że musiała go odczytać raz jeszcze, by udowodnić sobie samej, iż wszystkie jej wysiłki mają jakiś sens.

Najwyraźniejszy był wydrukowany nagłówek, coś w rodzaju dwóch połączonych ze sobą herbów: przepołowiony orzeł i męskie ramię zbrojne w sztylet. Znajdująca się tuż pod nim data była również dobrze widoczna: 12 kwietnia 1863 roku. Dalej jednak staranne pismo prawie całkiem zblakło; im niżej w dół strony, tym mniej było czytelne.

„Drogi Brendanie!

Mam nadzieję w Bogu, że ten list i dołączony do niego przelew bankowy dotrą do Ciebie i zastaną Was wszystkich w dobrym zdrowiu. Wiem, jakie okropne rzeczy dzieją się ostatnio w Dublinie. Wierzaj mi, że i mnie nie było lekko w Nowym Jorku zaraz po przybyciu.

Od tej pory jednak powiodło mi się nad wszelkie spodziewanie. Wiem, że ostatnio nietęgo się czujesz, ale jeśli tylko to możliwe, przyjeżdżaj tu jak najszybciej z całą swoją rodziną. Nalegam! Możesz być pewien, że od samego początku niczego Wam nie zabraknie. Życie jest tutaj niespokojne i trudne, zwłaszcza że nie doczekaliśmy się jeszcze końca tej strasznej wojny. Ale człowiek, który nie boi się pracy, może zapewnić tu sobie i swoim dzieciom niezgorsze życie.

Skoro już o tym mowa, bądź pewien, że choćby Ci się niezbyt udało, to i Ty, i Maureen, i Bram, i Mystere, wszyscy jesteście wymienieni w moim testamencie. Nigdy bym nie dotarł do Ameryki bez Twojej pomocy. Przecież to za pieniądze, które mi dałeś z uszczerbkiem dla Was wszystkich, opłaciłem bilet na statek. Niech Ci Bóg za to błogosławi. Mam nadzieję, że moje modlitwy zostaną wysłuchane i wkrótce znowu wszyscy będziemy razem".

Ostatniego ustępu listu Mystere nie była w stanie odczytać: pismo całkiem zblakło. Podobnie nie mogła odcyfrować podpisu, tym bardziej że atrament był nie tylko spłowiały, ale w jakimś wcześniejszym momencie chlapnęła na niego woda i rozmazał się. Mystere zaniosła kiedyś pismo do restauratora starodruków, ale nie pomogła nawet jego tynktura z rtęci i cynku.

Nie miała więc żadnego punktu wyjścia dla swych poszukiwań, gdyż albo nigdy nie znała swego nazwiska, albo dawno je zapomniała. Brendan, jej ojciec, zmarł, nim ten list dotarł do rąk jej matki Maureen. A i ją zabrały suchoty, kiedy Mystere miała zaledwie dwa lata. Ostatnim wysiłkiem śmiertelnie chora Maureen wsadziła na pokład statku odpływającego do Ameryki swego ośmioletniego synka i malutką córeczkę.

Mystere ostrożnie złożyła list i znów go schowała. Pamięć była dla niej zawsze czymś zdumiewającym. W jednej chwili człowiekowi mogło stanąć przed oczami całe jego życie. Ona jednak nie mogła odnaleźć w swej pamięci odpowiedzi na najważniejsze pytania. Nie zachowała żadnych wspomnień z wczesnego dzieciństwa w Irlandii. Wiedziała o nim to i owo wyłącznie z tego listu i z opowiadań Brama. Szczególnie uparcie brat powtarzał jej jedno: mama powiedziała, że i na niego, i na Mystere czeka w Ameryce wielka fortuna.

Na dole wysoki zegar szafkowy wybił kwadrans i ten dźwięk przywrócił ją do rzeczywistości. Raz jeszcze przejrzała się w lustrze i chwyciła wyplataną torbę z wdowim welonem.

– Dzisiaj – powiedziała z nadzieją do swego odbicia – Lorenzo na pewno będzie miał dla mnie jakieś wiadomości!

– Pamiętaj, chłopcze – dotarł do niej dźwięczny głos Paula Rillieux zza lekko uchylonych drzwi saloniku. – Najodpowiedniejszym momentem do działania są pierwsze sekundy po tym, jak dwóch znajomych spotka się na ulicy. Ta chwila, gdy ich spojrzenia się zbiegną i gdy obaj przystąpią do ceremonii powitania.

Mystere zajrzała przez uchylone drzwi do luksusowo urządzonego wnętrza, które oświetlały lampy z pozłacanego mosiądzu, przerobione ostatnio z gazowych na elektryczne. Stałe światło żarówek podkreślało żywe barwy perskiego dywanu: ciemny róż, błękit i zieleń na czarnym tle. Rillieux siedział w fotelu z rzeźbionego orzecha, wymachując laseczką niczym dyrygent batutą.

Dosłownie u stóp swego mistrza na wyściełanym taborecie siedział mały Hush.

– Ceremonia powitania – pouczał dalej Rillieux – wymaga całkowitej obustronnej uwagi. Pewnego razu przy takiej sposobności uwolniłem jednego z moich klientów od walizki. Podstawową rzeczą jest wybór odpowiedniego momentu, błyskawiczne tempo i precyzja ruchów. Bądź zawsze w pogotowiu, Hush! Zachowaj przytomność umysłu i pewność siebie, jeśli chcesz być artystą w swoim fachu.

– Artystą, pszepana?

– Oczywiście! Kradzież – którą zresztą wolę nazywać przejęciem własności – to skomplikowana i szlachetna sztuka, jeśli zostanie dokonana, jak należy. Nie ma w niej miejsca na pogróżki, przemoc ani rozlew krwi. Nie mogę znieść tych odrażających bandziorów, którzy zastraszają, okaleczają, a nawet zabijają swoje ofiary. Czemu pozbywać się bogacza, który spłodzi następnych frajerów do oskubywania? Tak jak dobry rolnik szanuje żyzną glebę, tak my powinniśmy cenić swoich klientów, których uwalniamy od kosztownych cacek.

– Ależ, Paul! – zauważyła żartobliwym tonem Mystere, wchodząc do saloniku. – Chłopiec ma dopiero dwanaście lat, a ty raczysz go filozoficznymi wywodami jak Platon swoich uczniów.

Hush zerwał się z taboretu i obdarzył ją dziwnie żałosnym asymetrycznym uśmiechem, którym podbił serce Mystere już przy pierwszym spotkaniu. Osierocony dzieciak zarabiał na życie jako szczurołap, a mieszkał w piwnicznej norze na terenie włoskiej dzielnicy, zwanej Małą Italią. Jego ciemnoniebieskie spodnie przerobione były z dawnego munduru Unii. Przytrzymywał je skórzanym pasem, w sam raz dla kogoś trzy razy większego. Wełnianą koszulinę nosił – sądząc z plam i łat – przez okrągły rok.

Rillieux był tego ranka w dobrym humorze i powitał Mystere uśmiechem.

– Tak, ma tylko dwanaście lat, ale sama zobacz! To nie zwykły czeladnik, to cudowne dziecko!

Wskazał łupy chłopca, wyłożone na stojącym obok intarsjowanym stoliku do herbaty. Oprócz kilku zwitków banknotów do ostatnich zdobyczy Husha należała cieniutka złota bransoletka włoskiej roboty i para kolczyków z brylantami i szafirami.

– Chłopak na niezwykły talent! – unosił się Rillieux. – Nie spotkałem kogoś równie zręcznego od twoich czasów, Mystere. To, czego się nauczy na ulicy, zaprowadzi go kiedyś na salony bogaczy, powiadam ci! Ręce urodzonego kieszonkowca to równie delikatny instrument, jak ręce pianisty lub genialnego chirurga. Nawiasem mówiąc, to dwudziestoczterokaratowe złoto.

Mystere zachowała obojętny wyraz twarzy, ale duma Paula ze złodziejskich talentów dziecka, które z całym rozmysłem demoralizował, napełniała ją gniewem. Rillieux cieszył się sławą uczonego podróżnika. Prawdę mówiąc, zawdzięczał ją swej niemal fotograficznej pamięci. Dzięki umiejętności błyskawicznego zapamiętywania faktów mógł uchodzić za człowieka wszechstronnie wykształconego, a co ważniejsze, nigdy nie zapominał, gdzie znajduje się jakiś cenny przedmiot.

– Czyżby ktoś umarł? – spytał, spoglądając ze zdziwieniem na żałobną suknię Mystere.

– Po mojemu ona i w tym fantastycznie wygląda, pszepana – ujął się śmiało za nią Hush. – Jak jakaś dama z portretu!

– Wiemy, wiemy, żeś się zadurzył po uszy, mój chłopcze. I nic dziwnego! Mystere aż oczy rwie, nawet w tej czarnej sukienczynie. Skorzystasz dziś z powozu i stangreta, moja droga?

Musiała być bardzo ostrożna. Między innymi dlatego włożyła czarną suknię. Samotne wdowy zostawiano zwykle w spokoju, podczas gdy inne błąkające się same młode kobiety mogły być łatwo wzięte za prostytutki. Ona zaś wybierała się na miasto zupełnie sama.

Mogłaby oczywiście skorzystać z powozu Paula, ale dobrze wiedziała, że Rillieux ma ukryte powody, proponując jej wielkodusznie swój pojazd. Gdyby powoził nim Baylis, po powrocie złożyłby Paulowi szczegółowe sprawozdanie z jej poczynań. Cała służba, nie wyłączając Rose, była bezwzględnie lojalna wobec niego, i nie dziwota! Ostatecznie to Paul wybawił ich od losu grzebiących w śmietnikach gałganiarzy lub popychadeł jakichś bandziorów. Zapewnił im porządny dach nad głową i poczucie względnego bezpieczeństwa – luksusy, o jakich nie było mowy w ich dawnym niebezpiecznym życiu. Baylis szczerze ją lubił, podobnie jak ona jego, ale wiedziała z doświadczenia, że nie utrzyma niczego w tajemnicy przed Paulem.

– Pojadę omnibusem – odparła. – Chcę pochodzić po sklepach na Broadwayu, a sam wiesz, jaki tam ścisk! Biedny Baylis nie znosi wykłócania się o miejsce z innymi woźnicami.

– W takim razie wezwij chociaż dorożkę. Ludzie z towarzystwa nie jeżdżą omnibusem!

– To świetnie – rzekła lekkim tonem. – Wobec tego nikt mnie tam nie wypatrzy. Lubię jeździć omnibusem i już!

Rillieux zmarszczył czoło. W kącikach oczu pojawiła się sieć cieniutkich zmarszczek.

– Rób, jak chcesz, moja droga. Ale wróć do domu przed trzecią. Jesteśmy zaproszeni na wieczorek poetycki do Vernonów. Będzie tam Sylvia Rohr... mam na oku pewien jej klejnocik.

– Wrócę na czas – obiecała, kryjąc niezadowolenie.

Pozornie jej towarzyskie życie kwitło. Oprócz wielu (zbyt wielu!) balów, wieczorków i herbatek były jeszcze wyprawy do muzeów, na spektakle operowe i teatralne, koncerty i odczyty. Mimo to Mystere czuła się nieskończenie samotna. Obracała się wśród tych ludzi, ale nie należała do ich grona. Spotykała się z nimi tylko po to, by kraść.

Hush wyszedł za nią z saloniku i przez wielki salon odprowadził ją do głównego przedsionka.

– Mystere... – odezwał się zza jej pleców, gdy sięgała już do szklanej klamki drzwi frontowych.

– Hm?

Odwróciła się z roztargnieniem i ujrzała wpatrzone w nią ciemne, inteligentne oczy.

– Kiedy będę mógł zamieszkać tu z tobą... znaczy, z wami wszystkimi?

Uśmiechnęła się, choć słowa chłopca ukłuły ją w serce.

– Już niebawem. Tak mi się zdaje. Wiesz przecież, że to zależy od Paula.

Charakterystycznym ruchem głowy odrzucił do tyłu ciemną czuprynę opadającą mu na oczy.

– A pan Rillieux? On mnie lubi, no nie? Podoba mu się moja robota?

Mystere sądziła, że wpatrując się uważnie w twarze, można ujrzeć każdego nie tylko takim, jaki jest dziś, ale jakim będzie w przyszłości. To, co wyczytała w twarzy Husha, bardzo się jej spodobało. Pod brudną i posiniaczoną buzią bezdomnego dziecka dostrzegła szlachetne serce i wartościowy charakter.

– Słuchaj, Hush. On jest z ciebie bardzo zadowolony. Tym się nie martw. Ale chyba rozumiesz, że nikogo nie wolno... zmuszać, żeby został złodziejem?

– Zmuszać?! Mnie się to bardzo podoba! Sto razy wolę kraść, niż się użerać z tymi podłymi szczurami!

– Wiem. Ale pamiętaj, zawsze możesz znaleźć sobie coś jeszcze lepszego. Coś... uczciwego. Wykształcisz się w jakimś zawodzie i... Umiesz czytać?

Potrząsnął głową.

– Ale rachować trochę umiem! – zapewnił ochoczo.

– Doskonale, wobec tego nauczę cię czytać. Dla takiego bystrego chłopca jak ty to nie będzie trudne. Zaczniemy od razu, kiedy znowu się u nas zjawisz.

Aż się rozpromienił na tę obietnicę. Odwróciła się już do drzwi, lecz znów ją zatrzymał.

– Mystere?

– Tak?

Obejrzał się spiesznie przez ramię, czy Rillieux nie wychodzi z salonu.

– A ty… no, wiesz… Ty to robisz z musu?

Spojrzała mu badawczo w twarz.

– Domyśliłeś się prawdy o Księżycowej Damie, co?

Chłopiec skinął głową.

– Jesteś naprawdę bystry! Nie wygadaj się z tym przed Paulem!

– Ale co z tobą? Zmuszają cię czy jak?

Coś w jego zaciekawionym spojrzeniu przypominało jej Rafaela Bellocha, który wpatrywał się w nią zeszłej nocy tak, jakby chciał zajrzeć do wnętrza jej duszy.

Otwierała już usta, by jakoś mu to wytłumaczyć, ale wzrok jej padł na stojący na kominku zegar ze szkła i mosiądzu. Było już po dziesiątej!

– Pogadamy o tym później – obiecała i cmoknęła go pośpiesznie w policzek. – Na razie powiem ci tylko tyle: takie zgrabne wyrażonka jak „przejęcie własności" nie upiększą brzydkiej sprawy. Okradanie ludzi może się wydawać łatwe i korzystne, ale żeby nie wiem jak na to patrzeć, to grzech i podłość!

– Nie wtedy, kiedy ty to robisz! – zaoponował stanowczo.

Nie tylko Paul ma na niego zły wpływ! – pomyślała z zamierającym sercem, zamykając za sobą drzwi. Mimo że wstrząsnęły nią ostatnie słowa chłopca, nie miała odwagi spojrzeć mu w oczy ani zaprzeczyć.

4

Na Lafayette Place nie było żadnych omnibusów, ale Mystere przeszła kilka ulic i złapała „ekspresowy" tramwaj ciągnięty przez wielkiego perszerona. Zawiózł ją prosto przed bramę parku na skrzyżowaniu Fifth Avenue i Fifty-ninth Street.

Choć Mystery czuła napięcie przed spotkaniem z Lorenzem Perkinsem, cieszyła się tą niespieszną jazdą. Dzień był piękny, słońce jaśniało na bezchmurnym niebie, a powiewy północnego wiatru czyniły upał całkiem znośnym. Co prawda wystarczyło zerknąć na Washington Square, by ujrzeć wielką chmurę ciemnego dymu unoszącą się wiecznie nad dolnym Manhattanem, fabryczną dzielnicą pełną wszelkiego typu zakładów, ale nie przeszkadzało to Mystere. Czuła się tu jak ryba w wodzie; wyrosła przecież w tym mieście i obserwowała, jak rozrasta się coraz dalej na północ, aż wreszcie rolnicze tereny Manhattanu zostały zepchnięte na sam jego skraj. Tam, gdzie jeszcze niedawno pasło się bydło, kładziono już trotuary i instalowano gazowe latarnie. Mystere czytała niedawno, że rolników i hodowców przepędzono za Seventy-eight i Seventy-ninth Street. Nawet pola Harlemu uznawano już za przyszłe parcele budowlane.

Wszystko wokół niej rozwijało się w zawrotnym tempie. Najlepiej to było widać w górze: gęsta, splątana sieć drutów telefonicznych i przewodów elektrycznych miejscami całkiem przesłaniała niebo.

Mystere miała właśnie wejść do parku, gdy ukazał się elegancki ciemnozielony powóz, zmierzając w przeciwnym kierunku. Połyskująca złociście uprząż zwróciła jej uwagę. Zbyt późno uświadomiła sobie, do kogo należy ów pojazd. Nim zdążyła się odwrócić, poczuła na sobie – niczym fizyczny ciężar – spojrzenie Rafe'a Bellocha.

Nie ośmieliła się wbiec do parku, by schronić się przed nim. Stała bez ruchu w nadziei, iż wdowi welon wystarczająco ją osłania. Że też w tej alei, gdzie doprawdy było się za czym rozglądać, musiał sobie upatrzyć właśnie ją! Mimo zdenerwowania zauważyła, że w oknie powozu Belloch wygląda jak portret olejny przedstawiający młodego mężczyznę o mocno zarysowanych brwiach i ciemnych oczach, wzbudzającego strach wielmożę.

„Bardzo mnie interesują metody działania przestępców z towarzystwa", przypomniała sobie jego słowa.

Na szczęście po chwili powóz minął ją i mogła już bezpiecznie wejść do parku.

Miała się spotkać z Lorenzem Perkinsem pod Aniołem Wód na Bethesda Terrace, na północ od stawu. Ale Perkins jak zwykle się spóźniał. Mystere znalazła wolną ławkę, skąd miała dobry widok na zatłoczony plac, i czekała na jego przybycie. Woda wypływała spod stóp anioła z brązu i opadała kaskadą z jednej kondygnacji fontanny na drugą.

Tylko rozpaczliwe pragnienie odnalezienia zaginionego brata skłoniło Mystere do skorzystania z usług byłego pinkertona. Przedtem wyczerpała wszelkie inne możliwości. Rozmowy z irlandzkimi imigrantami pochodzącymi z Dublina, jej rodzinnego miasta, i żmudne poszukiwania w bibliotece uniwersyteckiej nie przyniosły rezultatu. Paliła nawet regularnie świeczkę przed posążkiem św. Judy, patrona spraw nie do rozwiązania. Czyniła to oczywiście w tajemnicy, bo choć była gorliwą katoliczką, uległa pod naporem wszechwładnego tu protestantyzmu i co niedziela chodziła wraz z Paulem na nabożeństwa do kościoła Świętej Trójcy.

Ostatecznie doszła do wniosku, że Bóg najchętniej pomaga tym, którzy sami przyłożą do tego rękę, i – narażając się na wielkie koszta i ogromne ryzyko – zatrudniła Perkinsa. Dotychczas nie na wiele jej się przydał, dostarczając jedynie mętnych, niepotwierdzonych informacji.

Tak się zadumała, że nie zauważyła nadchodzącego detektywa, póki nie usiadł obok niej.

– Po co ten wdowi welon? – spytał.

– Z ostrożności. Udało się panu coś odkryć?

Perkins zerknął na nią małymi, pozbawionymi blasku oczkami żółwia. Miał koło trzydziestki, bardzo popsute zęby i był śmiesznie dumny ze swych usztywnionych woskiem wąsów, które raz po raz ostentacyjnie podkręcał. Może chciał w ten sposób odwrócić uwagę od swego uzębienia, ale skutek był wręcz odwrotny.

– Rozpytywałem się o statek, o którym pani wspomniałem. O „Sir Francisa Drake'a".

– No i?

Wzruszył ramionami, wpatrując się w otaczający ich barwny tłum. Dzieci w białych płóciennych ubrankach pod opieką nianiek w błękitnych uniformach, a obok nich bezdomni mali oberwańcy w rodzaju Husha. Oni jednak również byli dziećmi i nie potrafili oprzeć się takim cudom jak wędrowny kataryniarz albo fontanna, do której rzucano drobne monety.

– Kiedy każdy ślad się urywa – tłumaczył Perkins – śledztwo musi potrwać! Ale jesteśmy już blisko celu, czuję to w kościach!

– Dokładnie to samo mówił mi pan ostatnim razem, panie Perkins! Czyżby od tamtej pory niczego się pan nie dowiedział?!

– Co pani wie o pracy detektywa? Niechże pani wreszcie zrozumie, że każdy szczegół może okazać się ważny! Trzeba je tylko przesiać przez drobne sito. Mówię pani, że posuwam się naprzód, ale cierpliwości... Cierpliwości!

– Więc po dwóch tygodniach nie ma pan dosłownie nic do powiedzenia? Czym się pan więc zajmował?

– Nie jest pani moją jedyną klientką, mówiłem przecież! Mam na głowie wiele innych spraw.

– Tak, ściga pan niewypłacalnych dłużników, prawda?

– Między innymi – potwierdził buńczucznie.

Gniew w niej zakipiał, ale zdławiła go ze względu na Brama. Perkins napawał ją odrazą, ale równocześnie stanowił jej jedyną nadzieję. Jak dotąd – niespełnioną. Znalezienie detektywa nie było jednak sprawą łatwą i Mystere wcale się nie paliła do angażowania kogoś innego, kto mógł okazać się jeszcze gorszy.

– Gdyby mój brat pływał na „Drake'u", czy nie zostałoby to gdzieś odnotowane? Na przykład w dzienniku okrętowym?

– Tego jeszcze nie rozgryzłem.

Podobnie jak mnóstwa innych rzeczy, pomyślała gorzko.

– Zajmę się tym – zapewnił, dostrzegając gniew w jej oczach.

W odległej fabryce gwizdki oznajmiły przerwę na lunch. Mystere w posępnym milczeniu obserwowała, jak powierzchnia wody marszczy się w nagłych podmuchach wiatru. Pływający łódkami po jeziorze chwycili za kapelusze.

Ruch wody przywołał wspomnienia. Przed oczyma stanęła jej scena porwania Brama. Wydarzyło się to zaledwie kilka tygodni od chwili, gdy Rillieux wyciągnął ich oboje z sierocińca przy Jersey Street. Miała wtedy osiem lat, a jej brat czternaście. Pewnego dnia, gdy włóczyli się po Manhattanie, wypatrując – zgodnie ze wskazówkami Paula – frajerów do oskubania, obok nich zatrzymał się nagle jakiś powóz.

Czterech mężczyzn w ubraniach zwykłych majtków chwyciło Brama i wepchnęło do środka. Było to typowe porwanie

45

rekruta wbrew jego woli. Powóz odjechał natychmiast, pozostawiając bezradną, zrozpaczoną dziewczynkę.

Od tej pory wspomnienie Brama towarzyszyło jej nieustannie. Jego zniknięcie odczuła tak, jakby odrąbano jej rękę. Dręczyły ją wizje straszliwych cierpień, jakie mogły stać się udziałem brata – pięknego chłopca o popielatoblond czuprynie i oczach zielonych jak irlandzkie łąki. Czasami wyobrażała sobie, że nadawca listu do ich ojca odnalazł jakoś Brama, który żyje teraz w pięknym domu, otoczony miłością i czułą opieką. Miał już dwadzieścia sześć lat, więc może nawet założył własną rodzinę? Ale czy mógł tak całkiem zapomnieć o siostrze? Może sądził, że umarła?

– Pewnego razu, kiedy miałam dwanaście lat – odezwała się, przerywając długie milczenie – zdawało mi się, że widzę Brama. Wysoko, na maszcie statku w dokach przy South Street. Te same włosy i oczy. Ale nie zdążyłam wbiec na pokład.

– To był statek pocztowy?

Skinęła głową.

– Rejowiec – dodała fachowo, bo poczytała trochę na ten temat.

– Zauważyła pani nazwę statku?

– Nie, byłam za bardzo... przygnębiona.

„Przygnębiona" było stanowczo zbyt łagodnym określeniem. Raz po raz wołała Brama po imieniu, ale te cudowne szmaragdowe oczy spoglądały na miotającą się po przystani dziewczynkę obcym, zimnym, pustym wzrokiem.

Lorenzo obserwował Mystere z obojętną miną. Zauważyła, iż rzadko się uśmiechał, a jeśli już, był to złośliwy grymas, pozbawiony wszelkiej subtelności. Teraz też wykrzywił wargi.

– Nie warto wyciągać pochopnych wniosków bez żadnego dowodu. Może pani brat nadal żyje. Ale całkiem możliwe, że umarł i spoczywa w jakiejś zbiorowej mogile. Albo siedzi w kiciu na Blackwell's Island.

– Czy nie mógłby pan tego sprawdzić? – odezwała się pośpiesznie. – Przecież dane o więźniach muszą być gdzieś przechowywane!

Łypnął na nią chytrze.

– Mógłbym popytać, czemu nie? Ale jak to mówią: kto nie posmaruje, ten nie pojedzie!

Worek bez dna, pomyślała z goryczą. Głośno jednak powiedziała tylko:

– Znowu potrzeba panu pieniędzy?

– To przecież nie dla mnie, tylko na łapówki.

Bezsilny gniew sprawił, że głos Mystere nabrał ostrości.

– Panie Perkins! Nie dalej jak dwa tygodnie temu dałam panu sto dolarów!

Westchnął z udanym żalem.

– Po co się zaraz gniewać? Jestem w bardzo ciężkiej sytuacji. Żona mi choruje i ciągle trzeba wzywać lekarza.

– Już mi pan o tym wspominał. – I jechało wtedy od ciebie wódą, dodała w myśli. Nagle przypomniała sobie Husha. Z jego pomocą dowie się, na co Lorenzo trwoni swój czas... i jej pieniądze!

Na razie otworzyła torbę i wyjęła z niej pieniądze otrzymane wczoraj od Paula.

– To wszystko, czym na razie dysponuję. Pięćdziesiąt dolarów.

– Przyda się – stwierdził, wtykając banknoty do kieszeni kamizelki.

– Kiedy mogę liczyć na jakieś informacje?

Wzruszył ramionami.

– Któż to wie? Nie jestem jasnowidzem. Jak się czegoś dowiem, to pani przekażę.

Mystere zauważyła, że kiedy tylko poczuł forsę w kieszeni, od razu przybywało mu bezczelności. Gniew w niej aż kipiał, wstała więc pośpiesznie, by uniknąć bezsensownej awantury.

– Widzę, że nie ma sensu spotykać się regularnie. Proszę do mnie zadzwonić, gdy się pan czegoś dowie. Numer znajdzie pan w książce telefonicznej.

Perkins również wstał.

– Pod Rillieux, co?

– Owszem.

– Mało kogo stać na telefon – powiedział, nie spuszczając z niej wzroku. – Ale w gazetach, znaczy się w rubryce towarzyskiej, nieraz czytałem o pani i o jej stryju. Nic dziwnego, że jestem ciekaw. Po co robić tajemnicę z tego, że mnie pani zaangażowała? No, skoro pani nazywa się Rillieux, to jakim cudem nie zna pani nazwiska brata?

Ta kwestia nieraz już wypływała. Mystere nie wspomniała detektywowi o liście schowanym w brzozowej szkatułce. Bram kazał jej przysiąc, że nikomu nie powie ani słowa. Ostrzegał ją, że nikt niepowołany nie powinien oglądać tego dokumentu. A zaraz potem go porwali, nim znalazł kogoś godnego zaufania.

– Nie widzę powodu, dla którego miałoby to pana interesować – odparła wyniośle.

Znów się wykrzywił w szyderczym uśmiechu.

– Śledztwo ruszyłoby z kopyta, gdyby pani była ze mną szczera.

– Jestem szczera – zapewniła. – I mam nadzieję, że pan ze mną też.

Z tymi słowy odwróciła się i odeszła, zawiedziona w swoich nadziejach i z ostrym bólem w sercu.

5

Mystere nie czuła głodu, ale zrobiło jej się trochę słabo, gdy wyszła z parku na Fifth Avenue. Przypomniawszy sobie, że nie jadła śniadania, wstąpiła do herbaciarni i zamówiła lekki posiłek.

Wróciła do domu tuż po drugiej. Po krótkiej, ale bardzo odprężającej gorącej kąpieli przebrała się w suknię z błękitnej jedwabnej tafty. Jak większość jej toalet była zapięta pod szyję i raczej maskowała, niż eksponowała kobiece kształty.

Znalazła Paula Rillieux w saloniku na dole, wraz z Rose, Evanem i Baylisem. Husha już nie było.

– Baylis zawiezie Mystere i mnie do Vernonów – mówił właśnie, gdy weszła do pokoju. – Ale będzie miał dość czasu, by wrócić tu po Evana. Przejrzałem uważnie gazety i wiem już, kto wyjechał z miasta na lato.

Podał Evanowi kartkę papieru i dziwaczny klucz. Mystere rozpoznała w nim passe-partout, czyli klucz uniwersalny. Rillieux wykonywał je sam z ołowiu. Potocznie zwany wytrychem, klucz miał cztery charakterystyczne ząbki, odpowiadające najczęściej spotykanym typom zamka.

– Tu macie adresy. Niektórzy zostawili w domu służbę, inni nie. Musicie więc uważać. I pamiętajcie: tylko gotówka, naprawdę cenna biżuteria i zegarki, no i ładne srebrne sztućce. Helzer tylko tym jest teraz zainteresowany.

– Nie interesują go nawet futra? – zdziwił się Baylis. Miał zaledwie dwadzieścia parę lat i twarz o ostrych rysach, przypominającą mordkę teriera. Nosił wąską półkolistą bródkę, zwaną falbanką á la Newgate, gdyż zakrywała dokładnie to miejsce, na którym zaciska się stryczek na szyi skazańca.

Rillieux potrząsnął siwą głową.

– Na razie nie – odparł. – Podobno w tej chwili nie można ich szybko upłynnić.

– Helzer zrobił się ostatnio strasznie wybredny – skomentował Evan dudniącym głosem. „Główny lokaj" w domu Paula Rillieux robił wrażenie zwalistego niezgrabiasza, podobnego do małpy. Ale przy bliższym poznaniu okazywał się zdumiewająco szybki i zręczny jak na kogoś takiej postury. Zniekształcone ucho stanowiło pamiątkę licznych walk, które stoczył w młodości. Mystere wiedziała, że zarówno on, jak i Baylis zachowali swoje kastety z Five Points.

– No cóż, na to nie ma rady – westchnął Rillieux. – Ten nowy szef policji kryminalnej, inspektor Byrnes, wprowadza nowoczesne metody i ostro atakuje nasze pozycje.

Spojrzał na Mystere, która przysiadła obok Rose na rzeźbionej sofie z drewna różanego.

– Wyglądasz uroczo, moja droga. Ogromna zmiana na korzyść w porównaniu z tą szmatą, którą miałaś na sobie rano. Jak ci się udały zakupy?

Badawcze spojrzenie starego oszusta zdradzało, że nie bardzo wierzył w tę historyjkę.

– Doskonale! – skłamała Mystere bez mrugnięcia okiem. Ostatecznie on sam nauczył ją sztuki udawania! – Ale czy nie mogłabym się wymówić od tego wieczorku poetyckiego?

– A to czemu? Myślałem, że lubisz poezję. Źle się czujesz?

– Lubię poezję i nie jestem chora. Mam po prostu dość tłumu i gwaru. Ostatnio wciąż biegam z jednej imprezy towarzyskiej na drugą.

Mystere rzeczywiście czuła się zmęczona. Ubiegłej nocy źle spała, a dzisiejsze bezowocne spotkanie z Lorenzem zupełnie ją wykończyło. Z największą przyjemnością spędziłaby popołudnie w swoich apartamentach na rozmyślaniach i lekturze.

– No, Mystere, weź się w garść! Mnie także to męczy. Pamiętaj jednak, że przynależność do nowojorskiej elity oznacza nie tylko przywileje, ale i obowiązki. Jednym z nich jest aktywny udział w życiu towarzyskim.

On znowu swoje, zirytowała się w duchu Mystere. Znów ta żelazna ręka w aksamitnej rękawiczce. Rillieux dał jej wiele, ale równie wiele od niej wymagał. Rzadko wydawał rozkazy, zazwyczaj wystarczały łagodne sugestie. Jeżeli jednak ta metoda zawiodła, pojawiał się „drugi Rillieux", który w niczym nie przypominał dżentelmena z nowojorskiej elity. Mroczna strona jego osobowości bardziej pasowała do kłamcy i oszusta, którym był naprawdę. Drzemiący w nim twardy, okrutny duch objawiał się rzadko, bo Paul dobrze wiedział, iż więcej much lgnie do miodu niż do octu. Ona sama zetknęła się z tym „drugim Rillieux" tylko raz, gdy stanowczo odmówiła okradzenia damy znajdującej się podobno na skraju bankructwa. Przed balem Rillieux wkroczył do sypialni swej podopiecznej i zaczął ją okładać hebanową, zdobną srebrem laską. Nawet gdy się złamała, nie przerwał egzekucji. Mystere dobrze zapamiętała jego twarz, zastygłą w grymasie bezmiernej pogardy.

Podczas balu ledwie mogła się poruszyć, a co dopiero tańczyć! Paul zaś zadbał o to, by na twarzy nie było żadnych śladów; wszystkie obrażenia kryły się pod ubraniem. Mystere. Usprawiedliwiał rycersko nagłą niechęć bratanicy do pląsów jej dziewczęcą nieśmiałością. Mimo iż bolało ją całe ciało, Mystere ukradła wówczas broszkę, której domagał się Rillieux.

I od tej pory, podobnie jak inni, ulegała łagodnemu naciskowi żelaznej ręki w aksamitnej rękawiczce. Bez rękawiczki o wiele bardziej bolało.

– Pójdę na ten wieczorek poetycki, jeśli sobie tego życzysz – odpowiedziała z rezygnacją. – Ale nie mogę przysiąc, czy zdołam coś upolować.

Rillieux wyraził zgodę skinieniem głowy.

– Przede wszystkim chcę, żebyśmy jak najdokładniej poznali teren. Możesz być pewna, że znowu nas tam zaproszą. Jeśli nadarzy się sposobność, to ją wykorzystaj. Ale pewnie będziesz zbyt zajęta zabawianiem Carrie Astor.

– Chcesz powiedzieć, że wróciła z tej szkoły w Anglii? – jęknęła Mystere.

– Owszem, i będzie dziś na wieczorku razem z matką. Caroline chce, żebyś się nią zajęła. Ta dziewczyna jest bardzo zamknięta w sobie, ale do ciebie poczuła prawdziwą sympatię.

– Sympatię do Mystere to ona rzeczywiście czuje – wtrąciła Rose, która miała okazję obserwować obie dziewczyny razem. – Ale jaka tam „zamknięta w sobie", Paul? To zwykła kretynka!

Rillieux prychnął pogardliwie.

– Oczywiście, że to kretynka, ale zawsze Astorówna! Gdy się jest kimś, to nawet zez uchodzi za dowód urody. Nic tak nie zacieśniło naszej przyjaźni z Caroline jak sympatia, którą jej córeczka darzy Mystere!

Ma rację, pomyślała Mystere. Pani Astor wyraźnie ją faworyzowała. Była z nią szczera i nigdy nie ostrzyła sobie języka na niej ani na Paulu. A komplementy tej damy przeważnie miały ukryty podtekst. Potrafiła obrazić nawet pozornym pochlebstwem. Kiedy mówiła do jakiejś matrony: „To dopiero wspaniała toaleta", można było domyślić się dalszego ciągu: „Był już najwyższy czas, żebyś się porządnie ubrała".

– Będę miła dla Carrie – obiecała Mystere. – Co prawda jest okropnie nudna, ale nie jest wstrętną snobką, jak inni. Może jednak zjawić się również Rafael Belloch. Podobno lubi poezję. A jeśli przyjdzie, to nie spuści ze mnie oka. Mówię ci, Paul, to niebezpieczny człowiek!

Na twarzy Rillieux pojawił się chytry uśmieszek.

– To jasne, że ma na ciebie oko. Ale czy nie przyszło ci do głowy, serdeńko, że to wcale nie z podejrzliwości?

Baylis, Evan i Rose wymienili ukradkowe spojrzenia i wszyscy uśmiechnęli się równie chytrze jak Rillieux.

– Mystere myśli, że przez te bandaże wszyscy ją uważają za dzieciaka – stwierdził Baylis.

– Bo uważają – rzekł Paul. – I w tym właśnie rzecz! Niektórzy mężczyźni wcale nie pragną dorosłych kobiet, tylko niewinnych dziewczątek. To ich podnieca, budzi w nich...

– Rozumiem – przerwała mu spiesznie Mystere. – Ale zapewniam cię, że żadna z uwag Bellocha nie świadczy o... czymś takim.

– Jakim? – spytał przekornie Evan, a pozostali wybuchnęli śmiechem.

– Słowa – tłumaczył dziewczynie Rillieux – służą do ukrywania myśli. Belloch nie zamierza cię aresztować, tylko uwieść. Może nawet udałoby się skłonić go do ożenku. To zaś byłoby całkiem korzystne.

– Zwłaszcza – wtrącił Evan – gdyby młody żonkoś uległ jakiemuś tragicznemu wypadkowi, zostawiając ci cały majątek!

Mystere poczuła, że serce zaczęło jej gwałtownie bić, a policzki oblał gorący rumieniec. Spojrzała na Paula.

– Powiedziałeś Hushowi dziś rano, że kradzież nie pociąga za sobą przemocy ani rozlewu krwi. Czyżbyś zapomniał o swoim życiowym credo?

Rillieux obrzucił lokaja groźnym spojrzeniem.

– Oczywiście, że nie! To tylko takie głupie gadanie Evana! No, rusz się, Baylis! Zaprzęgaj konie. Pora jechać!

Fifth Avenue, niegdyś pełna mieszczańskich domów z brunatnego piaskowca, zmieniła się w iście królewską aleję. Nic w świecie nie mogło dorównać tamtejszym wspaniałościom, zwłaszcza pałacowi Vanderbiltów, który wzniesiono z importowanego marmuru za bajońską sumę trzech milionów dolarów.

Rezydencja Vernonów znajdowała się w dolnym końcu alei. Nie była tak luksusowa jak inne, ale robiła imponujące wrażenie, zwłaszcza że przypominała średniowieczną katedrę. Idealna sceneria do rozkoszowania się dobrą poezją, pomyślał Rafe Belloch. Miał nadzieję, że na dzisiejszym wieczorze będzie mógł takiej posłuchać.

Jego apetyt na silne przeżycia jeszcze się zaostrzył, kiedy został wprowadzony do mieszczącej się na piętrze biblioteki o wspaniałym sklepieniu. Między mahoniowymi szafami pełnymi tomów w skórzanej oprawie wisiały obrazy w kunsztownie rzeźbionych złotych ramach – arcydzieła, które stanowiły ozdobę Luwru i Hagia Sofia, nim stały się częścią prywatnej kolekcji Vernonów, miłośników europejskiego malarstwa.

Herbatę podano na cennej i rzadkiej rosyjskiej porcelanie, a na mahoniowym rzeźbionym kredensie dziesiątki butelek wina i innych trunków czekały na tych, którzy woleli napić się czegoś mocniejszego od herbaty. Gości obsługiwał bardzo zręczny barman z wypomadowaną czupryną. Rafael poprosił o szkocką z wodą. Potem zaś – jak zwykle na podobnych spotkaniach – stanął z boku i udając, że podziwia olbrzymi globus na postumencie z drewna orzechowego, obserwował zgromadzony tłum.

Caroline Astor pełniła rolę monarchini. Siedziała wraz ze swą córką Carrie na obitej białym brokatem sofie, a każdy z wchodzących – nie wyłączając Rafe'a – składał hołd obu paniom, zanim jeszcze przywitał się z gospodarzami.

Belloch poznał Carrie podczas jej poprzedniego pobytu w domu. Rozmowa z nią była prawdziwą udręką, bo dziewczyna przeskakiwała z tematu na temat niczym sroka chwytająca w dziób coraz to nową błyskotkę. Carrie nie była brzydka, ale irytowały go jej nieco zbyt wydatne, jakby ciągle wydęte usta.

Patrząc na siedzące obok siebie matkę i córkę, uśmiechnął się w duchu. Los lubił płatać figle nawet braminom z najwyższej kasty. Wszyscy wiedzieli, że Caroline wzięła go pod swoje skrzydła, skoro tylko wrócił do Nowego Jorku z dopiero co zdobytą fortuną. Mimo iż o jego dość ciemnej przeszłości wiedziała cała elita, postarała się, by zapraszano go na wszystkie imprezy towarzyskie.

Wydawała się bardzo do niego przywiązana. Nawet za bardzo – jak niektórzy szeptali po kątach. Matrona, która zjednoczyła pod swoim berłem cały wielki świat Nowego Jorku, nie bardzo mogła sobie pozwolić na romans. Gdyby jednak kiedyś się na to zdecydowała, Rafe Belloch mógł się założyć o cały swój majątek, że wybrałaby właśnie jego. Z niecierpliwością oczekiwał chwili, gdy pani Astor pofolguje swojemu sercu. Może zechce go dla siebie, a może będzie wolała czerpać szczęście niejako z drugiej ręki i podsunie mu Carrie – ale z pewnością przyjdzie dzień, kiedy runą jej bariery ochronne. I zgotuje sobie w ten sposób nieodwracalną ruinę. Niech ją piekło pochłonie, myślał. Ją i całą jej elitę!

Poczuł, jak wzbiera w nim dawny gniew. Zgromadzeni tu ludzie nie mieli pojęcia, jak straszliwą czuł do nich odrazę! Dobre pochodzenie i olbrzymi majątek zbity na kolei żelaznej zapewniły mu wysoką pozycję w ich świecie. Lecz towarzyskie aspiracje tych, wśród których się obracał, wydawały mu się bezsensowną, żałosną grą. Dwadzieścia lat temu jego rodzice padli ofiarą wielkoświatowych rygorów, które za rządów Caroline i jej „dworu" stały się jeszcze bardziej bezlitosne. Rodowód Bellochów był znakomity, a ich fortuna – nim uderzył grom – stara i olbrzymia.

Ale ojciec Rafaela skutkiem jednej tragicznej pomyłki stracił dosłownie wszystko na podejrzanych zagranicznych obligacjach.

Dwa dni później, w dniu czternastych urodzin syna, zamknął się w swoim gabinecie i strzelił sobie w łeb. Matka Rafe'a zmarła po kilku latach jako samotna i złamana kobieta. Wszyscy „przyjaciele" z wyższych sfer odwrócili się do niej plecami.

Cierpienie i desperacja, które widywał, przejeżdżając przez Five Points, nie różniły się zbytnio od życia, jakiego sam niegdyś zaznał. Przysiągł sobie, że zrobi wszystko, by „najlepsi z najlepszych" – z panią Astor na czele – także go zakosztowali.

Ci ludzie przyczynili się do zagłady jego rodziny, zasłużyli więc na karę, którą on im wymierzy. Zniszczy bezcenny porządek ich świata, zdeprawuje ich debiutantki, zrzuci z tronu ich królową. Najwyższa warstwa społeczeństwa załamie się i rozsypie w proch. Będzie straszliwy skandal... i to niejeden. Rafael gardził gnijącą elitą, jej zjadliwymi dowcipami i snobistycznymi plotkami. Kobiety z tej sfery były harpiami pozbawionymi ludzkich uczuć, mężczyźni zaś mieli mentalność fryzjerczyków.

Nie gorączkuj się, stary, przestrzegał się w duchu, gdyż gniew i alkohol pozbawiały go rozwagi.

Raz jeszcze omiótł wzrokiem pokój: wokół jedynie twarze dobrze znanych wrogów.

Tu pompatyczny, arogancki osioł Abbot Pollard. We frymuśnie związanym fularze, z końcami wetkniętymi pod koszulę, wygląda jak podstarzały dandys. A tam kuszące ciemnobursztynowe oczy Antonii Butler zerkające zza wachlarza w kształcie palmowego liścia – na znak, że zaloty Rafe'a będą mile przyjęte. Belloch odpowiedział jej uśmiechem. Nic dobrego cię nie czeka, moja panno, pomyślał.

Z każdą kobietą prowadzi się inną grę...

Ta jedyna, z którą naprawdę chętnie by poigrał, miała błękitne oczy o lodowatym blasku księżycowych promieni.

Księżycowa Dama żerowała na tych głupcach znacznie sprawniej niż on. Czuł dla niej niechętny podziw. Nie miał żadnych dowodów na to, że Mystere Rillieux jest osławioną złodziejką klejnotów i że to ona była młodą bandytką, która kazała mu się rozebrać w zaułku obok Baxter Street.

Ale jeśli oczy istotnie są oknami duszy, to raz udało mu się zajrzeć do jej wnętrza.

Oczy Mystere Rillieux były identyczne z tymi, których wspomnienie prześladowało go od dwóch lat. Choć odbyli z Wilsonem Bóg wie ile wypraw do Five Points, nigdy już nie spotkali zamaskowanej kobiety. I oto całkiem nieoczekiwanie stanęła znów przed nim, blada i dziewczęco płaska, w stroju niewiniątka. W głębi duszy był pewien, że to ona. Że ją odnalazł.

Z każdą kobietą prowadzi się inną grę…

Gdyby był całkiem szczery, przyznałby się przed samym sobą, że pragnie dostać ją w swoje ręce – choćby tylko po to, by zedrzeć z niej maskę. Chciał się zemścić, rozbroić ją, zatriumfować! A w najmroczniejszym zakątku duszy czaiła się też pewność, że pragnie zmysłowej słodyczy jej całkowitego poddania.

Wyrzut w jej oczach, wyraz bólu… tym na razie nie będzie się przejmował. Przede wszystkim był mężczyzną żądnym podboju. Łaknął upatrzonej zdobyczy.

Wieczór poetycki już się zaczął, a Paula ani Mystere Rillieux nie było. Rafe poczuł rozczarowanie. Jeśli wśród wszystkich kobiet była jakaś, z którą naprawdę chciał zagrać – i wygrać – to tylko ta ślicznotka.

Wreszcie, kilka minut po rozpoczęciu poetyckiego programu, ujrzał ją. Weszła do biblioteki wsparta na ramieniu stryja.

Dostrzegła Bellocha i natychmiast odwróciła wzrok.

Zmysły Rafe'a rozszalały się, jego podejrzenia ożyły. Zauważył, że dziewczyna bardzo rzadko się uśmiecha, a jeśli już, jest to zawsze niespokojny uśmiech kobiety, która zna zbyt wiele sekretów.

Wpatrywał się w Mystere, gdy stryj podsuwał jej krzesło. Usiadła i choć w pokoju nie było gorąco, zaczęła się chłodzić niewielkim wachlarzykiem z białej koronki. Delikatne ramiona były sztywne i napięte. Czyżby tak się przejęła spóźnieniem?

I wtedy Mystere popełniła fatalny błąd: spojrzała mu prosto w oczy.

Jej wahanie i niepokój poraziły go niczym prąd elektryczny o takim napięciu, że można by nim oświetlać Manhattan przez tydzień. Był już pewien: to jest Księżycowa Dama. To jest napastniczka z zaułka. To jest jego kobieta – czy uświadamiała to sobie, czy nie.

Najwyższy czas zebrać parę informacji na temat rzekomej Kreolki z Nowego Orleanu, postanowił, omiatając wzrokiem salę pełną sztywnych matron i pompatycznych bufonów. Zerknął na Paula Rillieux. I tego jej stryjaszka. Ta para aż się prosi o małe śledztwo.

Na jego wargi wypłynął mroczny, ironiczny uśmiech. Nie mógł się doczekać, kiedy Mystere znów się odwróci i popatrzy na niego. Ale siedziała sztywno jak czcigodne matrony, pozornie urzeczona recytacją, ukrywając swe tajemnice tak samo starannie jak skradzione klejnoty.

6

David Cyril Oakes, poeta, wokół którego dzięki protekcji pani Astor robiono wiele szumu, okazał się wyłupiastookim rozczochranym starcem z długą siwą brodą. Ów walijski profesor sprowadzony na gościnne występy do Columbia College raczył zebranych swoimi mrocznymi medytacjami o nieuchronnej śmierci i napuszonymi pochwałami sielskiego żywota. Mystere wydał się mdły i przesadnie słodki, niczym zapach kremowych gardenii, którymi Emma Vernon poleciła udekorować bibliotekę.

Znudzeni słuchacze udawali ogromne zainteresowanie, jak nakazywała grzeczność. W sali rozległy się grzmiące oklaski, gdy Oakes zakończył wreszcie występ jękliwą recytacją przygnębiającego wiersza pod tytułem *Oda do kostnicy*.

– Facet przyprawia mnie o mdłości – mruknął do ucha Mystere Abbot Pollard. – Wystarczy, że byle osioł trzepnie uszami, a już mamy salonowego poetę. „O śmierci, ty mroczny demonie". Co za brednie! Pope i Dryden przewracają się w grobie.

– Rzeczywiście, działa przygnębiająco – przytaknęła Mystere. Ale w chwili, gdy uśmiechała się do wiecznie niezadowolonego Pollarda, poczuła lodowate spojrzenie Rafaela Bellocha.

W jej mózgu rozległ się dzwonek alarmowy.

Obserwuje mnie, pomyślała. Czeka, bym wykonała błędny ruch.

– To doprawdy dziwne, że ci nuworysze zdołali omamić Caroline – perorował Pollard. – Z tych pazernych prostaków tylko J.P. Morgan budzi we mnie trochę respektu. Przynajmniej przestrzega reguł i szanuje zakazy i nakazy. Ci nowobogaccy uparli się wydrzeć nam władzę i zająć miejsce lepszych od siebie! Może w Caroline odezwała się krew przodków, kto wie? Pani nie może tego pamiętać, moja droga, ale John Jacob, założyciel dynastii Astorów, był skończonym prostakiem.

– Ależ panie Pollard! – ofuknęła go Mystere, ciągle obserwując kątem oka Rafe'a Bellocha. – Czyżby pan był takim samym pesymistą jak nasz poeta?

– Jest pani zbyt młoda, by pamiętać Czarny Piątek na giełdzie, dzieło tych nienasyconych rabusiów. Ale Caroline pamięta… a przynajmniej powinna!

– Pamiętam panikę w siedemdziesiątym trzecim – zapewniła Mystere.

– No tak. Jedno i drugie zaczęło się od tych kolejowców i ich karygodnych, wariackich postępków. Ale teraz ni stąd, ni zowąd wszystko poszło w zapomnienie.

Obrzucił Bellocha zjadliwym spojrzeniem. Mystere zastanowiła się, czy jakieś osobiste przeżycia nie wpłynęły na postawę Rafe'a, który trzymał się z dala od reszty towarzystwa.

Pollard lubił zwracać ogólną uwagę. Jego zuchwałe oskarżenia przyciągnęły widzów, którzy otoczyli wianuszkiem Abbota i jego towarzyszkę.

Mystere zauważyła, że Belloch zbliża się ku nim. Miała nadzieję dołączyć do Carrie, ale mała Astorówna gawędziła właśnie z Paulem i walijskim poetą. Oakes pokazywał im jakieś ryciny czy fotografie. Carrie wyraźnie pobladła.

– Zauważyłem coś jeszcze – wywodził Pollard z przesadną afektacją. – Zmienił się stosunek Caroline nie tylko do nowobogackich, ale i do biedoty! Tylko patrzeć, jak dołączy do grona agitatorów obwiniających bogaczy o wszelkie ich niedole. Przecież wśród przesłodzonych bredni Oakesa honorowe miejsce zajmują peany na cześć tych brudasów! Do czego to dojdzie? Może na następny wieczorek zaprosimy śmierdzącą irlandzką hołotę i czarnuchów?

– Przyznaj się, stary zrzędo – rozległ się za plecami Abbota donośny głos Rafaela Bellocha. – Czyś kiedy powąchał te brudy, w których się stale grzebiesz?

Pollard nawet nie raczył się obejrzeć.

– Nigdy nie byłem śmieciarzem, panie Belloch, i nie zamierzam zostać nim w przyszłości.

– Grzebiesz się, grzebiesz. Nawet już to po tobie widać.

Mystere zaczęła kasłać, by ukryć śmiech. Kilka osób także się uśmiechnęło, inni spojrzeli na Bellocha ze zdecydowaną wrogością.

– Bez wątpienia – rzucił Pollard zjadliwie – nieszczęśliwe dzieciństwo odcisnęło na panu trwałe piętno, Belloch. Jednakże zgadzam się w pełni z wielebnym Conwellem: gromada biednych niezgułów może winić tylko siebie. Jak sobie posłali, tak się wyśpią. Nie brak na świecie złotodajnych pól, na których może się wzbogacić każdy obdarzony silnym charakterem i odwagą.

– Byłbym pod większym wrażeniem, gdybym nie wiedział, że odziedziczył pan cały swój majątek po przodkach, panie Pollard! – odparł Rafe. – Gdzie są te złotodajne pola, na których się pan trudził?

– Nie musiałem się trudzić i nie wstydzę się tego. Ci milionerzy pierwszego pokolenia to przeklęci nudziarze. A pan, panie Belloch, jak zwykle odwraca kota ogonem. Chamska pazerność nie zastąpi dobrego urodzenia i wyższej kultury.

– O, tak – powiedział Rafael tak cicho, że Mystere ledwie go usłyszała. – Znam ja tę waszą wyższą kulturę.

Dzięki pouczeniom Rillieux orientowała się, że Belloch sprzeniewierzył się żelaznej zasadzie zabraniającej osobistych zaczepek i mów oskarżycielskich – choć Pollard w pełni sobie na to zasłużył. Znów jednak miała wrażenie, że nie tyle dawał wyraz swoim przekonaniom, ile postępował zgodnie z jakąś osobistą strategią.

Podobnie jak ubiegłego wieczoru, atak Bellocha sprawił, iż Pollard wyniósł się wraz ze swymi zwolennikami. Mystere uświadomiła sobie nagle, że została z Rafe'em sam na sam. Czyżby o to mu właśnie chodziło?

Jego ciemne oczy mierzyły ją od stóp do głów z nieskrywaną pogardą. Postanowiła sobie, że nie da się zastraszyć. Zaatakuje pierwsza, zanim ten niebezpieczny człowiek uzyska nad nią przewagę.

– No, no! Potrafi pan być wojowniczy, panie Belloch – zadrwiła. – Nikt nie mógłby pana oskarżyć o zbytnią ugodowość.

– Podlizywanie się ważnym figurom bywa przydatne, jeśli ktoś ma ochotę zostać pieskiem pokojowym, jak Ward McCallister.

– Rozumiem, że pan stawia sobie ambitniejsze cele?

Impertynenckie spojrzenie ciemnych oczu niemal ją sparzyło.

– Istotnie. Nie zawaham się przed niczym, by zaspokoić swoje… ambicje.

Albo swą żądzę zniszczenia, dopowiadał wyraźnie ton jego głosu.

Dwuznaczna wypowiedź Rafaela przyprawiła Mystere o rumieńce.

– Zdumiewa mnie pan, panie Belloch! Niewątpliwie jest pan człowiekiem zdolnym do gwałtownych uczuć. A poza tym bogatym i wcale miłym dla oka... zwłaszcza kobiecego.

Szarmanckim ukłonem podziękował jej za komplement.

– Jakim cudem taki wzór doskonałości nie wpadł dotąd w czyjeś sidła? Czy nie znosi pan kobiet w ogóle, czy tylko małżeńskich więzów?

– Ani jedno, ani drugie, panno Rillieux. Choć muszę przyznać, że małżeństwo nie ma dla mnie specjalnego uroku. Mogłoby być jedynie smutną ostatecznością. Pisaller, rozumie pani: ostatnia deska ratunku...

– Ratunku? Przed czym?

– Skąd się tu wzięła ta mała dziewczynka? – odrzekł z drwiącym uśmiechem. – Gdzie się podziała jej niania? I czy mama naprawdę pozwoliła jej wyjść do gości?

Mystere poczuła, że ten zadowolony z siebie, wręcz triumfujący głos działa jej na nerwy. Na swój sposób Rafael był równie egocentryczny jak Pollard. Ale Abbot to nieszkodliwy dziwak, Belloch zaś był groźny jak niezabezpieczony dynamit.

– Może by pan – zasugerowała, udając, że rozgląda się po zebranych – poinformował Antonię Butler o pańskiej wrodzonej niechęci do więzów małżeńskich? Od chwili, kiedy tu weszłam, nie odwróciła od pana wzroku!

– Zauważyła pani? Cóż, nie ostrzegałem jej i nie będę ostrzegał. Wilk nie ma specjalnych względów dla jagniąt!

Rzuciła mu prowokacyjny uśmiech.

– Ale Caroline Astor nie przypomina jagniątka. A jej „pokojowy piesek", jak pan nazwał Warda, napomykał ostatnio całkiem wyraźnie o możliwości pańskiego małżeństwa z Carrie.

– A więc zwaliła mi pani na głowę aż dwie damy! Chce pani założyć dla mnie harem?

– Czemuż nie? Przecież wilki porywają wszystko, co im się spodoba. Dodam więc do kompletu jeszcze Caroline. Bardzo lubi gładzić pana po policzku.

Brwi Rafe'a uniosły się, a na ustach pojawił się kpiący uśmieszek.

– Doprawdy interesujące!

– Co takiego?

Zaśmiał się szorstko.

– Pani! Wygląda na to, że przez noc bezbronnemu kociątku wyrosły pazury.

– Nawet kocięta się bronią, kiedy ktoś się nad nimi znęca.

– Znęca? No, to już przesada.

Lecz nawet gdy to mówił, jego czyny zadawały kłam słowom, gdyż żelaznym chwytem ujął ją za ramię i wyprowadził na balkon o balustradzie z kutego żelaza. Stanął za Mystere, uniemożliwiając jej ucieczkę.

– Nie zamierzam tu wystawać! – syknęła z gniewem.

– Nie? Więc proszę zeskoczyć na dół. To zaledwie dwa piętra. Może skrzydła niewinności zniosą panią szczęśliwie na ziemię.

– Doprawdy, panie Belloch! Caroline prosiła mnie, żebym dotrzymała towarzystwa Carrie, więc…

– Pani stryj już jej dotrzymuje towarzystwa. Potrafi czarować damy, zauważyłem to. Może wpadło pani w ręce poranne wydanie „New York World"?

– Nie – odparła chłodno. – Starcza mi czasu zaledwie na przejrzenie „Timesa".

Jego przenikliwe spojrzenie zmusiło Mystere do odwrócenia wzroku.

– Zamieścili dziś ciekawą historyjkę o kradzieży broszki pani Pendergast. Autor artykułu wydawał się zafascynowany Księżycową Damą. Uważa ją za mścicielkę biedaków, wymierzającą karę bogaczom.

– Jak powiedziałam wczoraj wieczorem, panie Belloch, nikt jeszcze nie dowiódł, że ten złodziej jest kobietą. Szczerze mówiąc, niewiele mnie to obchodzi. Nie podzielam pańskiego zainteresowania pospolitymi złodziejami. A teraz wybaczy pan…

Próbowała go wyminąć, ale okazał się szybszy. Zatrzymał Mystere, opasując obiema rękami jej talię. Przy tym niespodziewanym kontakcie przebiegł ją dreszcz; nogi ugięły się pod nią. Usiłowała się wyrwać, ale przytrzymał ją bez trudu. Jego siła była imponująca… i zatrważająca.

Przez chwilę patrzył jej w oczy, a potem spojrzał w dół na swoje ręce i cyniczny uśmieszek wykrzywił mu usta.

– Gdybym nie był dżentelmenem – szepnął jej do ucha – przesunąłbym dłonie o kilka centymetrów wyżej i sprawdził słuszność mojej teorii.

Serce zabiło jej gwałtownie. Poczuła mrowienie w dole brzucha. Podniosła wzrok na Rafaela. Ich spojrzenia znów się spotkały. Oddech Mystere stawał się coraz szybszy, nierówny.

– Proszę przestać, panie Belloch. To nieprzyzwoite – szepnęła niemal błagalnie.

Przysunął się bliżej. Tak blisko, że czuła jego oddech na swej skroni.

– Nie musisz się mnie obawiać – powiedział cicho. – Jesteśmy ulepieni z jednej gliny. Oboje życzymy elicie wszystkiego najgorszego!

– Nie rozumiem, o czym pan mówi – odparła, szamocząc się w jego objęciach.

– Czyżby? – zaśmiał się, obejmując ją jeszcze mocniej.

Jego dłoń zaczęła się przesuwać w górę na stanik sukni. Sunęła powoli, jakby rozkoszował się swą zaborczością, swymi podejrzeniami... i swoją żądzą.

Powstrzymała jego rękę i rzuciła mu zjadliwe spojrzenie. Paul wspomniał coś o pewnym drobiazgu należącym do Sylvii Rohr. Ale dziś nie było nawet mowy o kradzieży. Będzie miała szczęście, jeśli nie zostanie zdemaskowana!

– Jeżeli pan mnie natychmiast nie puści – zagroziła – przysięgam, że zawołam mego stryja na ratunek!

Puścił ją, ale nadal zagradzał jej drogę.

Nie była w stanie spojrzeć w jego drwiące, oskarżycielskie oczy. Odwróciła się i podeszła do balustrady. Na dole w ogrodzie bawiła się para angielskich seterów o jedwabistej sierści. Mystere obserwowała psy, póki jej oddech nie wrócił do normy.

– Nie obchodzą mnie pospolici złodzieje, panno Rillieux – odezwał się głos za jej plecami. – Jak powiedziałem pani wczoraj wieczorem, jestem zafascynowany przestępcami z towarzystwa.

– O, tak! I zasugerował pan, że oboje ze stryjem bierzemy udział w jakimś zbrodniczym sprzysiężeniu. Jeśli ma pan na to dowody, to czemu nie uda się pan prosto na policję, zamiast mnie dręczyć?

– Nie mam ani cienia dowodu. Ale dwa lata temu zostałem ograbiony przy Five Points przez bandę opryszków. Jednym z napastników była kobieta. Piękna kobieta, uderzająco podobna do pani. Z jednym wyjątkiem: miała... hm... pełniejsze kształty. Ale to mogą być tylko pozory.

– Czy oczekuje pan, że się rozbiorę, by dowieść swej niewinności?

– Prawdę mówiąc, właśnie na to liczę. Widzi pani, tamta kobieta nie tylko mnie okradła, ale zmusiła, bym się rozebrał. Mam chyba prawo do rewanżu?

– Musi pan nadal ograniczyć się do podejrzeń. Na pewno się nie rozbiorę dla pańskiej przyjemności.

Roześmiał się, ale nie był to wesoły śmiech. Jego głos stał się głębszy, bardziej szorstki. Jakaś cząstka jej istoty poczuła się podniecona jego zmysłowym pożądaniem, choć jej prawdziwe ja tylko się zatrwożyło.

– Choćby w tej chwili mógłbym wyciągnąć rękę i przekonać się, czy te pozornie nieśmiałe zawiązki są w istocie w pełni dojrzałymi owocami, jak podejrzewam.

– Proszę to zrobić – rzuciła wyzywająco, patrząc mu w oczy. – Niech pan dowiedzie, że Abbot Pollard nie pomylił się w ocenie pańskiej osoby.

– Na Boga, zrobię to – rzucił niemal szeptem, podchodząc bliżej.

– Mystere! – zadźwięczał dziewczęcy głosik za plecami Rafe'a. – Gdzie ty się ukrywasz?! A może przeszkodziłam wam w próbie ucieczki?

Po raz pierwszy w życiu Mystere szczerze się ucieszyła na widok Carrie Astor. Podbiegła ku niej, zręcznie wymijając Rafe'a.

– Carrie! Jak miło znowu cię zobaczyć! Pan Belloch i ja rozmawialiśmy właśnie... o realizmie greckiej rzeźby. Co tam u ciebie, Carrie?

Ujęła dziewczynę pod ramię, chcąc wrócić wraz z nią do biblioteki.

– Pewnie mi nie uwierzysz – oznajmiła Carrie zgorszonym tonem – ale pan Oakes pokazywał nam fotografie nieboszczyków. O mało nie zwymiotowałam. On jest... jest jakiś dziwny.

– Panno Rillieux?

Mystere obejrzała się przez ramię.

– Słucham, panie Belloch?

– We dnie i w nocy będę myślał o tym, co mnie ominęło – powiedział drwiącym tonem, cytując słowa, które wyrzekła tamtej nocy przy Five Points.

Ogarnęło ją przerażenie. Wiedział! Wiedział wszystko i będzie ją dręczył, póki nie uzyska pewności. Poczerwieniała, a Rafe zaśmiał się głośno. Mimo całej swej brawury Mystere pierwsza spuściła oczy i odwróciła się.

7

Pierwsza lekcja czytania odbyła się w tym samym saloniku, w którym spotkali się poprzedniego dnia Rillieux i jego złodziejska świta. Mystere usadowiła się na ulubionym miejscu gospodarza – w rzeźbionym fotelu z orzechowego drewna, a jej uczeń o usmolonej twarzy siadł okrakiem na trójnożnym stołku jak najbliżej niej.

Chłopiec był bystry, o czym już wiedziała, ale niezdyscyplinowany i nieprzywykły do dłuższej koncentracji – z wyjątkiem chwil, gdy uczył się złodziejskiego fachu od wspaniałego mistrza, starego Rillieux. Mystere postanowiła więc zapoznać go podczas pierwszej lekcji tylko z połową alfabetu – od A do L. Nauczył się tych liter w kilka minut, a potem kopiował je pracowicie ze specjalnej kartki z alfabetem, którą kupiła z myślą o nim.

– Teraz słuchaj i śledź ruchy mojego palca, kiedy będę głośno czytała – poleciła chłopcu. – Zwróć uwagę, jak wymawiam każdą literę. Zwłaszcza te, które już poznałeś.

Czytała bez pośpiechu pogodny artykulik z „Leslie's Illustrated Weekly" na temat niedawno otwartego mostu Brooklińskiego. Hush uważnie przyglądał się i słuchał. Warto było trudzić się nad nauką, by siedzieć tak blisko Mystere!

– Dosyć – oznajmiła, zamykając czasopismo i odkładając je na stolik do kawy. – Wystarczy jak na pierwszą lekcję. Nie było tak strasznie, prawda?

– No… Masz taki miły głos, Mystere. Całkiem mi się podoba, jak czytasz.

Uśmiechnęła się i zwichrzyła jego niesforną ciemną czuprynę.

– Dzięki za komplement, flirciarzu! Chcesz jeszcze trochę lemoniady?

– To ładnie z twojej strony i w ogóle… ale lemoniada to dobre dla bab i dzieciaków.

Mystere przygryzła dolną wargę, by nie parsknąć śmiechem na te męskie pozy.

– Doprawdy? A jaki napitek byłby odpowiedniejszy dla takiego młodego dżentelmena jak ty?

– Mnie najlepiej smakuje Humpty Dumpty – odpowiedział z przechwałką w głosie.

– Nigdy o nim nie słyszałam. Taki dobry?

– No pewnie! To grzane piwo doprawione brandy. Wszyscy w mojej kamienicy to piją.

Mystere była wyraźnie zgorszona.

– Jesteś za młody na alkohol!

– E tam, trele morele – zaprotestował Hush. Doprowadzało go do białej gorączki, kiedy traktowano go jak dziecko. – A na lemoniadę jestem za stary!

– W porządku. Będę cię odtąd częstować kawą albo herbatą.

– Podlaną whisky?

Pogroziła mu palcem.

– Kto pije whisky, ma w głowie whisky zamiast oleju.

– A kto żłopie lemoniadę, to mu się we łbie burzy sama lemoniada!

Ta odzywka pobudziła Mystere do śmiechu. Hush wyprężył się dumnie rad, że udało mu się ją rozbawić. Już miała coś mu odpowiedzieć, gdy ciężkie drzwi z drewna tekowego otworzyły się i wpadła przez nie Rose. Miała na sobie zwykły czepek i wykrochmalony muślinowy fartuszek; rude włosy splotła w dwa grube warkocze.

– Lepiej uważajcie – szepnęła ostrzegawczo. – Nadciąga burza z piorunami. Paul wrócił z klubu wściekły jak sto diabłów!

– Dlaczego? – spytała niespokojnie Mystere.

– Wiesz, że wysłał wczoraj Evana i Baylisa do obrobienia tych opuszczonych na lato domów?

Mystere skinęła głową.

– W czasie, gdy byliśmy u Vernonów, prawda?

– A jakże! Paul ma alibi jak złoto… i ty też, ma się rozumieć. Ale ktoś się pomylił. Nasze chłopaki wybrali dom, co miał być zamknięty na amen. Zwinęli wszystkie zegary i srebra, i Bóg wie, co jeszcze. A tu się okazało, że domu pilnuje służąca. Wyszła tylko na zakupy. Mystere zbladła.

– Złapali ich?

– Nie, zmyli się w samą porę. Ale dziewucha od razu zauważyła, co się święci, i poleciała na policję. A co gorsza, nasz powóz czekał w pobliżu i Paul się boi, czy nie przyuważyli go po drodze. Tak się wściekł, Paul, znaczy się, że trzasnął Baylisa w pysk. Widziałam na własne oczy. O rany! Idą tu! Ratujcie nas, wszyscy święci!

Rose umknęła, a z przedsionka dobiegł ostry, gniewny głos Paula Rillieux.

– Widzisz, ile nas kosztuje twoja bezmyślność?! Helzer oszwabi nas teraz, bez dwóch zdań! Stracimy mnóstwo forsy i tyle nam z tego przyjdzie!

– Albo to moja wina? – zahuczał z oburzeniem Baylis. – Przecie ten wałkoń zaklinał się, że w domu nie ma żywej duszy!

– Co się mnie czepiasz?! – zagrzmiał głos Evana. – Nie waż się na mnie zwalać winy, ty cielęcy móżdżku! Spokojny ze mnie człowiek, ale jak mi kto nastąpi na odcisk, to popamięta!

– Zamknąć jadaczki, i to już! – ryknął Paul Rillieux z energią zdumiewającą u niemłodego i schorowanego człowieka. – Jeden wart drugiego, skończone durnie! Chyba na głowę upadłem, że wam zaufałem!

– Zrobiliśmy, coś kazał – bronił się Baylis.

– Taak? To ma być porządna robota?

Wszyscy trzej zatrzymali się przed uchylonymi drzwiami.

– Ukryliście łup w powozowni? – spytał po chwili Rillieux znacznie spokojniejszym głosem.

– Pewnie – przytaknął Evan. – Według planu.

– No to nastąpi zmiana planu. Macie natychmiast zabrać wszystko do Holzera! Opylimy po niższej cenie, byle szybko. Mam kogoś w policji… taki tam jeden drobny oficerek. Powiada, że ostro się wzięli do śledztwa. Ta dziewucha mogła zauważyć nasz powóz, psiakrew! Pozbądźcie się łupu, raz-dwa. I obmyślcie sobie jakąś bajeczkę na wypadek, gdyby ludzie Byrnesa zaczęli węszyć i dopytywali się, co nasz powóz – beze mnie i bez Mystere – robił przy Riverside Drive.

Mystere usłyszała, jak Evan i Baylis odchodzą. Chwilę później Rillieux wszedł do saloniku. Nie zdradzał już żadnych oznak wzburzenia.

– Oto dwoje moich cudownych dzieci – powitał ich.

Idąc ku nim przez pokój, opierał się na lasce. Gdy się pochylił, by pocałować Mystere w policzek, poczuła mdląco słodką woń jego wody toaletowej o zapachu bzu.

– Mystere mnie uczy, jak się czyta! – pochwalił się Hush.

– Uczy mnie czytać – poprawiła go.

Paula niewiele to obeszło.

– To dobrze, każdy powinien umieć czytać – powiedział z roztargnieniem. Siateczka zmarszczek w kącikach ciemnych oczu pogłębiła się, gdy przyglądał się bacznie Mystere, zatopiony w jakichś rozważaniach.

– Zauważyłem, że Belloch całkiem cię wczoraj zmonopolizował – powiedział do niej. – Ale sądząc z wyrazu waszych twarzy, raczej nie prawił ci komplementów. Potraktowałaś go chłodno, prawda?

– Owszem. Rozmawiałam z nim dość… oficjalnym tonem.

Rillieux uśmiechnął się, słysząc to określenie.

– Podsyciłaś tylko pożar, serduszko: dolałaś oliwy do ognia. Belloch ma wyraźną słabość do pierzchliwych nimf.

Mystere rzuciła mu ostrzegawcze spojrzenie. Rozmawiali przecież w obecności dziecka! Co prawda Hush słyszał już na ulicy nie takie rzeczy.

– To wcale nie to, co ci się zdaje, Paul. Myślę, że on… dużo wie na nasz temat. Nie, raczej się domyśla.

– Brednie…! Ale choćbyś nawet miała słuszność, uporamy się z tym problemem.

– Czy nie zanadto lekceważysz Bellocha? To według mnie człowiek niebezpieczny i zdolny do wszystkiego.

Rillieux prychnął pogardliwie.

– Doprawdy? Niebezpieczny i zdolny do wszystkiego? I ktoś taki rozbiera się w Five Points na rozkaz byle smarkuli? Truchleję z przerażenia, Mystere! Niech nas opatrzność chroni przed tym nadczłowiekiem w adamowym stroju.

– Paul! – ofuknęła go, wskazując oczyma na Husha.

– Daj spokój. Ten chłopak to już nie dziecko, niech słucha. Prawdę mówiąc, Mystere, może masz trochę racji co do Bellocha, choć ten gość nadal mnie śmieszy. Wypytywałem o niego Caroline. Powiedziała bardzo czule: „to szalona pałka".

– A co to znaczy? – spytał Hush.

– Nieobliczalny ryzykant – wyjaśnił Rillieux. Spojrzał na Mystere. – Od tej chwili będę go traktował nieco poważniej.

Ja też, przysięgła sobie w duchu. Wielokrotnie od wczorajszego popołudnia zastanawiała się nad tym, w jak krytycznym położeniu znajdowała się wtedy na balkonie, sam na sam z Rafaelem. Wystarczyłby jeden ruch jego ręki... Oczywiście nie mogła teraz zaprzestać kradzieży – to by go jeszcze bardziej rozzuchwaliło.

Obawiała się jednak nie tylko zdemaskowania. Ileż to razy od wczoraj z oburzeniem odpychała od siebie myśli o podnieceniu, jakie w niej wzbudził, obejmując tak mocno jej talię. Silny, władczy chwyt jego kształtnych dłoni sprawił, że oblał ją żar, a potem była słaba i bez tchu. Przed oczyma przemykały jej obrazy przerażająco płomienne i wyraźne.

Musi powściągnąć takie myśli! Nie tylko dlatego, że były nieprzyzwoite, ale że pod ich wpływem mogła stracić kontrolę nad sobą. Jeszcze się taki mężczyzna nie urodził, który by ją otumanił! Była dziewicą i zamierzała nadal nią pozostać. Na zawsze.

Wiedziała, że Rillieux ceni w niej nie tylko złodziejski kunszt, lecz także piękno i niewinność. Nieraz wspominał, że powinna zdobyć świetną partię. O tym zaś nie byłoby mowy w wypadku utraty dziewictwa. Gdyby Rillieux kiedykolwiek przyłapał ją z jakimś mężczyzną, gdyby odkrył, że nie jest już niewinna, nie wiadomo, do czego mogłoby dojść. Może by ją zabił? To wcale nie było wykluczone. Zaznała już jego brutalności. Co prawda nigdy nie słyszała, by kogoś zabił, ale nigdy jeszcze nie kipiał z wściekłości. A w podobnej sytuacji wściekłby się z pewnością! Mógłby ją poświęcić, by zawładnąć fortuną Rafe'a Bellocha, ale nie pozwoliłby jej na zwykłą miłość i małżeństwo. Póki nie zerwie z nim ostatecznie, będzie narzędziem w jego ręku... a Rillieux raczej ją zabije, niż pozwoli, by ktoś przywłaszczył sobie lub naruszył jego własność. Tak, powinna uciec od Paula. Tylko że wtedy czekała ją żałosna alternatywa: albo sprzedawać się na South Street za butelkę wódki, albo zabijać się, szyjąc koszule w fabryce jakiegoś wyzyskiwacza.

Obie te możliwości były nie do przyjęcia, nie mogła więc podjąć takiego ryzyka. Musi pozostać spragniona i samotna... ale żywa.

Jej myśli powróciły do Bellocha. Może naprawdę zanadto wszystko wyolbrzymiam, wmawiała sobie, tak jakby już broniła się przed oskarżeniami Paula Rillieux. Byłam po prostu podminowana i spięta z powodu jego podchwytliwych pytań. Tak, to z pewnością dlatego! Żadna przyzwoita kobieta nie mogłaby czuć pociągu do takiego pyszałka i fałszywca!

Podczas gdy wszystkie te myśli wirowały w głowie Mystere, Rillieux zwrócił się do Husha:

– No cóż, chłopcze, niebawem wylądujesz u nas na stałe jako nowy lokajczyk. Przyniosłeś dzisiaj coś do wspólnego worka?

– Jeszcze nie, pszepana. Przez całe rano żem łapał szczury w takim lokalu z muzyką na Bowery. No i, jak mnie pan uczył, trzymam się teraz z daleka od parku – tak na kilka dni. Tam właśnie podwędziłem ten portfel, co go przyniosłem w niedzielę. Lepiej, żeby dozorcy nie zapamiętali mojej gęby, nie?

– Dobry chłopak! Zawsze bądź taki ostrożny i sprytny!

– Ale teraz, jak już ten most otwarli, to mogę się przelecieć i na drugą stronę do Prospect Park. Pełno tam nadzianych frajerów!

– Doskonale, wybierz się tam. Tylko pamiętaj: ani słowa o tym nikomu oprócz nas! Żeby się człowiekowi powiodło w tej grze, musi trzymać gębę na kłódkę. I pamiętaj, że jesteśmy rodziną: jeden za wszystkich, wszyscy za jednego. Nikt, ale to nikt – tu zerknął na Mystere – nie chowa niczego dla siebie. A ja uczciwie zarządzam naszym majątkiem.

Mystere uświadomiła sobie, że słowo „uczciwie" jest hasłem reklamowym Paula. Podobnie jak określenie „do wspólnego worka" był pięknie brzmiącym frazesem, oznaczającym w gruncie rzeczy „do mojej własnej kieszeni". Zauważyła jeszcze jeden fałsz w zachowaniu Rillieux. Zapewniał swych współpracowników, że tylko odgrywają role służby domowej, gdy w rzeczywistości byli jego sługami; jego niewolnikami, których szkolił w szpiegowaniu i okradaniu innych oraz zbieraniu pożytecznych dla niego informacji. Mystere nigdy nie traktowała Rose, Evana czy Baylisa jak niższych od siebie, ale Paul nie miał podobnych oporów.

Rillieux odwrócił się i wyszedł z salonu.

– Pszepana! – zawołał za nim Hush. – Zapomniał pan czegoś!

Mystere aż otworzyła usta ze zdumienia, gdy ujrzała w wyciągniętej ku Paulowi ręce chłopaka pugilares z groszkowej skóry.

– A niech mnie gęś kopnie! – zawołał Rillieux, zaskoczony zuchwalstwem malca. – Ty bezczelny urwisie!

W następnej sekundzie jednak aż zmrużył oczy z satysfakcji.

– Przechytrzyłeś starego lisa, co? Brawo, pędraku! Przynosisz zaszczyt swojej mamuśce… kimkolwiek była – dodał, odbierając od chłopca portfel i dyskretnie przeliczając pieniądze.

Spojrzał na Mystere.

– Tylko ona spośród moich uczniów była równie utalentowana jak ty, Hush. Ale nigdy nie odważyła się zwędzić mego portfela.

Mystere ścisnęło się serce, gdy dostrzegła niesłychaną wdzięczność w oczach chłopca. Biedny Hush był taki spragniony pochwał! A mógł liczyć tylko na te, których w tej chwili nie szczędził mu Paul.

Po wyjściu Rillieux spytała chłopca:

– Pamiętasz, co ci mówiłam, kiedy tu byłeś ostatnim razem? Że powinieneś robić to, czego sam chcesz, a nie to, co ci inni każą?

Hush skinął głową.

– Widzisz… nie musisz być posłuszny, kiedy ktoś starszy każe ci kraść. Jak to mówią: „Kto przyświeca diabłu przy robocie, jest jego wspólnikiem".

– Tak jak my, Mystere – ty i ja? To my przyświecamy diabłu przy robocie?

– Tak. I to jeszcze nie wszystko. Czasem, kiedy jesteś dobry w tym, co każą ci robić, pochwały mogą sprawić, że wyrzekniesz się wolności. Twoim trudem i sprytem inni się wzbogacą i urosną w siłę. Będą mogli robić, co tylko zechcą, a ty będziesz tylko posłusznym narzędziem w ich rękach.

Hush, nieprzyzwyczajony do abstrakcyjnego myślenia, próbował to sobie przełożyć na realia własnego życia.

– Myślisz… że lepiej kraść na własną rękę?

– Sama już nie wiem, co myślę – wyznała bezradnie. Zlękła się, że próbując podbudować morale Husha, narazi go tylko na gniew Paula. Przecież Rillieux, choć wydawał się niekiedy taki miły, był zdolny do okrucieństwa. Zwłaszcza w stosunku do tych, którzy okazali brak lojalności i zawiedli jego zaufanie.

Ale w duchu przemawiała do chłopca całkiem inaczej: „Tak! Jeśli już musisz kraść, kradnij dla siebie, nie dla swego pana". Szczerość to niełatwa sprawa. Lecz jeśli chciała odnaleźć kiedyś Brama, nie mogła się cofać przed tym, co trudne. Musiała być twarda!

Ten tok myśli zawiódł ją nieuchronnie do innych problemów, niezwiązanych już z Paulem. Przypomniał się jej Lorenzo Perkins. Poczuła, że znów ogarnia ją rozpacz. Jak zdoła odnaleźć brata, skoro nie może ufać nawet człowiekowi, którego w tym celu wynajęła? Nie miała jednak dość siły, by zwolnić detektywa bez konkretnych dowodów. Wszak dostarczał jej od czasu do czasu jakieś informacje, choćby nazwę statku, na którym Bram podobno pływał.

Podjęła nagle decyzję, na którą dotąd nie mogła się zdobyć, choć nieraz o tym myślała.

– Hush?

– Co?

Wyjęła z woreczka banknot pięciodolarowy.

– Weź, proszę – powiedziała. – Czy możesz coś dla mnie zrobić?

Wziął banknot i popatrzył nań z nabożnym podziwem.

– Rany Julek! Ale przecie nie musisz mi płacić, Mystere.

– Weź, weź, tylko nie mów o tym Paulowi. Wiesz, gdzie jest Amos Street?

– Pewnie! Tam rozdają biednym lekarstwa. Za frajer.

Skinęła głową potakująco.

– Na rogu Amos i Greenwich jest drogeria. Wisi tam na łańcuszku drewniany moździerz z tłuczkiem. Ale mnie chodzi o małżeństwo, które mieszka nad sklepem. Mąż jest wysoki, chudy, nosi zawsze podniszczone ubranie i kamizelkę. I ma takie śmieszne nawoskowane wąsy, które wyglądają jak sztuczne. Muszę się dowiedzieć, co on robi po całych dniach. Mógłbyś go mieć na oku przez dzień albo dwa? Nie od rana do nocy, ma się rozumieć!

Hush uśmiechnął się od ucha do ucha.

– Ale będzie zabawa!

– Doskonale. Tylko musisz być ostrożny. Żeby się nie domyślił, co się święci. Dajesz słowo?

– Oficerskie! – potwierdził z zapałem.

Kilka minut później Mystere wypuściła chłopca frontowymi drzwiami, przystanęła na chwilę przy marmurowym stoliku na listy obok wejścia i jej myśli znów wróciły do wczorajszego wieczoru, balkonu i Rafe'a Bellocha.

Jaka szkoda, mówiła sobie, że ten przystojny mężczyzna stanowi takie zagrożenie. Uznała Rafaela Bellocha za straszliwego przeciwnika i poprzysięgła sobie unikać go za wszelką cenę – bez względu na to, jak piorunująco reagowało na jego dotyk jej niemądre ciało. Może jednak myliła się co do intencji Rafaela? Może chciał jej tylko dokuczyć? Miała taką nadzieję. Jednak głos wewnętrzny ostrzegał ją, że ten człowiek bezlitośnie z nią igra. Czuła się jak mucha schwytana przez okrutnego chłopca, który zaraz powyrywa jej skrzydełka i będzie się przyglądał, jak ginie.

8

W odróżnieniu od Manhattanu State Island na razie nie padła ofiarą postępującej szybkimi krokami urbanizacji. Nadal stanowiła spokojne, sielskie, gęsto zadrzewione ustronie. Ścieżki były tam wąskie, werandy szerokie, meble trzcinowe. Mieszkańcy State Island, których liczba nie przekraczała pięćdziesięciu tysięcy, wydawali się małą grupką w porównaniu z dwumilionowym tłumem po przeciwnej stronie Upper Bay. Nie było również na tej wyspie krytych papą bud, których nie brakło na górnym Manhattanie, a w niebo wzbijało się tylko kilka niezbyt wysokich wież zdobnych kurkami.

Rafe Belloch lubił tę samotnię, znajdującą się w dogodnym sąsiedztwie centrum finansowego na Wall Street. Utrzymywał też apartament w Astor House, położonym na wprost miejskiego parku; było to lokum bardzo przydatne, gdy interesy lub obowiązki towarzyskie wymagały jego obecności na Manhattanie. Lecz najchętniej chronił się w Garden Cove, swojej siedemnastowiecznej rezydencji przy Bay Street na State Island. Kiedy nie miał ochoty przeprawiać się tam promem, mógł zawsze skorzystać z jachtu parowego, który czekał w pobliskiej przystani. Trzyosobowa załoga mieszkała na pokładzie, gotowa w każdej chwili do wypłynięcia.

W tym samym czasie, gdy Mystere wprowadzała Husha w tajniki alfabetu, Rafael w swoim gabinecie w Garden Cove dyktował listy swojemu osobistemu sekretarzowi Samowi Farrellowi.

„Reasumując, Szanowni Panowie, jestem przeświadczony, iż chwila obecna jak najbardziej sprzyja podjęciu takiej decyzji. Zjednoczenie wszystkich naszych krótkodystansowych kolei żelaznych Środkowego Zachodu w jedną centralnie zarządzaną korporację z pewnością wpłynie pozytywnie na jakość świadczonych przez nas usług oraz wysokość naszych zysków. Decyzja o konsolidacji powinna zapaść w głosowaniu o charakterze wiążącym na najbliższym posiedzeniu rady dyrektorów. Z poważaniem…"

Rafe bacznie obserwował minę Sama, starając się odgadnąć, jakie wrażenie zrobiła na nim najnowsza bomba. Przy pierwszym spotkaniu wyraz twarzy Farrella często zbijał z tropu jego rozmówców: szeroki, przyjacielski uśmiech dziwnie się kłócił z głęboko osadzonymi oczyma, przypominającymi szczeliny. Rafe nieraz myślał, że w twarzy Sama łączą się zaskakująco elementy starożytnych masek z tragedii i komedii.

Teraz jednak nic nie był w stanie wyczytać z oblicza podwładnego.

– Wyobrażasz sobie, jaki się podniesie wrzask? – zagadnął.
– Już widzę moją karykaturę na pierwszych stronach gazet: z mackami ośmiornicy i z piracką opaską na oku.

– No pewnie! Czego innego można się spodziewać po tych hienach? Znoś ich zniewagi z dumnie podniesioną głową, szefie. Niczym odznakę honorową. Niech sobie dziarskie chłopaki od Josepha Pulitzera rzucają kałamarzami i wrzeszczą, że to koniec świata. Niech mieszają z błotem wszystkie przedsięwzięcia „kolejowych baronów". Fakt pozostanie faktem: mamy od dwudziestu lat zwyżkujący rynek, nie licząc tej paniki w siedemdziesiątym trzecim. I to przede wszystkim dzięki kolejom żelaznym. A co do konsolidacji… to historia New York Short Line dobitnie potwierdza słuszność takiej decyzji. Komandor nie rozstał się ze swymi ukochanymi parowcami dla jakiejś tam mrzonki.

– Więc mam traktować ich zniewagi jak odznaki honorowe? To dobre, Sam! Zapamiętam to sobie.

Ponieważ praca przy budowie kolei bywała niebezpieczna, kompania Rafe'a zawsze trzymała się zasady: przekwalifikować poszkodowanych i zatrudnić w pracy administracyjnej. Ale Sama Farrella, który podczas sczepiania dwóch węglarek doznał zmiażdżenia prawego biodra, nie trzeba było przyuczać do „papierkowej" roboty. Zapoznawszy się z peanem na cześć Farrella, przysłanym przez kierownika robót w Ohio, Belloch osobiście przeprowadził wywiad z Samem i przeniósł go natychmiast do Nowego Jorku na nową, znacznie lepiej płatną posadę.

Było to wiele lat temu. Od tego czasu Sam ukończył studia prawnicze (w czasie wolnym od pracy), uzyskał prawo wykonywania zawodu adwokata w stanie Nowy Jork i stał się głównym doradcą prawnym Belloch Enterprises. Jego pewna ręka na sterze była wielką pomocą dla Rafe'a, gdy odbywał swój ryzykowny rejs, przekształcając się z budowniczego kolei w inwestora-właściciela korporacji.

– Wyślę te listy jeszcze dziś po południu – obiecał Sam. – Wspomniałeś wczoraj, szefie, że masz dla mnie kolejną robótkę. Jakieś małe śledztwo w Nowym Orleanie, jeśli się nie mylę?

– Nie mylisz się.

Rafe zaczął krążyć po pokoju; pytanie Sama sprawiło, że jego myśli poszybowały znów ku Mystere Rillieux. Prywatny gabinet Rafaela pełnił zarazem funkcję biura korporacji, co kłóciło się nieco z wystrojem tego pomieszczenia. Ściany były pokryte boazerią ozdobioną rzeźbami z epoki georgiańskiej. Z sufitu na mosiężnych giętych prętach, przypominających kłębowisko węży, zwieszały się gazowe żyrandole, dzieło Corneliusa & Bakera. Dodatkowym źródłem światła były stare siedmioramienne świeczniki. Dywan z Sułtanabadu i gotyckie krzesła poręczowe niektórym gościom wydawały się majestatyczne i imponujące, innym zaś posępne i pozbawione smaku. Rafe był całkiem zadowolony z takiego wystroju; gdy zarzucano mu brak smaku, przyznawał, że istotnie tego mu brakuje.

Mystere Rillieux... Zadumał się, wspominając, jak obejmował jej gibką kibić. Stwierdził z satysfakcją, że nie potrzebowała nawet gorsetu! Była drobna, piękna i – zgodnie ze swym imieniem – tajemnicza. Miała też, na Jowisza, najwspanialsze błękitne oczy, w jakie kiedykolwiek zaglądał.

Do diabła z jej wdziękami! Przecież to ona upokorzyła go przy Five Points, mógłby przysiąc! Była urodzoną kłamczuchą. Ale równocześnie czuł, że jakaś cząstka jej istoty zmaga się ze złem, niemal tęskni do zdemaskowania. Zupełnie jakby... jakby była szlachetną kobietą usiłującą wbrew sobie grać rolę przestępczyni.

– Chcę, żebyś nawiązał kontakt z kancelarią prawniczą Stephena Breaux. Mieści się przy Canal Street w Nowym Orleanie – polecił sekretarzowi. – Znajdziesz dokładny adres w mojej kartotece. Kiedyś korzystałem z ich usług w sprawie kontraktu na przewóz bawełny. Breaux to porządny chłop. I bardzo dyskretny. Niech jego ludzie zbiorą informacje na temat niejakiego Paula Rillieux i jego bratanicy... a raczej stryjecznej wnuczki, Mystere, którzy rzekomo pochodzą z Nowego Orleanu.

Sam, który właśnie zapisywał coś w swoim notatniku, również mógł być wzorem dyskrecji.

– Czego konkretnie chcesz się dowiedzieć, szefie? – spytał. – Czy chodzi o ich stan majątkowy, kryminalną przeszłość, czy o sprawy osobiste?

Usta Rafe'a wykrzywiły się w cynicznym uśmiechu.

– Nie ma to jak prawniczy umysł: zaraz wszystko poszufladkuje! Myślę, że... – urwał i podszedł do swego ulubionego kąta: wykuszowego okna wychodzącego na cieśninę.

Gospodyni zawsze zaciągała kotary, aby ostre o tej porze dnia słońce nie przepalało dywanów. Rafe odsłonił je w samą porę, by zobaczyć, jak wielki zagraniczny statek parowy o trzech kominach przepływa przez cieśninę i zawija do portu w pobliżu Battery. Pasażerowie stłoczyli się na rufie, skąd mieli dobry widok na Manhattan. Ci z pierwszej i drugiej klasy szybko zostaną przepuszczeni i udadzą się w swoją drogę. Ci z klasy trzeciej zostaną zatrzymani na badania medyczne, które przeprowadzano w pobliżu Castle Garden.

Jednak Rafe oczyma duszy widział tylko nieskazitelnie gładką, promienną twarz Mystere. Nieraz marzył o tym, by wodzić dłońmi i ustami po jej skórze i czuć, jak dziewczyna drży pod jego dotknięciem.

Dość tego! Nie powinien zapominać, kim ona jest naprawdę. Co prawda nie wszystkie Kreolki były śniade. Ale żeby dama z Nowego Orleanu nie zareagowała natychmiast na wzmiankę o „nędzniku Butlerze"? Psiakrew, najpierw zaspokoi swą ciekawość, zdemaskuje Mystere, a potem można będzie pomyśleć o jej uwiedzeniu.

– Przede wszystkim – zwrócił się wreszcie do Sama – zależy mi na ustaleniu ich tożsamości, poprzednich adresów i pozycji społecznej. Dowiedz się czegoś o charakterze tego starego. Szczerze mówiąc, podejrzewam, że to para wyjątkowo uzdolnionych oszustów i że „pracują" w zespole.

Sam miał zwyczaj czytać od deski do deski wszystkie lokalne gazety. Był dość bystry, by od razu się połapać, do czego Rafael zmierza.

– Rany boskie! Chcesz powiedzieś, szefie, że Księżycowa Dama to… Mystere Rillieux?!

– Tak właśnie podejrzewam. Ale zachowaj to dla siebie. Wiesz coś na jej temat? Mystere, nie Damy.

– Tylko tyle, co piszą w kolumnie towarzyskiej. Jej stryjowi poświęcają tam wiele miejsca; należy przecież do ulubieńców Caroline Astor.

Rafe skinął głową. Nadal wyglądał przez okno. Z tego miejsca miał doskonały widok na opadający tarasami ogród, który otaczał dom z trzech stron. Była to istna feeria barw, kolejny dowód „niewyrobionego gustu" właściciela: chińskie róże, złotogłowy o ostrych listkach i żółtych kwiatach, krzewy jaskrawej brezylki i całe zagony nagietków. Z tych kwietnych odmętów wynurzał się zaśniedziały brązowy posąg Wiktorii, bogini zwycięstwa, dzierżącej w uniesionych rękach dwa wieńce laurowe. Na wybiegu dla koni za ogrodem piękny kasztan tarzał się z entuzjazmem po trawie, demonstrując cztery białe skarpetki.

– Tak – rzekł Rafe. – Paul Rillieux zrobił furorę wśród wyższych sfer.

Komizm całej sytuacji sprawiał mu prawdziwą uciechę. Księżycowa Dama bowiem – jakkolwiek się zwała – w pewnym sensie była jego sprzymierzeńcem. Stanowiła przecież istną plagę dla nowojorskiej elity. Ukrywając się pod sprytnym przebraniem, okradała ich z cennych klejnotów. On zaś miał zamiar wyrządzić im znacznie poważniejszą krzywdę: łamać serca i nieodwracalnie niszczyć reputację. Okryć hańbą Carrie Astor, a zniszczywszy w ten sposób najcenniejszy skarb „królowej", zrujnować także ją i zniweczyć jej pozornie niezachwianą pozycję w wielkim świecie.

Nie będzie już zastępu dworaków dreptających posłusznie w ślady monarchini. Cała ta zgraja zostanie gorzko upokorzona, gdy przekona się naocznie, że oddawała cześć fałszywemu bóstwu. To będzie koniec całej nowojorskiej socjety! Niech więc Księżycowa Dama uwolni ją przedtem od błyskotek. Jego przestępstwo będzie o wiele większe.

Takie rozmyślania podsyciły żar tlący się w nim pod pozorami chłodu. Znowu spojrzał na brązową statuę Wiktorii. Kontemplacja tego dzieła sztuki zawsze pomagała mu wytrwać, dawała pociechę i siłę. Patrząc na posąg bogini zwycięstwa, uświadamiał sobie w pełni to, o czym jego ojciec zapomniał w decydującym momencie swego życia: prawdziwym zwycięstwem jest wytrwanie i pokonanie zła.

Choćby miał dożyć setki, nigdy nie zapomni kilku słów, którymi jego ojciec pożegnał się ze światem. „Nie zdołam znieść tej hańby ani chwili dłużej. Wybaczcie mi moją słabość".

Żaden z „wybranych", jak ich nazywał Abbot Pollard, nie pojawił się na pogrzebie Johna Bellocha. Rzucało się to w oczy tym bardziej, że w okresie swego powodzenia pomagał wzbogacić się wielu znajomym, a niejednego wsparł pożyczką w krytycznej sytuacji.

Matkę Rafe'a zabiło to, że stała się pogardzaną pariaską, odtrąconą przez tych, którzy niegdyś cenili sobie jej przyjaźń i zabiegali o nią. Śmierć matki była powolną, ciągnącą się latami torturą, którą jeszcze sama pogarszała, rozmyślając nad swą towarzyską hańbą...

Rafe widział, co zabija matkę – i był całkowicie bezradny.

Ale teraz karta się odwróciła!

Dla Sama, który właśnie zerknął znad swych notatek, zaciśnięte szczęki „szefa" i gniew na jego twarzy nie były niczym nowym. Odgadł coś, czego nie domyślił się nikt inny: Rafael Belloch był jednym z najbardziej nieszczęśliwych ludzi; zaznał niewiarygodnego powodzenia i krył w sercu niewiarygodną gorycz.

– No więc jak? – odezwał się w końcu sekretarz, przywołując Rafaela do rzeczywistości. – Mam skontaktować się z nimi telegraficznie czy listownie?

– Nie jest to paląca sprawa, wystarczy list. Prawdę mówiąc, chciałbym przez jakiś czas poobserwować ją... to znaczy ich – poprawił się spiesznie. – To będzie doprawdy zabawne. Co mi szkodzi, że oskubie do czysta naszą monarchinię? – Roześmiał się. – A przede wszystkim wyobraź sobie, jest to sprawa osobista. Widzisz, Sam, jestem prawie pewien, że Mystere to nie tylko Księżycowa Dama, ale i dziewczyna, która z bandą rzezimieszków okradła mnie dwa lata temu.

– Ta bezczelna dziewucha, która zostawiła szefa prawie na golasa przy Five Points?! – Sam nie posiadał się ze zdumienia.

– Ta sama, niech ją szlag! I nie leć z tym przypadkiem na policję, zrozumiano? Mam do niej kilka pytań, zanim gliny wezmą ją w obroty!

Sekretarz zrobił niewinną minkę.

– Gliny? To przecież tępe niezgrabiasze. Powiedziałbym, że szef znacznie lepiej się nadaje do wymierzenia kary tej pannicy. Proszę wybaczyć poufałość.

– Niczego ci nie muszę wybaczać, ale doceniam twoje nieskazitelne maniery, Sam. Masz świętą rację. Odpłacę tej małej bandytce pięknym za nadobne – obiecał.

– Wierzę – odparł Sam. – Ale jeśli ona rzeczywiście jest tym, za kogo ją szef uważa, to do zakończenia sprawy jeszcze daleka droga. Może okazać się godną przeciwniczką.

Rafe prychnął pogardliwie, ale jego ciemne oczy zalśniły radością na myśl o takim wyzwaniu.

9

Moja droga – powiedział Paul Rillieux mentorskim tonem, który ostatnio zapożyczył od pani Astor – dziś wieczorem ujrzysz klejnot nad klejnotami, godny przechowywania w zamkniętej gablotce, a nie noszenia na palcu. Caroline opisała mi go przez telefon ze wszystkimi szczegółami. Najnowsza błyskotka Antonii to pierścień z dwudziestoczterokaratowego złota z ogromnym indyjskim szmaragdem otoczonym osiemnastoma brylantami o promienistym szlifie.

– Antonia nigdy nie lubiła ostentacji – odparła sucho Mystere.

Rillieux chyba nawet nie usłyszał jej uwagi.

Wyjrzała przez odsłonięte okno powozu. Roztaczał się za nim miły widok na Riverside Drive, aleję biegnącą nad samym

Hudsonem. Noc była pochmurna i przyćmiony blask księżyca błądził po rzece i dalekim przeciwległym brzegu, należącym już do stanu New Jersey. Gra zmiennych, niespokojnych cieni odpowiadała stanowi ducha Mystere.

– Dziś nie ukradniesz jej pierścionka – perorował dalej Rillieux. – Na razie masz go tylko podziwiać wraz ze wszystkimi. Jego los zostanie przypieczętowany kiedy indziej, gdy nie będzie już budził takiej sensacji. Dzisiaj, gdy wszyscy będą oczekiwali, że Księżycowa Dama złapie się na tak oczywistą przynętę, uwolnisz Sylvię Rohr od prześlicznej broszki z szafirów i brylantów. Jest tylko na szpilce, bez żadnego zameczka, więc poradzisz sobie bez trudu. Znam już dobrze zwyczaje Sylvii, więc jestem pewien, że założy dziś tę błyskotkę.

Doktor Charles Sanford i jego żona Catherine z domu Logan (z tych Loganów od obrotu nieruchomościami) wydawali co roku bal w dniu letniego przesilenia. Szybko zyskał on opinię udanej, doskonale zorganizowanej imprezy, w której powinno się koniecznie wziąć udział. Charles był spowinowacony z angielską arystokracją, a Catherine miała pokaźny majątek, toteż Sanfordowie znaleźli się w ekskluzywnej grupie wybrańców pani Astor. Nie ulegało wątpliwości, że Caroline zjawi się na balu, a jej protegowani pójdą w jej ślady.

– Naprawdę przypuszczasz – spytała od niechcenia Mystere, gdy jarząca się od świateł rezydencja Sanfordów ukazała się na horyzoncie – że Antonia zaplanowała to wszystko razem z policją?

– W takich sprawach nie opieram się na przypuszczeniach. Powinnaś o tym wiedzieć. To nie Antonia Butler, lecz sama pani Astor dała przyzwolenie na tę akcję. Musisz pamiętać, że Księżycowa Dama niektórych ekscytuje, ale większość czcigodnych matron traci już do niej cierpliwość. Złodziejka kpi sobie z nich w żywe oczy, gra im na nosie. I właśnie dlatego Antonia zastawiła tę pułapkę tym łatwiejszą do przejrzenia, że zamierza zdjąć pierścionek z palca i wsadzić go później do torebki.

– Nie wątpię w prawdziwość twoich informacji, Paul. Po prostu trudno mi uwierzyć, że Caroline naprawdę wyrazi zgodę na zrewidowanie wszystkich obecnych dam.

– Tylko ze względu na wyjątkowo cenny klejnot. Szmaragd jest olbrzymi i z łatwością można go pociąć na kilka wcale pięknych kamieni. Nie zapominaj też o genialnym kompromisie, jaki wypracowali Caroline z inspektorem Byrnesem: każda dama podda się rewizji z własnej woli. Nie muszę też chyba dodawać, że nie będą ich rewidować policjanci, tylko strażniczki więzienne. Caroline jest pewna, że gdy ona sama da dobry przykład, reszta kobiet pójdzie w jej ślady.

– A skąd pewność, że nie dojdzie do rewizji, jeśli przepadnie broszka Sylvii?

Paul prychnął pogardliwie.

– Czasami zapominam, jak bardzo jesteś jeszcze młoda, Mystere. Po pierwsze, rodzina Sylvii, choć reprezentuje „stare pieniądze", mocno straciła na znaczeniu, odkąd transport kolejowy zastąpił przewozy statkami. Przeciwnie jest z Butlerami, są teraz w towarzyskim zenicie. A poza tym broszka, chociaż uzyskamy za nią całkiem pokaźną sumkę, jest warta najwyżej jedną czwartą tego co pierścień Antonii. Byrnes dobrze wie, że jego popularność zależy od przychylnego nastawienia elity – ani on, ani Caroline nie posuną się do zaproponowania rewizji z powodu czegoś mniej cennego niż ten pierścień. Możesz być tego pewna! – Przerwał i zażył niuch tabaki. – Jednakowoż, gdyby doszło do tej nieprawdopodobnej sytuacji, jesteś przecież niezrównaną mistrzynią błyskawicznych gestów. Pozbądź się broszki w jakimś bezpiecznym miejscu, najlepiej na dworze; wyślemy któregoś z naszych chłopców, żeby ją odnalazł. A jeśli nie odnajdzie? No to cóż, stracimy ją. Czeka nas w przyszłości jeszcze wiele błyskotek, między innymi pierścień ze szmaragdem.

Nagły zimny powiew od strony rzeki musnął policzek Mystere. Ta część Upper West Side, zwana Morningside Heights, stanowiła tzw. dobry adres, choć nie należała do najwytworniejszej części Manhattanu. Ciągle było tu niewiele zabudowań i sporo wolnej przestrzeni, ale pierścień rozrastającego się miasta nieustannie się zacieśniał. Chodziły słuchy, że na miejscu dawnego przytułku dla umysłowo chorych powstanie tu niebawem ośrodek akademicki. Nowojorczycy zaczęli wreszcie doceniać rolę wykształcenia i kultury, a nie tylko brzęczącej monety.

Znajdowali się w odległości zaledwie trzech przecznic od rezydencji Sanfordów. Trzykondygnacyjny budynek z szarego kamienia pasowałby znacznie lepiej do dzielnicy finansowej.

Ciemny płaszcz nocy maskował jednak nieciekawy wygląd fasady, wnętrze zaś było luksusowo wyposażone. Poza tym bal miał się odbywać w przylegającej do głównego budynku ogrodowej galerii, którą powiększono z tej okazji o solidny pawilon do tańca, wychodzący wprost na Hudson. Z powodu silnych podmuchów wiatru uprzedzono damy, że należy przywdziać toalety z wszytymi w obrąbek spódnicy ciężarkami.

Paul Rillieux wyrwał Mystere z zadumy.

– Jesteś chyba przygotowana na to, że Belloch może się zjawić? Zrobił się z niego ostatnio prawdziwy lew salonowy. A wszyscy dobrze wiedzą, że nie znosi światowych rozrywek... chyba że ty jesteś obecna.

Na samo wspomnienie tego nazwiska poczuła dziwny dreszcz – ni to miły, ni to przykry. Z jednej strony obawiała się przenikliwych oczu Bellocha i jego podchwytliwych pytań, z drugiej jednak budził w niej grzeszną radość i podniecenie, jakiego nigdy dotąd nie zaznała. Nawet nie miała pojęcia, że podobne uczucia istnieją.

– I cóż z tego? – odparła wymijająco.

– Wyobraź sobie, że wzbudziliście zainteresowanie żurnalistów, tych od plotek z towarzystwa. Tak przynajmniej twierdzi Caroline. Ona sama nie przegląda tych kolumn, ale Ward tak. Podejrzewam nawet, że niektóre z nich to jego dzieło – są doprawdy okropne!

Serce jej zaczęło gwałtowniej bić.

– A co takiego mogliby pisać na nasz temat?

– To na razie wielka niewiadoma. Nikt jeszcze nie wspomniał o zapowiedziach, tego możesz być pewna. Caroline irytują te pogłoski. Coś mi się zdaje, że sama miała oko na Bellocha dla swojej Carrie. Ale kiedy o tym napomknąłem, od razu ucięła rozmowę. I żeby do reszty uśpić moje podejrzenia, zasugerowała dyskretnie, że chętnie by go widziała u boku Antonii Butler.

– Z tego, co ja widziałam – odparła Mystere – pani Astor ma bardzo... osobiste powody, by nie swatać Bellocha z Carrie.

Rillieux parsknął ubawiony.

– No, no! Ależ ty ostatnio wydoroślałaś. Jesteś całkiem spostrzegawcza, serduszko, i całkiem bystra. Podzielam twoje przypuszczenia: ta dama ma w oku grzeszne błyski, gdy zerka na Rafe'a. Nie wydaje mi się jednak, by zdobyła się na coś równie niekonwencjonalnego jak wzięcie sobie kochanka. Zresztą to bez znaczenia. Belloch ostatnio dał wyraźnie do zrozumienia, że gustuje w skandalicznie wprost młodych niewiniątkach.

– Całkiem fałszywie tłumaczysz jego intencje – zaprotestowała znowu Mystere. – On ze mną nie flirtuje, tylko się nade mną znęca!

– Powiedzmy, że cię troszkę dręczy. Ale niektórzy młodzi mężczyźni taki już mają zwyczaj... i poczucie humoru, można by rzec. A ty mimo wszystkich swych umiejętności i talentów niewiele się znasz na męskich zalecankach.

Że też ma czelność przypominać mi o tym! – irytowała się w duchu. Znowu przemawiał do niej tonem wyższości. I znów nabrała podejrzeń, że chce z niej zrobić bogatą wdowę. Nie zapomniała też o uwadze Evana na temat nieszczęśliwego wypadku, jaki miał się wydarzyć Rafe'owi po ślubie z nią.

Próbowała przekonać samą siebie, że zwidują się jej jakieś głupstwa. Evan nieraz plótł okropne brednie. A Rillieux był złodziejem i oszustem, lecz przecież nie mordercą! Przynajmniej na razie...

W jego oczach pojawiał się jednak lodowaty chłód, gdy był niezadowolony lub rozczarowany. Doświadczenie zdobyte przez lata spędzone na ulicach mówiło jej, że w Paulu jest coś z mordercy. Obawa przed tym, co mógłby uczynić, stanowiła element jego władzy nad nią. Człowiek, który z wyrachowaniem wciąga dzieci w świat przestępstwa, nie cofnie się przed żadną zbrodnią. Mogła wyliczyć wiele zalet Paula Rillieux, ale choć kajdany, jakie kazał jej nosić, nie raniły zbytnio, trzymały ją niezłomnie na uwięzi. Nie była wolna. Może nigdy nie będzie.

Obudziło się w niej zakazane pragnienie: być panią samej siebie, uwolnić się od tego koszmaru, w którym żyła, odkąd Rillieux wyciągnął ją z sierocińca. Pierścień Antonii kusił ją niczym chleb biedaka konającego z głodu – mirażem wolności.

Klejnot jest tak ogromny, że można go pociąć na kilka wcale pięknych kamieni...

Ale nie! Najpierw musi się dowiedzieć, co Hush wywęszył na temat Lorenza Perkinsa. Co innego pragnienie wolności, mówiła sobie, a co innego zwykła głupota! Życie na ulicy nie było łatwe. Znała je z doświadczenia. A Rillieux mógł sobie być diabłem, wiedziała jednak, czego się po nim spodziewać. Poza tym w obecnej sytuacji miała pieniądze na poszukiwanie Brama. Musi poczekać i dowiedzieć się, jakie owoce wydaje drzewo, które zamierzała ściąć. Jeśli Lorenzo Perkins czynił choćby minimalne próby odnalezienia Brama, zasługiwał na dotrzymanie umowy. Ale jeśli okaże się zwykłym złodziejem, to całkiem inna sprawa!

Jeśli okaże się zwykłym złodziejem, takim jak ty, odezwało się w niej sumienie.

– Paul! – odezwała się raptownie, wiedziona poczuciem winy i jakimś nieokreślonym, ale bardzo realnym strachem.

– Słucham?

Nagła czujność w jego głosie świadczyła, że zaniepokoiła go zmiana jej tonu.

– Wszystkie te brednie na temat plotek w gazetach… Czy warto ściągać na siebie uwagę, gdy wszyscy szukają Księżycowej Damy? Ja… cała ta uwaga skierowana na mnie… to mnie przeraża! Może lepiej przeczekajmy, aż wszystko ucichnie, spróbujmy czegoś innego. Może nie dziś? Nie teraz.

Mystere rzadko zdradzała taki niepokój, więc Rillieux zareagował błyskawicznie. Od rezydencji Sanfordów dzieliła ich tylko jedna ulica, zbliżali się do celu dobrym kłusem. Paul uchylił okienko powozu.

– Baylis! – zawołał. – Jedź stępa, musimy porozmawiać.

Wychylił się ze swego miejsca i ujął obie jej dłonie.

– Mystere, popatrz na mnie.

Wcale nie miała na to ochoty. Najchętniej wysiadłaby z powozu i krążyła po ulicach, pogrążona w myślach. Ale wieloletni nawyk okazał się silniejszy. Choć wysunięta na północ część Manhattanu nie była jeszcze zelektryfikowana, w migotliwym świetle gazowych latarni widziała wystarczająco wyraźnie ostre rysy Paula i jego hipnotyczne oczy.

– Oddychaj głęboko i powoli – polecił jej. – Dolną częścią płuc, znad samej przepony. Bez pośpiechu, spokojnie… Grzeczna dziewczynka.

Poddawszy się jego woli, poczuła, że wraca jej chłodna pewność siebie, znikają niepokój i oszołomienie.

– Dałem ci takie wychowanie, byś mogła zabłysnąć w najświetniejszym towarzystwie. Czyżbyś o tym zapomniała? Ostateczny szlif w Londynie, podróż po Europie, lekcje tańca klasycznego u niezrównanej mademoiselle Dupree. Nie jesteś jakąś nędzną złodziejką udającą damę z towarzystwa, jesteś prawdziwą artystką! Jak każda artystka, odczuwasz tremę przed występem. A owa trema sprawia, że jesteś jeszcze wspanialsza. Potrafisz obrócić swój strach w najwyższy triumf.

– Tak – odparła już spokojniej. – Masz słuszność. Przepraszam.

– Nonsens! Nie musisz przepraszać za to, że jesteś wrażliwa. To twoja rodzi... – Opamiętał się w porę. – To twoja wrodzona cecha – powiedział. – I zapamiętaj jeszcze jedno, Mystere: ani ty, ani ja nie możemy wysiąść w połowie drogi. Dosiedliśmy wielkiej wezbranej fali i musimy tkwić na jej grzbiecie, póki nie rozbije się o brzeg. A raczej musimy zeskoczyć ułamek sekundy przedtem, nim się rozbije!

– A jeśli przegapimy właściwy moment, co wtedy?

– Ha! Jak myślisz, kochanie? Mnie czeka szubienica. A co do ciebie... cóż, Caroline Astor pewnie nie dopuści, by powieszono kobietę. Będą cię więc „reformować" w jakimś poprawczaku pod okiem krzepkich starych bab z końskimi gębami, niewyżytych i zazdrosnych.

Poklepał ją czule po policzku.

– Ale my nie przegapimy właściwego momentu. Wyczucie czasu to moja specjalność.

Mystere miała nadzieję, że Rafe Belloch się nie zjawi. Nie dostrzegła go obok Sanfordów, pani Astor czy czekających w kolejce u wejścia; nie było go również wśród gości, rozproszonych po galerii i w przyległym do niej pawilonie, na którego końcu orkiestra stroiła instrumenty.

Siostry Vanderbilt, Alva i Alice, stanowiły centrum jednej z większych grup w krytej galerii. Goście zbierali się tam raczej na pogawędkę, niż ruszali parami do tańca. Choć minęły już trzy miesiące od słynnego balu maskowego u Vanderbiltów, prasa brukowa nadal unosiła się nad kostiumem Alice. Wystąpiła jako „światło elektryczne" w olśniewającej sukni z białego atłasu naszywanej brylantami – prawdziwymi brylantami, choć był to strój na jedną tylko noc!

Jak zwykle po oficjalnym powitaniu mężczyźni pod wodzą „starej gwardii" udali się do ogrodu na cygaro i rozmowę o polityce. Miłościwie panująca pani Astor, majestatyczna w lekkiej ze względu na porę roku narzutce z kołnierzem z fok, zatrzymała Paula Rillieux, by dotrzymywał jej towarzystwa.

– Ty, moje dziecko – zwróciła się do Mystere, odprowadzając ją nieco na bok – wyglądasz jak uosobienie niewinności. Jestem pewna, że to nie złudne pozory. Pamiętaj o tym, gdy inni będą cię oczerniać.

– Czemu ktoś miałby mnie oczerniać?

Caroline popatrzyła w twarz dziewczyny i potrząsnęła głową.

– Bardzo prawdopodobne, że już do tego doszło. Albo dojdzie niebawem. Ale nie przejmuj się tym, Mystere. Czytelnicy gazet łakną sensacji, „poufnych wiadomości" z wielkiego świata. A prasowe hieny w rodzaju J. Gordona Bennetta chętnie dostarczą im wszelkich szczegółów, choćby to były oszczerstwa i kalumnie.

Przeszły kilka kroków, a Ward McCallister towarzyszył im z dyskretnej odległości: na tyle daleko, by nie móc podsłuchiwać, i na tyle blisko, żeby być zawsze pod ręką protektorki, zanotować coś lub służyć niezbędną informacją. Przypochlebna mina i maniery Warda niektórych irytowały, ale inni uczyli się od niego zasad dworskiej etykiety. Jego bijąca w oczy lojalność była cenniejsza od wszelkich usług, jakie mógłby wyświadczyć.

– Baw się, moja droga – mówiła Caroline. – Obracaj się w towarzystwie, korzystaj z młodości i nie zważaj na tych, którzy ze wszystkiego szydzą. Masz całe życie przed sobą, jesteś piękna, podobasz się mężczyznom. Zazdroszczę ci, Mystere. Pamiętaj jednak, że skandal wybucha łatwo, a ugasić go trudno. Nie masz matki, biedactwo, która mogłaby udzielić ci rad. Ale ja, podobnie jak Carrie, żywię do ciebie szczere przywiązanie. Właśnie dlatego wspominam ci o tych sprawach, drogie dziecko.

Wypowiedziawszy te zaskakujące słowa, pani Astor znów zbliżyła się do Paula, zostawiając Mystere samej sobie. W pobliżu kolejny tłumek zebrał się wokół Antonii Butler. Były to przeważnie kobiety podziwiające jej nowy pierścionek. Mystere bez wahania przyłączyła się do nich. Brak zainteresowania szmaragdem mógłby się wydać podejrzany.

– Mystere! Jak miło znowu cię widzieć – powitała ją Antonia z umiarkowanym entuzjazmem. – Doprawdy prześlicznie wyglądasz. Widzę, że zabezpieczyłaś się przed wieczornym chłodem.

Ostatnia uwaga wywołała ukradkowe uśmieszki. Była to złośliwa aluzja do stroju Mystere. Według ostatniej mody wieczorowe suknie odkrywały prawie całe plecy i ramiona, choć dekolty z przodu były nieco mniej ryzykowne niż w latach sześćdziesiątych i siedemdziesiątych. Mystere jednak miała jak zwykle zasłonięte plecy, a niewielki dekolcik z przodu pozwalał dostrzec jedynie delikatny zarys obojczyków. Antonia była pewna, że taki krój sukni miał maskować niedojrzałość kobiecych kształtów.

– Twój nowy pierścionek jest przepiękny – powiedziała Mystere słodko, choć z pewnym przymusem. Wielkość i czystość szmaragdu zrobiła na niej jednak ogromne wrażenie. Przez chwilę, gdy klejnot lśnił w blasku lampionów, miała dziwne uczucie déjá vu. Wpatrzona w głębię zielonego kamienia ujrzała szmaragdowe oczy marynarza, równie zimne i nieczułe jak kamień. To były oczy Brama. Ileż to razy budziła się w nocy ze snu, w którym znów biegła po przystani za odpływającym statkiem, wołając imieniem brata mężczyznę, który na to nie reagował.

– Całkiem niebrzydki, prawda? – Antonia była już znudzona rozmową z „sierotką od pani Astor". – Ale okropnie ciężki. Chcesz przymierzyć?

– Naprawdę mogę?

Antonia zdjęła pierścionek z pewnym trudem. Obie zaskoczył fakt, że pasuje on jak ulał na palec Mystere.

– Jak na ciebie robiony – przyznała Antonia i tym razem w jej głosie nie było sarkazmu.

Mystere nagle zdała sobie sprawę, że tuzin osób gapi się na nią. Ściągnęła pierścień z palca i oddała właścicielce.

– Nonsens, Antonio. Zupełnie nie pasuje do moich oczu. Za to do ciebie idealnie!

Odsunęła się nieco i nawiązała rozmowę z Thelmą Richards i Sylvią Rohr. Ta ostatnia – zgodnie z przewidywaniami Paula – miała na sobie broszkę z szafirami. Thelma wciąż była pod wrażeniem ulicznego korka, w którym utknęła na rogu Broadwayu i Fulton.

– Ruch dosłownie zamarł na ponad godzinę – lamentowała. – W wozie z piwem złamała się oś i beczki potoczyły się we wszystkie strony. Stanowczo powinni ograniczyć ruch wozów towarowych w eleganckich dzielnicach!

Mystere współczująco kiwała głową i udając, że rozgląda się po zebranych, wypatrywała Rafaela Bellocha. Na razie jestem bezpieczna, myślała nie dostrzegłszy go. Do ich damskiego trio dołączył Abbot Pollard, nie mogła więc dłużej myśleć o Bellochu.

– Witam panie – powiedział, unosząc dłoń każdej z nich do swych wyschniętych warg. – Cóż to... nie widzę dziś Lydii.

Zrobił minę pensjonarki wtajemniczonej w sekret.

– Słyszałem pewną historyjkę, ale nie będę powtarzał plotek.

Wcale nie musiał: poczta pantoflowa rozniosła już po całym Manhattanie wieść o najnowszym skandalu w wielkim świecie. Jedna z pozornie stałych gwiazd na firmamencie, którego słońcem była pani Astor, wypadła raz na zawsze ze swej orbity. Wygodnie urządzony wszechświat zachwiał się w posadach.

Lydia Hotchkiss, żona jednego z rajców miejskich, została przyłapana na „nieszkodliwej kleptomanii", jak to delikatnie określano w pewnych sferach. Przyłapano ją u Tiffany'ego, gdy próbowała ukryć w torebce medalion. Zazwyczaj podobne uchybienia osób z towarzystwa były starannie tuszowane. Na nieszczęście dla Lydii i nowojorskiej elity redakcja „Sun" nie przejawiała rycerskiego ducha. Przedsiębiorczy reporter przekupił detektywa pilnującego sklepu i historyjka została odpowiednio nagłośniona. Po kilku godzinach z reputacji Lydii Hotchkiss nie pozostały nawet strzępy.

– Pomyśleć tylko! – rozległ się obok Mystere silny, dobrze jej znany głos. – Jeśli niewinny grzeszek Lydii spowodował jej kompletną ruinę towarzyską, jak potraktujemy Księżycową Damę, kiedy zostanie wreszcie zdemaskowana?

10

Mystere odwróciła się wdzięcznie i skinęła głową spóźnionemu przybyszowi. Spłonęła rumieńcem, gdy wszyscy – idąc za przykładem Rafe'a – wlepili w nią wzrok, czekając na jej odpowiedź.

– Doprawdy nie mam pojęcia, panie Belloch. Nie interesuję się równie żywo jak pan losem zwykłych złodziejaszków – odparła zimno.

Odrzucił głowę do tyłu i ryknął śmiechem. Mocne białe zęby błysnęły w świetle setek przezroczystych lampionów. Dziś Rafael był we fraku i wytwornej koszuli z falbankami. Kasztanowate włosy zaczesał do tyłu, odsłaniając szerokie czoło. Turkusowe oczy, w tym oświetleniu bardziej zielone niż niebieskie, spoglądały kpiąco na Mystere.

– O tak, zauważyłem pani wyraźny brak zainteresowania losem tej osławionej damy – powiedział. – Ale proszę tylko pomyśleć, jakie to musi być ekscytujące, co za rozrywka. O wiele ciekawsza niż sztuczki cyrkowe czy muzeum osobliwości Barnuma. Jedno małe potknięcie i legendarna przestępczyni ląduje w ciemnej celi.

– Dziwne pan ma pojęcie o rozrywce – zaoponowała.

– Widzę, że zamieniła się pani w nadętego sztywniaka bez poczucia humoru, jak obecny tu Abbot. Mnie ogromnie bawią poczynania Księżycowej Damy. Z pewnością są znacznie bardziej podniecające niż ta żałosna próba kradzieży u Tiffany'ego.

Pollard, nieprzywykły, by cierpieć zniewagi w milczeniu, zwrócił się do swych towarzyszek:

– Są gusta i guściki, drogie panie. Podobnie jak w przypadku tak modnych dziś „nowoczesnych" poetów i historyków. Oni to sprawiają, że odór naszej epoki bije pod niebo.

Do starcia dwóch buńczucznych samców nie doszło, gdyż na obrzeżach otaczającej ich grupy pojawiła się pani Astor.

– Rafe, ty niewdzięczniku – powiedziała oskarżycielskim tonem, podając mu rękę. – Ominąłeś mnie rozmyślnie. Jak mogłeś wyrządzić mi taki afront?

Rafael zrobił skruszoną minę, podniósł jej dłoń do ust i nie wypuszczając jej ze swych rąk, odparł z przewrotną galanterią:

– Może chciałem się przekonać, czy to zauważysz.

– Czyżby? A więc stałam się obiektem twych eksperymentów, podobnie jak Antonia? Jest obrażona na ciebie, mój panie, choć drogie biedactwo dzielnie się trzyma. Możesz igrać z uczuciami podstarzałych matron – dobrze nam tak, skoro pozwoliłyśmy sobie na słabość do ciebie. Ale dla młodych piękności należy mieć więcej względów.

Przerwała, by spojrzeć na Mystere.

– To dziewczątko jest doprawdy prześliczne i trudno się dziwić, że lubisz przebywać w jej towarzystwie. Lecz czy inne kobiety muszą z tego powodu czuć się zapomniane?

Mystere obserwowała starszą damę, gdy muskała końcami palców gładko wygolony policzek Rafe'a.

– Nieważne, czy to dojrzałe matrony, czy dziewicze piękności – zapewnił. – Żadna kobieta nie powinna czuć się zapomniana.

Ta przejrzysta aluzja wydała się Mystere bezczelna i gruboskórna. Caroline jednak uśmiechnęła się tajemniczo i odwróciła do Thelmy i Sylvii, by z nimi porozmawiać.

Mystere zwróciła się do Rafe'a.

– Traktuje to pan jak nizanie na sznurek szklanych paciorków. Im więcej, tym lepiej, nieprawdaż, panie Belloch? Taka niewinna igraszka bez znaczenia?

Uniósł w zdumieniu brwi.

– O czym pani mówi?

– O kobietach. O Antonii, Caroline… o mnie. O nas wszystkich.

– Chyba jednak szklane paciorki nie są całkiem bez znaczenia. Proszę nie zapominać, ileśmy za nie kupili od dzikusów.

Miała ochotę usadzić go na dobre, ale nim zdążyła coś powiedzieć, uświadomiła sobie, że Caroline przyłączyła się do ich grupki nie tylko po to, by poflirtować z Rafe'em. Królowa Nowego Jorku zwróciła się do Abbota Pollarda i zmierzyła go stalowym spojrzeniem, przed którym zadrżałby nawet huzar.

– Wystarczająco już zalazłeś mi za skórę, mój panie – powiedziała, bynajmniej nie żartobliwym tonem. – Znalazłeś się na mojej czarnej liście.

Nie było to przekomarzanie się, ale wyraźna ekskomunika. Pollard wiedział o tym dobrze. Zawsze blady, teraz stał się prawie przezroczysty.

– Ależ, droga pani. Z jakiego powodu?

– Z powodu tak odrażających przewinień, że nic ci tym razem nie pomogą przypochlebne minki i sprytne żarciki. Nie będę teraz wyciągać tych wszystkich brudów. Wystarczy, że powiem, iż pozwoliłeś sobie ostatnio na uwagi w najgorszym guście pod moim adresem i na temat osób, do których żywię przyjaźń i szacunek.

– Czyżby chodziło o tego poetę, Oakesa? Wszyscy miewamy przecież różne zdania, to całkiem…

– Proszę mi nie przerywać! – niemal warknęła pani Astor.

Spojrzenie jej gniewnych, władczych oczu zmroziło Mystere krew w żyłach. Pollard też się wyraźnie przestraszył.

– Twój ostry dowcip – dodała Caroline Astor – jest słynny i często godny podziwu. Ale nie życzę sobie być celem twoich ustawicznych ataków, Abbot!

Pollard już otwierał usta, by się usprawiedliwić, lecz Caroline odwróciła się i odeszła na swe dawne miejsce. Spoglądał więc tylko na innych gości z niemądrym wyrazem twarzy.

– No cóż, *sic transit gloria mundi** – zażartował, robiąc dobrą minę do złej gry.

– Skoro tak lubisz łacinę, stary zrzędo – podjudzał go Rafe – co byś powiedział na *persona non grata*?

Nie zamierzając ugiąć się pod miażdżącym ciosem, Abbot pozostał wierny swym obyczajom. Widząc, że audytorium oczekuje jego reakcji, odezwał się ze zjadliwą ironią:

– Jeśli razi was wszystko, co w złym guście, czemu ktoś z was nie wywrze presji na nasze władze miejskie? Czy nikt nie zapobiegnie ustawieniu na Bedloe Island tej wulgarnej potworności, którą ratusz tak lansuje? Zróbcie z tym coś, błagam! Nie dość, że motłoch z Francji uparł się, by wlepić nam ten populistyczny symbol, to jeszcze, na litość boską, mamy za to płacić! Zapamiętajcie sobie moje słowa: ta okropna statua stanie się pośmiewiskiem przyszłych pokoleń. Nasi potomkowie okażą nieco lepszy gust i każą to paskudztwo rozebrać.

– Pompatyczne bzdury – zbył go Rafe. – Mój Boże, panowie. Czyżby ktoś umarł?!

Ostatnie słowa wypowiedział pod adresem orkiestry. Wkrótce po przybyciu Mystere rozległy się pobudzające tony marsza triumfalnego z Aidy, ale w pewnej chwili Abbot skłonił dyrygenta do zmiany repertuaru i wśród nocy zabrzmiała jakaś posępna melodia. Przypominała niekończący się lament zdychających słoni.

– To nie jest popularna muzyczka – szydził Pollard – nic więc dziwnego, że jej nie rozpoznałeś, Rafe. To z *Pierścienia Nibelunga* Wagnera. Uznałem, że należy dziś zagrać coś z jego dzieł, jako że sam mistrz niedawno nas opuścił.

– Szkoda, że nie zabrał ze sobą tego piekielnego harmidru – burknął Rafael i zdecydowanym krokiem ruszył w stronę podwyższenia dla orkiestry. Wetknął zwitek banknotów w dłoń

---

* *sic transit gloria mundi* – łac.: tak przemija wielkość świata.

dyrygenta, który wydawał się całkiem zadowolony z propozycji zmiany repertuaru. Orkiestra z werwą zagrała pierwsze takty walca.

Nikt jeszcze nie ruszał do tańca, więc Mystere poczuła dreszcz strachu, gdy po powrocie Rafael ujął ją za ramię.

– Mogę panią prosić?

– Wolałabym nie, ja…

Nie zważał na jej protesty. Lewą ręką objął ją mocno w talii i dosłownie porwał do pustego jeszcze ogrodowego pawilonu.

Nie ulegało wątpliwości, że Rafael Belloch jest doskonałym, choć nieco zbyt władczym tancerzem. Jednakże bez względu na to, do jakich piruetów zmuszał swoją partnerkę, wracała w jego ramiona z lekkością i wdziękiem, nie gubiąc ani razu rytmu.

Księżyc wynurzył się zza chmur i nagle powierzchnia płynącej tuż za pawilonem rzeki rozbłysła milionami brylancików. Po raz pierwszy tego wieczoru niecierpliwi żurnaliści czający się za żelaznym ogrodzeniem zaczęli pośpiesznie notować swoje wrażenia.

– Moje gratulacje, panno Rillieux – szepnął Rafe ze szczerym podziwem. – Mówiono mi, że tyranizuję każdą partnerkę, a przy pani robię wrażenie łagodnego baranka.

Mystere zignorowała tę uwagę. Cztery płynne kroki, jeden daleki wypad – i wróciła do niego z precyzją niezawodnego szermierza.

– Pan tylko marzy o tym, by wystawić mnie na pośmiewisko – powiedziała oskarżycielskim tonem.

– Marzę tylko o tym, by ujrzeć panią bez tej sukni pod szyję – odparował i roześmiał się na widok jej ognistych rumieńców.

Krok, wypad, piruet i powrót do partnera.

– Woli pan impertynenckie wykręty od szczerej odpowiedzi.

– W jedną stronę, w drugą… i cała naprzód – odparł.

Odfrunęła na odległość wyciągniętej ręki, ale jakiś niewidoczny mechanizm sprawił, że trafiła znów w jego ramiona z pełną wdzięku precyzją. Wokół rozległy się spontaniczne oklaski.

Wkrótce niemal wszyscy (łącznie z reporterami zza ogrodzenia) zauważyli, jak mistrzowsko płyną i wirują w tańcu Rafe Belloch i Mystere Rillieux. Wiele osób doszło do w wniosku, że ich popis został z góry zaplanowany dla uatrakcyjnienia tej – jednej przecież z wielu – zabawy ogrodowej.

Taniec Mystere i Rafe'a zwabił do pawilonu inne pary. Najpierw przyłączyła się grupa nowobogackich, przeważnie nowojorczyków bardzo świeżej daty. Potem pani Astor zgodziła się łaskawie wziąć udział w pląsach nuworyszów. Jej partnerem był oczywiście nieodstępny Ward McCallister.

– Jest pani mistrzynią pod każdym względem – zauważył Belloch, o dziwo bez ironii.

Taniec się skończył i Mystere złożyła partnerowi lekki, wdzięczny dyg.

– Nie powiedziałabym, że pod każdym względem.

– No cóż... jest zapewne wiele umiejętności, których pani dotąd nie zgłębiła.

– Być może, ale mam zamiar zgłębić niektóre z nich, łaskawy panie.

Roześmiał się, nadal trzymając ją za ręce, by nie mogła mu umknąć.

– O, to paradne! Zwłaszcza to „łaskawy panie". Młodziutkie niewiniątko, nieprawdaż? Debiutantka, dopiero co rozkwitający kwiatek. Proszę więc przyjąć radę, jeśli chodzi o czyny, których pani chciałaby jeszcze dokonać. Marzenia nie zawsze muszą iść z nimi w parze. Nikogo przecież nie aresztują za wyobrażanie sobie tego czy owego.

– Wiem to i bez pańskich morałów.

Spojrzenie Rafe'a spoczęło na jej płaskiej piersi.

– Oczywiście, że pani wie. Ale bardzo mnie ekscytuje rozmowa z panią na takie tematy.

Mystere próbowała się uwolnić, ale ją przytrzymał.

– Tak – powiedział z nagłą pewnością, zaglądając w niebieskie oczy Mystere. Osłonił część jej twarzy ręką, jakby to była maska. Na jego usta wypłynął triumfalny uśmiech. – To była pani! Latarnie tamtej nocy świeciły równie słabo, ale to była pani. Gdybym rozebrał panią teraz do naga...

Orkiestra zaczęła grać następnego walca. Rafael porwał ją do tańca. Trzy... cztery... piruet i powrót...

– Jakiej „tamtej" nocy? – spytała, jakby ostatniego zdania w ogóle nie wypowiedział.

Ale on tylko się roześmiał sarkastycznie na widok jej niepokoju.

– Zdolna z pani aktorka – przyznał. – A jednak coś pani przeszkadza zespolić się całkowicie ze światem przestępców, jak to uczynił jej kochany stryjaszek.

91

Prowadził ją jeszcze bardziej władczo w płynnym rytmie; nie tyle wiódł, ile narzucał swą wolę. Oboje dyszeli jak konie pełnej krwi na drugim okrążeniu podczas wyścigów. Wkrótce gwałtowność ruchów Rafaela udzieliła się nawet muzykom, którzy nieświadomie przyspieszyli, dostosowując tempo do jego kroku.

Mystere była rada, że przyłączyły się do nich inne pary; ich obecność hamowała nieco jej partnera. Wiedziała jednak doskonale, co Rafe miał na myśli, mówiąc o „tamtej nocy". Zdenerwował ją tak, że zrezygnowała z kradzieży broszki Sylvii Rohr. Pod jego jastrzębim wzrokiem byłoby to zbyt ryzykowne.

Nie chodziło zresztą tylko o niego. Czuła narastające wokoło dramatyczne oczekiwanie. Była to pogoń za tanią sensacją. Mało kto głośno się do tego przyznawał, ale niemal każdy z obecnych tego wieczoru gości zaczytywał się sensacyjnymi artykułami z codziennej prasy i łaknął wszelkich możliwych szczegółów na temat osławionej złodziejki, o której pisano nawet w europejskiej prasie.

Teraz, myślała Mystere, kiedy tańczą ze sobą, Rafe nie spodziewał się po niej żadnego wyczynu. Musi więc dowieść swej niezależności, bo wyraźnie doszedł do wniosku, że samą swą obecnością potrafi obezwładnić Księżycową Damę.

Mimo że podjęła decyzję, przez moment jej serce biło jak oszalałe. Jednak lekcje Paula Rillieux nie poszły na marne. Kiedy wykonała ruch, był on precyzyjny i błyskawiczny.

Rafe jeszcze raz niemal teatralnym gestem odrzucił ją od siebie na odległość wyciągniętej ręki. Przemknęła w obrocie obok Garretta Teasdale'a i jego żony Eugenii. Przez ułamek sekundy wyćwiczony wzrok Mystere spoczął na ciężkiej złotej spince wpiętej w czarny jedwabny krawat Rafaela. Odwróciła uwagę swego partnera, uśmiechając się do Garretta. Odpowiedział na jej uśmiech skinieniem głowy, a Rafe odruchowo spojrzał na niego.

Musnęła partnera dłonią – ruchem tak szybkim, że niemal niedostrzegalnym. Spinka zniknęła. Dokładnie tak, jak miało być z broszką Sylvii Rohr. Jednym płynnym gestem wetknęła spinkę w kok. Nikt nie dopatrzyłby się w tym niczego poza bezwiednym poprawieniem fryzury.

Jej pusta już dłoń złączyła się z dłonią Rafaela. Kradzież została dokonana. Wiedziała, że Paul Rillieux zrobi jej awanturę: wartość spinki była znikoma. Instynkt jednak podpowiadał Mystere, że Księżycowa Dama musiała zaatakować i wstrząsnąć bez-czelną pewnością siebie Rafe'a, żeby nie przegrać na całej linii.

Nagła ulga z powodu odniesionego sukcesu poprawiła jej humor. Przez kilka cudownych, upajających chwil, gdy tony skrzypiec unosiły się pod niebo, a Rafael wirował z nią ponad iskrzącą się wstęgą wody, czuła jego męską siłę i niewiarygodną zręczność ruchów, stanowiącą dopełnienie ujmujących rysów i postury. W tym momencie urzeczenia Mystere czuła dreszcz radosnej obietnicy, miała wrażenie, że jej życie dopiero się zaczyna, uświadamiała sobie własną młodość i kobiece tęsknoty domagające się spełnienia.

Poczuła oddech Rafaela na policzku, ciepły i wilgotny, bliski jak oddech kochanka. A gdy przytulił ją do siebie jeszcze mocniej, zdała sobie sprawę, jak bardzo jest podniecony.

Z premedytacją prowadził ją tak, że oddalili się od innych tancerzy. W cieniu za pawilonem pociągnął ją nagle do niewidocznej prawie altanki.

– Nie! – protestowała, gdy zamknął ją w objęciach. – Co pan...

Zdusił protesty, zamykając jej usta niemal brutalnym pocałunkiem. W pierwszej chwili jej zdradzieckie ciało zareagowało na pieszczotę z namiętnością dorównującą namiętności Rafaela. Potem z najwyższym wysiłkiem wyrwała mu się.

– Niech pan się opanuje! – rzuciła. – Cóż to za szaleństwo? Przecież ludzie widzieli, że tu wchodzimy!

– Opanuję się... na razie – powiedział zmienionym z namiętności głosem. – Ale nikomu nie można zabronić marzeń. Będę myślał o tym, co mnie ominęło.

Prześlizgnęła się obok niego. Oblała się rumieńcem, gdy ujrzała głowy zwrócone w ich kierunku.

Zaledwie przed chwilą czuła się jak w raju. Teraz spadła z wyżyn na ziemię. Nagle wszystko dokoła, pawilon i gapiący się ludzie, wydało się jej sztuczne niczym dekoracja w teatrze.

– Mówi mi to pan już po raz drugi – zdołała wyszeptać.

– Tylko dlatego, że pani pierwsza powiedziała to do mnie – odparł tak cicho, że tylko ona mogła go usłyszeć.

Odwróciła się, by spojrzeć na niego po raz ostatni.

Wskazał gestem swój czarny krawat, w którym jeszcze niedawno tkwiła złota spinka. Przez cały czas wiedział, że ją ukradła.

– Nie wyjdzie to pani na dobre, Księżycowa Damo.

11

Jeszcze przed wschodem słońca ulice dolnego Manhattanu zaroiły się tłumem ludzi i pojazdów; wszystko to parło naprzód, przepychając się jedno przez drugie. Hush zaczął obserwować mieszkanie przy Amos Street wkrótce po siódmej rano. Tuż po ósmej – sądząc po dzwonach od św. Pawła – pulchna kobieta w spłowiałej perkalowej sukni wyłoniła się z prywatnego wejścia na parterze, tuż za rogiem drogerii. Ruszyła przez ulicę do piekarni i wróciła stamtąd z bochenkiem chleba zawiniętym w woskowany papier.

Następne dwie godziny strasznie się Hushowi dłużyły – zupełnie jak kazania, których musiał wysłuchiwać w misji metodystów przed darmową kolacją. Zajął dobry punkt obserwacyjny na dachu trzypiętrowego magazynu po przeciwnej stronie ulicy. Do tej pory poznał już Lower East Side tak dobrze, że mógłby ją przemierzyć, posuwając się po dachach domów i unikając w ten sposób ulicznego ruchu, policji i grasujących na dole band.

Nieprzerwany strumień klientów wpływał do drogerii i wynurzał się stamtąd z wodą mineralną, solami i patentowanymi lekarstwami wszelkiego rodzaju. Zegar na kościele wybił dziesiątą, a nadal nie było ani śladu człowieka, którego Mystere poleciła śledzić. Czemu nie szedł do roboty? Przecież to nie niedziela. Nie mieszkał w slamsach, ale nie była to również dzielnica próżnujących bogaczy.

Znudzony i zgłodniały Hush zszedł po chwiejnych tylnych schodach i śmignął na Cherry Street. Kupił tam jabłko i porcję puddingu z łoju.

Zaspokoiwszy pierwszy głód, dwunastolatek zwrócił uwagę na starszą kobietę, która czekała na rogu ulicy na powóz. Z jej prawego ramienia zwisała wielka torba z gniecionego weluru. Hush przyjrzał się bacznie spinającej ją mosiężnej klamrze i rozpoznał zamek, który potrafił otworzyć jednym palcem.

Rozejrzał się dokoła, czy nie plącze się w pobliżu posterunkowy. Potem – pomny nauk Paula Rillieux o odwracaniu uwagi „klienta" – wyjął z kieszeni dżetowy kolczyk i upuścił go na chodnik po lewej stronie staruszki.

– Przepraszam, paniusiu – zapiszczał. – Czy to panine?

94

Wskazał błyskotkę, a wzrok zaciekawionej kobiety podążył za jego palcem. Kilka sekund, które zużyła na obejrzenie kolczyka, wystarczyło Hushowi na wydobycie z torby portfela z włoskiej skórki i schowanie go za pazuchą.

– Nie, to nie moje, ale ładnie z twojej strony, chłopcze, że mnie spytałeś.

– Więc chyba go sobie zatrzymam – powiedział, podniósł błyskotkę i zwiał.

Zgodnie z naukami swego instruktora, postanowił nie kraść przez kilka tygodni w tej okolicy. Zawartości portfela nawet nie sprawdził. Pójdzie do wspólnego rodzinnego worka. On sam, jeśli okaże się zdatny, będzie niedługo należał do rodziny.

Wrócił do swego punktu obserwacyjnego na dachu magazynu. Wkrótce znów ogarnęła go nuda. Rozmyślał o tym, że niebawem będzie mieszkał pod tym samym dachem co Mystere. To pierwszoklaśna dziewczyna; prawie mu się przyznała, że jest Księżycową Damą. Zrobi dla niej, co tylko będzie mógł. O rany! – myślał, przypominając sobie jej aksamitny głos i cerę jak z kości słoniowej. Skoczyłbym za nią w ogień, gdyby mi kazała.

Wczesnym popołudniem jego cierpliwość została wreszcie nagrodzona. Wielki śniady platfus z wielkimi bokobrodami podszedł do drzwi i załomotał kołatką. Wpuszczono go do środka, skąd wyszedł po kilku minutach w towarzystwie mężczyzny, którego opisała Mystere.

Hush zlazł na ulicę i dogonił ich, gdy szli w stronę gwarnego, ruchliwego Broadwayu. Ciągnął za nimi w odległości kilku metrów i szybko rozpoznał w platfusie z kolebiącym chodem faceta zwanego Sparky. Był to jeden z wałkoni szlifujących bruki w pobliżu doków przy South Street. Od czasu do czasu zarabiał parę groszy przy rozładunku statku. Potem się obijał, póki wszystkiego nie przepił, i tak w kółko.

Hush w ślad za dwoma mężczyznami przeciął Broadway, nie zważając na grożący śmiercią ruch uliczny. Taki weteran jak on potrafił uskoczyć w ostatniej chwili spod kół pędzącego nań powozu.

Najpierw myślał, że zmierzają na Bowery, oddaloną ledwie o trzy przecznice od Broadwayu i pełną znacznie mniej szykownych sklepów i knajpek. Ale mężczyźni wylądowali ostatecznie w jednym z lokali z muzyczką na dolnym Broadwayu.

W miarę jak się tam zbliżali, do uszu Husha docierało od czasu do czasu muzyczne glissando. Gdy mężczyźni zniknęli w wahadłowych drzwiach knajpy, zatrzymał się na zewnątrz, by przyjrzeć się pozłacanemu szyldowi. Przypomniał sobie udzielane mu przez Mystere nauki i zaczął odczytywać napis. Poczuł wyraźną dumę, gdy coś z tego wyszło.

– A..l...i...b...i...B...a...r...

Ostatniej litery się domyślił. Bar Alibi. Tam, do licha! Dzięki Mystere potrafił już trochę czytać.

Występy kabaretowe rozpoczynały się dopiero wieczorem, więc żaden z wykidajłów, którzy pilnowali porządku, nie siedział jeszcze na swoim miejscu w pobliżu drzwi, wymachując groźnie pałką. Hush wślizgnął się do ciemnego, zadymionego wnętrza śmierdzącego potem, piwem i tytoniem. Wypatrzył obu mężczyzn przy barze w kształcie litery S. Siedzieli z nogami opartymi na metalowym pręcie, a Sparky mówił coś, żywo gestykulując. Hush wiedział, że prędzej czy później go stąd wygonią, ale mimo wszystko wszedł głębiej.

Prawie cała podłoga była zasypana trocinami. Nieogoleni mężczyźni z papierosami przyklejonymi do warg grali w bilard lub w rzutki. Chłopiec rzucił tęskne spojrzenie w stronę wielkiego udźca wyeksponowanego na ladzie wśród darmowych zakąsek. Niestety, mieli z nich prawo skorzystać tylko ci klienci, którzy zamówili trunki warte co najmniej pięćdziesiąt centów.

– Dwa piwa, Jimbo! – zawołał Sparky do barmana. – I to z czubem.

Na razie nikt nie zwracał uwagi na chłopca w podniszczonych płóciennych spodniach wypchanych na kolanach. Przysunął się więc bliżej obu mężczyzn. Słyszał teraz wyraźnie porykiwanie Sparky'ego.

– Powiadam ci, Lorenzo, zbijemy grubszą forsę we włoskiej dzielnicy i wcale się przy tym nie przemęczymy. Będziemy tylko zgarniać szmal. Z ręką na sercu, chłopie, za wynajęcie tresowanej małpy odpalą nam trzydzieści dolców na miesiąc. Dodaj do tego cztery dolce za katarynkę i ściele się przed nami jedwabne życie! Trzeba tylko zorganizować tysiąc dolarów, żeby wejść do spółki. Uda ci się to załatwić?

– Hola, Sparky, nie tak prędko! Nie wchodzę w żaden interes z brudnymi małpiszonami, do cholery. Prędzej szlag mnie trafi, niż będę toto tresował.

– A kto ci je każe tresować? Za parę groszy makaroniarze nas w tym wyręczą. Palcem ich nie tkniesz. My robimy za właścicieli, rozumiesz? To złoty interes, powiadam ci! Tylko frajer przepuściłby taką okazję!

Obaj pośpiesznie opróżnili ogromne kufle piwa i Sparky kazał podać następne. Hush przyglądał się, jak Lorenzo sadowi się wygodnie, wsparty na łokciach, by dogłębnie rozważyć propozycję kumpla. Trzema palcami ustawicznie poklepywał wąsy, jakby się obawiał, że mu odpadną.

– Może i byłbym zainteresowany – odezwał się wreszcie – ale skąd wytrzasnąć taką forsę?

– Jaka forsa, takie profity, no nie?

– Może i tak, ale od ręki tyle nie zdobędę. Brakuje mi co najmniej czterech setek.

– A szybko je wytrzaśniesz? Bo jak nie, to Nick się dogada z kim innym. Ustawiają się do niego w kolejce.

– Może w to wejdę – odparł Lorenzo, kiwając głową. – Mam nadzianą klientkę. Ona, widzisz...

– Dobra, dobra. Wystaraj się o forsę i tyle. Ale pamiętaj, jak będziesz się za długo namyślał, to do niczego nie dojdziesz. Musimy się z tym uwinąć, ty i ja.

Hush zauważył, że im bardziej Lorenzo był zalany, tym bardziej monotonnym głosem mówił. Lubił też pić za cudze pieniądze. Byli już przy trzecim piwie, a jak dotąd stawiał tylko Sparky. Zdziwiło to Husha, bo to przecież Lorenzo strugał wielkiego pana. A może to właśnie Sparky robi go w konia? Hush był pewien tylko jednego: ta „nadziana klientka" Lorenza to Mystere.

Barman zdążył już wypatrzyć Husha i wskazał mu drzwi. Chłopiec nie czekał jednak długo na ulicy. Obaj kompani wyszli niebawem z lokalu, podali sobie ręce i rozstali się. Sparky ruszył w stronę nabrzeża, a Lorenzo poszedł aż na dolną Fifth Avenue.

Skręcił pod łukiem na Washington Square i pomaszerował na północno-wschodni koniec placu. W pierwszej chwili Hush był pewien, że zaraz wejdzie do obłożonego marmurem budynku administracyjnego nowojorskiego uniwersytetu.

Zamiast tego jednak Lorenzo skierował się ku rzędowi ceglanych budyneczków na tyłach uniwersytetu. Zadzwonił do drzwi domu pod numerem siedemnastym przy Washington Street i został wpuszczony do środka przez szczupłą dziewczynę o długich rozpuszczonych włosach.

Hush obszedł skwer dookoła, pilnując się, by nie podpaść posterunkowemu, który przystanął w cieniu łuku. Z pobliskiej fabryki koszul, potężnej ceglanej budowli wznoszącej się o przecznicę na zachód od skweru, wyłoniła się grupa dziewcząt, które skończyły ranną zmianę. Kiedy gliniarz wdał się w żartobliwą pogawędkę z jedną z robotnic, Hush dał nura do niewielkiego ogródka oddzielającego dom pod numerem siedemnastym od sąsiedniej posesji.

Przystanął pod pierwszym oknem, gdzie szczelina w kotarze pozwalała zajrzeć do środka. Dostrzegł tapetę w burbońskie lilijki, jakieś haftowane makatki, serwantki pełne porcelanowych figurynek. Nie było tam jednak żywej duszy.

Chłopiec przesunął się do następnego okna. Tutaj kotary były szczelnie zasunięte. Hush przycisnął ucho do szyby. Dochodzące z wnętrza odgłosy były mu dobrze znane. Słyszał je nieraz w zatłoczonych ruderach, w których się gnieździł. Legalna żona Lorenza mieszkała przy Amos Street, ale najwidoczniej utrzymywał on również dziwkę przy Washington Street. I Hush nie miał wątpliwości, za czyje pieniądze.

Doszedł do wniosku, że najwyższy czas powiadomić o wszystkim Mystere.

– Po mojemu to on za twoją forsę tylko się obija – wypalił Hush, gdy jego druga lekcja czytania dobiegła końca. Mystere uparła się, że zaczną od nauki; podejrzewała, że sprawozdanie chłopca bardzo ją rozstroi. – I chce od ciebie wyciągnąć jeszcze więcej na jakiś interes z małpami i katarynkami.

– Wcale ci nie mówiłam, że mu płacę – zauważyła, ale nie zaprzeczyła temu otwarcie.

– Gość tylko siedzi na tyłku i żłopie piwo albo lata do swojej ku… znaczy się, odwiedza swoją panienkę. A ten jego kumpel Sparky też cholerę wart. Spytaj kogo bądź, to ci powie: z takich jak on nie ma wiele pożytku.

Hush ściskał w ręku elementarz McGuffeya, który ofiarowała mu dziś Mystere. Oboje zajmowali swoje zwykłe miejsca w saloniku na parterze. Mystere była rada, że odbyła z chłopcem lekcję przed tą rozmową. Raport Husha, choć nie był dla niej szokiem, całkiem zepsuł jej humor.

– Mówisz, że to pijaczyna? – upewniła się.

– Jeszcze jaki! Nie pije piwa jak człowiek, tylko wlewa w siebie jak w beczkę bez dna.

To ta sama beczka, w której od miesięcy topiłam swoje pieniądze, pomyślała.

– Widziałeś jego żonę?

Skinął głową.

– Jak szła do piekarni.

– O własnych siłach?

– Jasne! To tylko przez ulicę.

– Nie wydawała się chora?

– Gdzie tam! Gruba i zdrowa jak koń.

Hush widział, że Mystere jest zmartwiona. Chciał powiedzieć coś, co jej poprawi humor, napomknął więc o literach na szyldzie i o tym, jak domyślił się litery „r" w słowie „bar".

– Zuch z ciebie – powiedziała z przelotnym uśmiechem.

– Powinieneś ćwiczyć się w czytaniu przy każdej okazji.

W jej myślach panował rozpaczliwy chaos. Jeszcze nie przetrawiła w pełni zajść ostatniej nocy podczas balu u Sanfordów, a już zjawił się Hush i ostatecznie potwierdził jej obawy. Wydarzenia niewątpliwie zmierzały do punktu kulminacyjnego. Czuła się bezwolna, unoszona ich prądem, choć tak bardzo pragnęła zyskać nad nimi kontrolę.

Były jednak i dobre nowiny. Tak jak tego pragnęła, Belloch nie pisnął ani słowa o spince, którą mu wczoraj podwędziła. Nie było również żadnych wzmianek na temat Księżycowej Damy w dzisiejszej prasie… a przynajmniej nie na łamach gazet „Sun", „World", „Herald" oraz „Independent", które Baylis kupował co rano na wyraźne polecenie Paula, ani też w bardziej szacownym „Timesie".

Niestety, miejsce dotychczasowych felietonów poświęconych Księżycowej Damie zajęły plotkarskie artykuliki na temat niej i Rafe'a Bellocha. Ogromnie popularny redaktor „Heralda", specjalista od sensacyjek z wielkiego świata Lance Streeter, zapytywał prowokacyjnym tonem: Co właściwie wydarzyło się w altance? Czy wspaniały duet taneczny zawiedzie młodą parę do ołtarza, czy też stanowi preludium towarzyskiego skandalu? Niewinność młodej damy pozostała zapewne bez skazy, ale sprawa budzi pewne podejrzenia.

Jakby tego było mało, Streeter – który czuł się tak pewnie, że pozwalał sobie pisać o pani Astor per „nasza Caroline" – oznajmił, że zamierza redagować nową kolumnę pod tytułem *W altance*. Znajdziesz tam, Czytelniku, najnowsze wieści na temat miłosnych sekretów ludzi sławnych i bogatych – obiecywał.

Mystere miała właśnie odprowadzić Husha do frontowego przedsionka, gdy nagle tekowe drzwi salonu otworzyły się i Rillieux zagrodził im drogę. Aż kipiał gniewem. Mystere szybko odgadła jego przyczynę. Paul ściskał w ręce rachunki z ostatniego miesiąca, a konieczność płacenia rachunków zawsze doprowadzała go do wściekłości.

– Mam już dość twoich ekstrawagancji! – odezwał się do niej bez wstępów. – Zrozumiano? Daję ci tyle pieniędzy, a ty nadal kupujesz na mój rachunek? Od tej pory musisz radzić sobie sama.

Kiedy był wściekły, nie znosił, by mu przerywano, toteż Mystere milczała pokornie i pozwalała mu się wyładować. Ubiegłej nocy, gdy zamiast oczekiwanej broszki Sylvii podała mu złotą spinkę, zachował kamienne milczenie. Teraz jednak wybuchnął gniewem, ukazując swoje mroczne i znacznie groźniejsze ja.

– Czy uważasz, że śmietankę do truskawek, którą tak się dziś raczyłaś, dostarczają nam za darmo? Ten chłopak – ruchem głowy wskazał Husha – będzie niebawem potrzebował liberii lokajczyka. Liberii z ręcznie haftowanym herbem. Masz pojęcie, ile to kosztuje? A czy wiesz, ile kosztuje utrzymanie powozu i koni? Albo zaopatrzenie takiego kolosa jak Evan w przyzwoite odzienie i bieliznę?

Miała ochotę rzucić mu w twarz: „Nie płacisz im przecież ani grosza pensji, stary cwaniaku".

– To twoje świecidełko z wczorajszego wieczoru – wściekał się dalej – może jest warte nieco grosza. Ale co za nie dostaniemy od Helzera, pytam? Najwyżej czterdzieści dolarów.

Przerwał i oparł się mocniej na trzcinowej lasce, jakby Mystere stała się dlań brzemieniem nie do udźwignięcia. W tym właśnie momencie Hush postanowił wprawić swego mistrza w lepszy humor i zademonstrował portfel ukradziony przed kilkoma godzinami. Dało to niespodziewany efekt: potok wymowy Paula przybrał jeszcze na sile.

– Widzisz! – odezwał się z wyrzutem do Mystere, wydobywając z portfela pokaźny plik banknotów. – Dzięki Bogu, że chłopiec nadrabia twoje niedociągnięcia. Inaczej już by nas wyeksmitowano z tego domu. Czy rozumiesz, jaka by to dla nas była tragedia? Troskliwie wzniesiona fasada rozpadłaby się z hukiem.

– Masz rację – przytaknęła Mystere. – Obiecuję, że w sobotę w operze lepiej się postaram.

– Oto właściwa postawa – mruknął z aprobatą.

Całkiem zapomniał o dorocznej operowej imprezie pani Astor, a skruszony ton dziewczyny złagodził jego wściekłość. Ale Mystere nie złożyła tej obietnicy tylko po to, by udobruchać Paula. Nadarzała się okazja do występu Księżycowej Damy w mniej stresujących warunkach, bo tłum zebrany w operze będzie znacznie większy niż na jakimkolwiek przyjęciu. I nikomu nawet nie przyjdzie do głowy, by rewidować damy.

Rillieux, choć nieco udobruchany, nie zakończył jeszcze kazania. Wsunął banknoty do kieszeni kamizelki i wetknął laskę pod pachę, by dla podkreślenia swych wywodów uderzać pięścią jednej ręki w rozwartą dłoń drugiej.

– Umyślnie wspomniałem o niebezpieczeństwie publicznej kompromitacji. Właśnie strach przed kompromitacją sprawia, że obniżyłaś ostatnio loty. Chyba zbyt gruntownie zaznajomiłaś się z obyczajami wyższych sfer. Mam wrażenie, że zdemaskowanie w oczach wielkiego świata byłoby dla ciebie najstraszliwszą karą.

– Być może – przytaknęła, ale nie dodała nic więcej.

– Przy naszym trybie życia trzeba odrzucić taką konwencjonalną moralność, i to raz na zawsze. Nie wyobrażaj sobie, że będę ci wiecznie pobłażał. Twoja płeć wcale nie oznacza, że musisz być słaba. Weź choćby Rose: jest dobrą pokojówką, ale zawsze ma oczy i uszy otwarte i od czasu do czasu potrafi wzbogacić nasz rodzinny kapitalik o coś całkiem ładnego. Ty również powinnaś zapracować na swoje utrzymanie.

Tak mocno przygryzła dolną wargę, że poczuła smak krwi. Ona powinna zarobić na utrzymanie?! Tylko w ciągu ostatnich trzech miesięcy dołożyła do „rodzinnej" kasy co najmniej pięć tysięcy dolarów. Nie był to wprawdzie wyczyn na miarę Vanderbiltów, ale całkiem pokaźna sumka.

Część zdobytego przez nią łupu nigdy nie trafiała do „wspólnego rodzinnego worka". Większość skradzionych przedmiotów przechowywano w powozowni, skąd wynoszono je po trochu do Helzera, czyli do oficjalnej przykrywki jego ciemnych interesów:

wielkiej składnicy złomu na Water Street. W ten sposób w razie wpadki kozłami ofiarnymi zostaliby jedynie Evan lub Baylis.

Rillieux przywłaszczał sobie część pieniędzy i niektóre przedmioty o szczególnej wartości. Zamykał je w prywatnym sejfie w swojej sypialni. Mystere zajrzała tam tylko raz, a i to przypadkiem. Do ukrytych skarbów należał piękny brylantowy diadem, który ukradła ostatniej wiosny, i kilka innych najwcześniejszych zdobyczy Księżycowej Damy.

– Przestań wreszcie troszczyć się o to, czy twoje postępki są dobre, czy złe – zakończył Paul łagodniejszym już tonem. – Czy dla lisa porwanie kurczaka nie jest dobre? Zapewniam cię, że tam, gdzie chodzi o pieniądze, nie ma miejsca na hipokryzję. Ulegasz fałszywej moralności, Mystere. Grzesz śmiało, gdyż tylko wtedy odniesiesz zwycięstwo.

W jego oczach pojawił się chytry błysk.

– Á propos śmiałego grzeszenia... Co właściwie zdarzyło się w altance, serduszko?

Poczerwieniała aż po korzonki włosów. Rillieux zachichotał, wyraźnie zadowolony.

– No, no, nie musisz odpowiadać – pocieszał ją, jakby była dzieckiem. – Twoje rumieńce mówią same za siebie! Tak czy owak, tych kilka chwil odosobnienia i wasze wspólne tany sprawiły, że bal u Sanfordów przeszedł do historii. – Oczy mu się zwęziły. Spoglądał na Mystere niemal oskarżająco. Głos też mu stwardniał. – Tylko sobie nie wyobrażaj, że nie wiem, co się święci. Wydaje mi się, że Rafe Belloch mógłby być dla ciebie doskonałym rozwiązaniem.

– Rozwiązaniem? – powtórzyła, nie pojmując, o co mu chodzi.

– Oczywiście. Masz wyraźnie dość kradzieży. Sama przyznajesz, że obawiasz się zdemaskowania. Wyjdź za Rafe'a, a już nigdy nie będziesz miała kłopotów z pieniędzmi. Najwyżej z tym, jak wydać całe to bogactwo.

– Nie bierzesz pod uwagę – przerwała mu gwałtownie – że Rafe zbyt wysoko się ceni, by dać sobie nałożyć małżeńskie więzy! Ani tego, że uważam go za aroganckiego potwora.

Twarz Paula wykrzywiła się w wilczym uśmiechu; błysnęły złote koronki.

– Spójrz mi w oczy i powiedz, że on cię wcale nie podnieca.

Tym razem tak ją zawstydził, że odwróciła głowę.

– Och, nie przesadzaj z tą pierwszą naiwną! – warknął niecierpliwie. – Nikt cię nie zawlecze siłą do ołtarza. A kiedy znudzą ci się jego... małżeńskie uprzejmości, przydarzy mu się nieszczęśliwy wypadek. Oczywiście ty nie będziesz miała z tym nic wspólnego.

Mystere zdusiła w sobie odruch gwałtownego sprzeciwu. Spróbowała innej taktyki.

– Nie doceniasz go, Paul. Nawet gdybym przystała na taki plan, nawet gdyby jakimś cudem poprosił mnie o rękę, a ja bym go przyjęła, Belloch nie jest staruszkiem, który nie potrafi upilnować własnej sakiewki. Okazałby się groźnym przeciwnikiem, gdybyś próbował go skrzywdzić. Jestem tego pewna. To niebezpieczny człowiek.

– No, no! Wierzaj mi, każdy mężczyzna zmienia się z tygrysa w oswojonego kotka, gdy mu jakaś kobieta zalezie za skórę. Widziałem, jak na ciebie patrzy, jak się oblizuje na widok swojej niedojrzałej nimfy...

– Dość tego, Paul!

Zmarszczyła czoło. To naprawdę nie był odpowiedni temat do rozmowy przy dziecku. Ale Rillieux tylko zachichotał, zmierzwił ciemną czuprynę Husha i udał się na górę do swoich apartamentów.

– Co to znaczy „wyeksmitować"? – spytał Hush, gdy odprowadzała go do wyjścia.

Wiedział, że jest straszliwym nieukiem, a nawet skończony głupek by zauważył, że do takich dam jak Mystere nie może się zalecać mężczyzna bez wykształcenia. Powinien pisać dla niej wiersze, prawić komplementy i mówić różne słodkie słówka, na które kobiety się nabierają, bo to strasznie uczuciowe stworzenia. Widział, jak Mystere mieniła się na twarzy, gdy pan Rillieux jej dopiekał. Hush przysiągł sobie, że żadna dama nie zobaczy go z wiaderkiem pełnym zdechłych szczurów.

– Wytłumaczę ci to na następnej lekcji – obiecała Mystere. – I pokażę ci, jak korzystać ze słownika.

Zostało jeszcze jedno ważne zadanie do wykonania. Po wyjściu Husha podeszła do niewielkiej wnęki z telefonem i podniosła słuchawkę. Pokręciła korbką, skontaktowała się z telefonistką w centrali i prawie krzycząc do słuchawki, poprosiła o połączenie z biurem błyskawicznego przekazywania wiadomości na skrzyżowaniu Fourteenth Street i Sixth Avenue.

Odezwał się metaliczny głos, nie wiadomo: męski czy niewieści. Mystere podyktowała informację, którą wysłannik na rowerze miał przekazać Lorenzowi: oczekuje go jutro w zwykłym miejscu o pierwszej po południu. Odwiesiła słuchawkę. Serce biło jej na alarm, bo czuła, że dotarła do punktu zwrotnego w swoim życiu.

Nie była pewna, co powie Perkinsowi ani jak on na to zareaguje. Jeśli jednak chce odnaleźć Brama, musi jak najprędzej stać się panią własnego losu. Tego akurat była pewna. Uwaga Paula na temat Bellocha dowiodła jej, że musi jak najszybciej ostudzić zapały Rafe'a... i swoje własne. Rafael był nie tylko zagrożeniem dla niej. Jemu samemu groziło niebezpieczeństwo. A choć irytował ją i przerażał, nigdy nie życzyła mu śmierci!

Jeśli okaże dość siły, może już od jutra sama będzie decydować o własnym losie.

12

Już nie śpisz?! – zawołała Rose, która stanęła w drzwiach sypialni z dzwonkiem śniadaniowym w ręku. Mystere oczy miała szeroko otwarte, ale była skupiona na własnych myślach. Leżała w łożu z baldachimem, wyraźnie widoczna przez francuskie jedwabne zasłony o barwie hiacyntów.

– Obudziłam się dobrze przed wschodem słońca – wyznała – ale nadal wyleguję się jak ostatni leniuch.

– No to możesz przymilić się naszemu jaśnie panu i zjeść razem z nim śniadanie – podsunęła taktownie Rose. – Słyszałam wczoraj, jak się wydzierał na ciebie w salonie. Matko święta! Mało szyby nie powypadały!

– Chyba rzeczywiście do niego zejdę. – Mystere odrzuciła kołdrę.

Nie miała zamiaru się obijać, ale była sparaliżowana strachem. Wczorajsza determinacja niemal całkiem ją opuściła podczas bezsennej nocy. Na myśl o tym, co ją czeka – najpierw przeprawa z Perkinsem, potem z Paulem, wreszcie z Bellochem – miała ochotę zagrzebać się w pościeli i w ogóle nie wychodzić z łóżka.

– Rose?

– Hm?

Spojrzenie Mystere powędrowało do biureczka pod wschodnim oknem, ale przemogła chęć odczytania raz jeszcze ukrytego tam listu. I tak prawie całkiem go zniszczyła. Przeczytanie go po raz nie wiem który, tłumaczyła sobie, nie wyświetli żadnej tajemnicy. A tajemnica z pewnością istniała. Mogła to przysiąc. Musi ją wyjaśnić, wszystko jedno jak! Z pewnością wiązała się ze zniknięciem Brama.

– O co chodzi? – spytała łagodnie Rose, przyzwyczajona do ponurych nastrojów Mystere.

– Często myślisz o Irlandii?

To pytanie nie zdziwiło Rose. Choć pochodziła z nadmorskiej wioski, a nie z Dublina jak Mystere, dobrze rozumiała ciekawość dziewczyny. Ponieważ zaś była starsza i dłużej mieszkała w Irlandii, Mystere często zasypywała ją pytaniami. Łaknęła wszelkich informacji dotyczących jej ojczyzny, jej irlandzkich korzeni; była wprost nienasycona. To wieczne czytanie, ciągłe wypytywanie irlandzkich emigrantów… Chodziła nawet codziennie do muzeum, żeby obejrzeć makietę Dublina, którą tam eksponowano.

– Myślę czasem o mojej rodzinie, ale nie powiem, żebym tęskniła do starych kątów. Urodziłam się w pięćdziesiątym trzecim, jak raz w czasie klęski głodu, choć wtenczas podobno już było krzynę lżej.

Oczy Mystere pociemniały, zapatrzone w dal.

– Tylu ludzi wtedy umarło… Całemu światu Irlandia kojarzyła się tylko ze śmiercią.

Ogarnęły ją jeszcze bardziej ponure myśli. Ona sama była przecież Irlandką! Wysłuchiwanie pogardliwych uwag nowojorskiej elity (przeważnie złożonej z protestantów) na temat Irlandii i ogółu „papistów" było jednym z najboleśniejszych aspektów roli odgrywanej przez Mystere.

Wstała z łóżka, narzuciła szlafrok i podeszła do szafy z żółtodrzewu. Zanim cokolwiek założy, czeka ją jeszcze żmudny i upokarzający proces bandażowania biustu.

– Ty, Rose, przynajmniej masz jakieś wspomnienia... dobre czy złe – stwierdziła. – To chyba lepsze, niż nie mieć żadnych.

– Pewnie! Ale pamiętam, że sprawy nie wyglądały u nas najlepiej w sześćdziesiątym trzecim. Dla młodych nie było żadnych widoków, no to rodzice wysłali mnie tutaj. Trafiłam prosto do Five Points; miałam tam wujka. Ale zmarło mu się na cholerę. To jeszcze jeden powód, że nas tu nie kochają. Nie ma co gadać, przywlekliśmy tę cholerę ze sobą.

– Jeśli nawet tak było, przeważnie umierali na nią Irlandczycy.

– Ano, choćby mój wujek Liam, świeć Panie nad jego duszą! Wiesz, Mystere, Five Points to i teraz podłe miejsce, ale co się tam wyrabiało w sześćdziesiątym trzecim! Żadna dziewczyna nie uchowała się tam porządna, a dzieciaki marły jak muchy. Zwłaszcza te, co nie miały domu. Gdyby Paul nie zabrał mnie do siebie, i ja wyciągnęłabym kopyta.

Mystere wiedziała, że Rose nie powiedziała tego po to, by poruszyć w niej sumienie. Ale ta uwaga przypomniała jej, że Rillieux ocalił również ją i Brama, wyszła więc na potworną niewdzięcznicę.

Zaraz jednak pomyślała, że ma prawo do wolności osobistej. Pragnęła jej zresztą przede wszystkim ze względu na Brama. Musiała się również uwolnić od tej obrzydliwej pijawki, Lorenza Perkinsa. A Rillieux? Cóż, każdego roku „przejmowała na własność" i przekazywała mu przedmioty warte tysiące dolarów. Gdyby kradła na własny rachunek, miałaby na przyzwoite utrzymanie i należyte poszukiwania Brama oraz ich wspólnych rodzinnych korzeni.

Pieniądze... Mimo woli znów pomyślała o nieskazitelnym szmaragdzie Antonii, o jego delikatnej, jakby wilgotnej zieleni, identycznej z kolorem oczu Brama. Nie była specjalnie przesądna, nie mogła jednak odpędzić myśli, że ten pierścień z woli przeznaczenia miał umocnić ją w postanowieniu. Dla Antonii była to tylko błyskotka, którą się można pochwalić, ale dla Mystere cenny klejnot oznaczał niezależność i szansę kontynuowania niezwykle ważnych poszukiwań.

– Pośpiesz się – przypomniała jej Rose, nim wyszła z sypialni. – Śniadanie z tobą zawsze wprawia Paula w dobry humor. On jest do ciebie bardzo przywiązany.

– Jest przywiązany do nas wszystkich – odparła Mystere. – I może właśnie na tym polega nasz problem.

Rose miała już coś powiedzieć, ale dała za wygraną i przywdziała beznamiętną maskę dobrze wyszkolonej pokojówki.

– Rose? – zdążyła jeszcze szepnąć Mystere, zanim drzwi się zamknęły.

W szparze znów ukazała się głowa w czepku i dwa rude warkocze.

– Słucham?

– Ja… ja naprawdę wcale nie chciałam, żebyśmy my z Paulem żyli jak państwo, a wy żebyście nam usługiwali.

Mystere dobrze wiedziała o przeznaczonych dla służby ciasnych klitkach na poddaszu, dusznych w lecie i nieopalanych w zimie. I w dodatku jedli wszystkie posiłki w suterenie. Rillieux upierał się przy tym, tłumacząc, że trzeba zachować wszelkie pozory.

– Nie zawracaj sobie tym głowy! – zbagatelizowała sprawę Rose. – Mój pokój jest suchy, czysty i ma drzwi zamykane na klucz. Paul nie żałuje nam ani jedzenia, ani wolnego czasu. A jeśli czasem spierze któregoś z chłopaków? Są do tego przyzwyczajeni i nie szanowaliby go, gdyby nie miał mocnej ręki. – Oczy jej pociemniały; może przypomniała sobie dzień, gdy Mystere także dostała lanie. – Mnie tam nigdy nie uderzył – oświadczyła, jakby to usprawiedliwiało całą resztę. – A tobie się należą specjalne względy, dziewuszko. Dobrze na nie zapracowałaś. Takie ryzyko! Myśl przede wszystkim o sobie, biedactwo, bo Paul chybaby się już nie obszedł bez ciebie… At, co tam. Tak mi się tylko plecie. Zawsze ci dobrze życzę, Mystere. Nie myśl, że ci zazdroszczę czy coś takiego. Ani mi to w głowie.

Mystere dołączyła do Paula i zjedli razem śniadanie w jednym z najbardziej słonecznych pomieszczeń w domu, tak zwanym solarium. Po wczorajszych obraźliwych uwagach Paul zachowywał się dziś bez zarzutu. Napomknął tylko znacząco o konieczności oczyszczenia jego rękawiczek z koźlej skórki oraz jedwabnego cylindra przed zbliżającą się operową galą pani Astor, przypominając w ten sposób Mystere o jej obietnicy zrehabilitowania się za nędzny łup wyniesiony z balu u Sanfordów.

Rillieux nie powziął żadnych podejrzeń, gdy mu oznajmiła, że chce spędzić sporą część dnia w parku, a potem w czytelni u Macy'ego. Mystere bardzo często chodziła do parku na godzinę czy dwie. Nie zaproponował jej powozu, gdyż sam go potrzebował.

Mimo postanowienia, że będzie odtąd oszczędzała, Mystere zaraz po opuszczeniu rezydencji z brunatnego piaskowca przywołała krytą dorożkę.

– Ile by kosztował kurs do Brooklynu, a potem powrót przez Central Park... mniej więcej dwie godziny albo trochę dłużej?

– Taksa jest stała, paniusiu – skłamał dorożkarz bez mrugnięcia okiem. – Dolar za godzinę.

Cena była wygórowana, bo woźnica dostrzegł elegancką lnianą spódnicę i sznurowane po bokach jedwabne buciki pasażerki. Mystere postanowiła odłożyć oszczędzanie do jutra.

– Niech będzie – odparła bez wahania, a dorożkarz pomógł jej wsiąść do powozu.

Zanim otwarto most Brookliński, Mystere nieraz przeprawiała się samotnie do Brooklynu, zwłaszcza gdy trapiły ją ciężkie myśli. Ta spokojna, zadrzewiona część miasta działała na nią odprężająco i refleksyjnie w odróżnieniu od tętniącego ruchem i gwarem molocha po drugiej stronie rzeki. Kursowało stale pięć promów, ale Mystere najczęściej przeprawiała się tym z Wall Street.

Teraz most ogromnie upraszczał sprawę i zapewniał malownicze widoki, zwłaszcza tym, którzy spacerowali po wysokim przejściu dla pieszych, mogąc podziwiać stamtąd ruch parowców, barek i solidnych statków transportowych, pośród których krążyły jak ważki znacznie mniejsze skify i żaglówki.

Choć źrenice Mystere rejestrowały te wszystkie widoki, w duszy widziała tylko okrutne, fascynujące oczy Rafe'a Bellocha i czuła namiętny dotyk jego ust, rozpalający ją niczym pochodnia.

– Dokąd teraz, paniusiu?

Głos dorożkarza przywołał ją do rzeczywistości. Przekonała się ze zdziwieniem, że gotycki łuk brooklińskiej wieży mostowej został już za nimi.

– Proszę skręcić w Prospect Park – poleciła.

Wstydząc się żaru swoich lubieżnych myśli, Mystere znów przysięgła sobie, iż nie pozwoli, by kilka chwil nieprzystojnych zapałów zniszczyło jej pozycję towarzyską i spokój wewnętrzny. Nawet w nadziei królewskich łupów nie ulegnie temu zarozumiałemu arogantowi. Jego zachowanie w stosunku do Caroline i Antonii dowodziło, jak bardzo należało się go wystrzegać. A co dopiero sposób, w jaki siłą, tak, siłą, zaciągnął ją do altanki i narzucił się jak ostatni prostak!

Nagle uświadomiła sobie, że dorożkarz przygląda się jej podejrzliwie przez niewielki otwór w dachu powozu. Minę miał wyraźnie zaniepokojoną.

– Słucham? – wykrztusiła półprzytomnie, gdyż całkiem straciła poczucie czasu i rzeczywistości.

– Nic pani nie jest? Pytami i pytam, dokąd teraz. Objechaliśmy park już dwa razy.

– Przepraszam. Nic mi nie jest, tylko...

– Słuchaj no, paniusiu, czy ty na pewno masz na dorożkę? – spytał z wyraźnym sceptycyzmem. – Kto cię tam wie, możeś uciekła z Bellevue, a te frymuśne fatałaszki podwędziłaś gdzieś po drodze?

– Oto trzy dolary. Może to pana uspokoi? – Podała mu pieniądze przez otwór w dachu. – Która teraz godzina?

– Dochodzi jedenasta.

Gwałtowne bicie serca uspokoiło się. Nie było jeszcze tak późno, jak się obawiała. Ale musi przestać myśleć o Rafaelu Bellochu i skupić się na bieżącym problemie: spotkaniu z Perkinsem.

– Pojedziemy teraz przez High Street – zdecydowała.

Opuścili park i skierowali się na północ uroczą zadrzewioną aleją biegnącą między rzędami wygodnych domów. Grunta były tutaj nieco tańsze i mniej zamożnych stać było na urządzenie całkiem przyzwoitych mieszkań, skąd mieli niedaleko do swoich miejsc pracy na Manhattanie.

Ale co z Perkinsem? Wróćmy do Perkinsa. Zmusiła się do koncentracji. Trapiło ją niemiłe przeczucie, że zerwanie z nim nie będzie ani łatwe, ani tanie. Wszystkie te podstępne wypytywania o nią i o Paula. Tak długo wiązała swoje nadzieje z tym detektywem i na co się to zdało? Po prostu na nic! Może stąd nawet wyniknąć coś gorszego niż strata czasu i pieniędzy.

Znowu pomyślała o pozostawionym w domu liście z intrygującym nadrukiem. O swej niespełnionej nadziei odnalezienia Brama, może nawet odziedziczenia wielkiego majątku. Ale jakież mogła zgłaszać roszczenia, skoro nie znała nawet swego rodowego nazwiska? Bram tyle jej opowiadał... czemu nie wyjawił właśnie tego?

Poczuła nagłe mrowienie na karku. Przypomniała sobie niedokończone zdanie Rillieux. O mało jej nie powiedział, gdy jechali powozem na bal u Sanfordów: „to rodzinna cecha". Pomyślała wtedy, że to zwykłe przejęzyczenie. Nagle jednak przyszło jej do głowy, że Paul coś wiedział i przemilczał to przed nią. Co za ironia losu, gdyby tak rzeczywiście było! Oszaleć można! Ona w sekrecie szuka wszelkich możliwych informacji o bracie, a może ma je przez cały czas pod bokiem? Jeśli zaś Paul zatrzymywał je przy sobie, to z pewnością nie w zbożnych zamiarach!

Znów głos dorożkarza przywołał ją do przytomności, niczym kubeł zimnej wody.

– Ale widok, co, paniusiu? Mój krewniak zamiaruje się tu pobudować. Lepszy spryciarz z niego – dodał z dumą. – Taki to nie zostanie o suchym pysku i bez dachu nad głową.

Zatrzymał konia na samym skraju urwiska nad East River, od którego High Street wzięła swoją nazwę. Rozciągała się przed nimi zapierająca dech w piersi panorama miasta zalanego złotym słońcem późnego ranka.

Mystere rozglądała się po zatłoczonej rzece; widziała chłopców bawiących się pod filarami mostu na Manhattanie. Z tej odległości przypominali mrówki, podobnie jak robotnicy w porcie, toczący ciężkie, pełne ryb beczki.

Mogła stąd dostrzec wyniosłą wieżę kościoła Świętej Trójcy, ośmiopiętrowy Equitable Building na dolnym Broadwayu, potężne przęsła mostu… cały ten bijący w niebo przepych i bogactwo. Widziała jednak również tandetne domy czynszowe, opierające się nawzajem o siebie jak pijacy. Slamsy nie ograniczały się tylko do Lower East Side – nędza rozprzestrzeniała się jak zaraza, zajmując większość wschodniego i zachodniego wybrzeża Manhattanu, gdzie ludzie „gnieździli się jak robaki w serze", jak to określił któryś z reformatorów, doznawszy szoku podczas zwiedzania nieprawdopodobnie zatłoczonych czynszówek na Manhattanie.

Jednakże Mystere nie mogła teraz dumać o społecznych reformach. Pod mocną ręką Paula Rillieux nie miała zresztą okazji do działalności charytatywnej. Mimo to widok mrocznych stron wielkiej metropolii sprawił, że ogarnęły ją na chwilę dawne lęki i poczucie zagrożenia. Jak niewiele – zaledwie kilometr – dzieliło ją od tej straszliwej nędzy.

Od straszliwej nędzy, którą tak dobrze znała.

Jeżeli nie stanie się niezależna, groźba nędzy zawsze będzie wisieć nad jej głową. W każdej chwili mogła zostać unicestwiona. Mogła paść ofiarą chwilowego kaprysu Bellocha, a nawet Paula. Jeden prasowy nagłówek mógł przemienić ją w jedną z tych nieszczęśnic, które widywała na każdym kroku: zubożałych istot z rozpaczliwą dumą usiłujących ukryć swą nędzę, gotowych podjąć się każdej pracy, którą zlecą im z łaski bogacze.

Nie! Nie pozwoli, by obezwładnił ją ten niszczący strach. Musi być silna – dla siebie i dla Brama. Jeszcze dziś wyraźnie widziała wielką mosiężną tablicę, w którą w sierocińcu kazano wpatrywać się co wieczór wszystkim dzieciom. Wyryto na niej wyrażone w zwięzłych słowach życiowe credo Corneliusa Vanderbilta: Niech inni pójdą za moim przykładem, a nie będziemy mieli wokół siebie żebraków.

Od tej pory będę równie twarda i niezłomna jak on, powiedziała sobie w duchu.

– A teraz – zwróciła się do dorożkarza – proszę mnie zawieźć do fontanny Bethesda.

– Chyba diabli się na mnie uwzięli – rozpoczął swe sprawozdanie Lorenzo. Przynajmniej raz, pomyślała Mystere, nie mija się z prawdą. – A harowałem nad tym przez ostatnich kilka dni od rana do nocy.

Tym razem było to wierutne kłamstwo, dobrze o tym wiedziała. Pozbawione blasku małe oczka Perkinsa utkwione były w łódkach pływających po jeziorze. Unikał jej badawczego wzroku. Nie miał zwykłej nadąsanej miny, trawił go jakiś niepokój, którego Mystere jeszcze nie zgłębiła. Pamiętała jednak, że Hush wspomniał o konszachtach Lorenza ze Sparkym i o tym, że będą próbowali wyłudzić od niej pieniądze.

Zanim jednak zdążyła zarzucić mu kłamstwo, Perkins ciągnął dalej z nerwowym pośpiechem, jakby przeczuwał powód dzisiejszego spotkania.

– Ale jestem pewien, że moje trudy wreszcie się opłacą – zapewniał.

Mimo iż postanowiła skończyć z tym raz na zawsze, dała się złapać na tę przynętę. Postanowiła na wszelki wypadek sprawdzić, co Perkins ma na myśli.

– A mianowicie? – spytała zachęcająco.

– Jest taki gość z Blackwell's, rozumie pani. Dozorca więzienny. Możliwe, że przez jakiś czas miał pani braciszka pod kluczem.

– Możliwe? Więc sam tego nie wie?

Perkins wydał przeciągłe westchnienie człowieka, którego cierpliwość wystawiono na ciężką próbę.

– Oczywiście, że wie! Ale nie ma pani pojęcia, jakie to chytre i pazerne typy, ci więzienni dozorcy! Lepsze z nich numery, słowo daję! – zapewnił.

– Rozumiem. Chce pan więcej pieniędzy.

Rozłożył ręce w bezradnym geście.

– Przecież to nie dla mnie, tylko na łapówki!

Przez chwilę, gdy wpatrywała się w jego kłamliwą gębę, czuła autentyczne mdłości. Odwróciła więc wzrok ku wspaniałej postaci anioła z brązu, wznoszącego się triumfalnie nad wodą. W tym momencie widok ten był dla niej prawdziwym wsparciem, pozwalał bowiem wierzyć, że mimo takiej gadziny jak Lorenzo i mimo wszystkich cierpień, jakie musiała znosić, ten właśnie anioł przywiódł ją tu, do Nowego Jorku, by spełniło się przeznaczenie. A ona zrobi wszystko, by tak się stało!

– Panie Perkins – odezwała się głosem pełnym nieugiętej stanowczości zabarwionej gniewem. – Nie zajmował się pan moją sprawą przez ostatnich kilka dni i doskonale pan o tym wie.

Małe oczka Lorenza zamrugały, jego twarz z zaskoczenia straciła wszelki wyraz. Przyparty do muru zdołał tylko wybełkotać:

– Skąd taka pewność? Ma pani jakieś dowody?

– Chce pan dowodów? Proszę bardzo. Spędził pan wczoraj znaczną część dnia w domu, potem popijał piwko na Broadwayu i odwiedził... przyjaciółkę przy Washington Street.

Szczęka mu opadła.

Taki oszust, a zupełnie nie umie łgać, pomyślała.

– To jakieś bzdury! – zaprotestował. – Owszem, zrobiłem sobie wczoraj mały urlop. Ten, kto płaci, wybiera melodię do tańca, zgoda. Ale jak szybko przebieram nogami, to już moja sprawa.

Całkiem sprytnie, pomyślała.

– Nie chodzi tylko o wczoraj – przycisnęła go mocniej. – Ani razu nie zajrzał pan ostatnio na Blackwell's Island.

Nie mogłaby mu tego udowodnić, ale trafiła widać w sedno, bo nie zaoponował. Spoglądał tylko na nią wilkiem, jakby wyrządzała mu tymi zarzutami Bóg wie jaką krzywdę. Kiedy nie zmiękła pod jego wzrokiem, spytał takim tonem, jakby miał pełne prawo wiedzieć:

— Kto to pani nagadał?

— To doprawdy nie ma znaczenia, panie Perkins. Raport jest rzetelny. Rezygnuję z pańskich usług. Będę szukać brata na własną rękę.

— Akurat się to pani uda!

— To już moja sprawa.

Zebrała spódnicę i chciała wstać z ławki. Powstrzymał ją gniewnym, niemal groźnym tonem.

— Chodzi o Bellocha, co?

— Nie rozumiem, o czym pan mówi.

— Dość mam już tych jaśniepańskich fanaberii — warknął. Wszelkie pozory ogłady znikły pod wpływem wściekłości. — Moja żona czyta te gazetowe ploty i opowiedziała mi o tym twoim kochasiu.

— Pańska biedna chora żona, panie Perkins?

Nie zwrócił uwagi na przytyk albo umyślnie go zignorował. Mystere obserwowała, jak rozważa w myśli nowy problem.

— To Belloch — powtórzył z uporem buldoga, który nie zamierza puścić zdobyczy. — Przez niego chcesz mi dać kopniaka, paniusiu. Wczepiłaś się w niego pazurami i wolisz, żeby się nie dowiedział o twojej przeszłości, co? Stąd te wszystkie fałszywe oskarżenia przeciw mnie.

— To wierutne bzdury! Ja...

— Wbij sobie wreszcie do głowy, szanowna panno Rillieux — przerwał jej tonem pogróżki — że moje utrzymanie zależy od ustalonej między nami pensji. Jest takie prawo o zawarciu umowy słownej...

— Panie Perkins, to oburzające! Nie jest pan moim stałym pracownikiem. Wynajęłam pana w określonym celu, a pan nie wywiązał się z powierzonego zadania. Byłam aż nadto szczodra i nic się panu ode mnie nie należy.

Perkins jednak miał na ten temat odmienne zdanie.

— Zapłacisz mi — warknął — albo idę do Bellocha.

Strach ścisnął ją za gardło, ale gniew okazał się silniejszy.

— I co mu pan zamierza oznajmić? — spytała wyzywającym tonem.

Jego pewność siebie znacznie zmalała, ale nie załamał się kompletnie. Nie opuściła go też pełna jadu wojowniczość.

– Wykrywanie prawdy to moja specjalność – zapewnił ją.

– Możesz się podawać za pannę Rillieux, ale nie znasz nawet nazwiska rodzonego brata. Ciekawe, jak jest z tym twoim stryjaszkiem dobrodziejem.

Ta groźba sprawiła, że Mystere przeszedł zimny dreszcz. Miała tylko nadzieję, że Perkins okaże się zbyt tępy, by coś wykryć. Przez dłuższą chwilę czuła jedynie rozpacz. Czy gra była warta świeczki? Tyle przeszkód, tyle pułapek, a teraz jeszcze pogróżki tego głupiego chytrusa.

W tym momencie jednak jej wzrok spoczął na jednym z przechodniów, których pełno było na parkowym tarasie. Przechadzał się bez pośpiechu wśród tłumu, przeglądając stronice tygodnika „Leslie's Illustrated Weekly". Mystere dostrzegła wypisane wielkimi literami na ostatniej stronie słowa: „A co z braciszkiem i siostrzyczką?"

Ujrzawszy w tej właśnie chwili dobrze znane hasło, poczuła, że do oczu napływają jej łzy. Popularny zwrot o braciszku i siostrzyczce oznaczał: „Nie zapominajmy o dzieciach". Braciszek i siostrzyczka stali się synonimem ogniska domowego, rodziny. I choć był to tylko tani slogan reklamowy, Mystere na widok tych słów znów poczuła dławienie w gardle i omal się nie rozpłakała.

– No, no – odezwał się Perkins, mylnie tłumacząc sobie jej wzruszenie; wyrzucał sobie, że zbytnio ją wystraszył. – Nikt nie chce pani krzywdy, panno Rillieux, ja...

– Niech się pan o to nie kłopocze, panie Perkins – przerwała mu stanowczym tonem, podnosząc się z ławki. – Nasza znajomość dobiegła końca. Gdyby się pan upierał przy tych idiotycznych próbach szantażu, proszę pamiętać, że cudzołóstwo też jest przestępstwem, za które można wylądować w więzieniu.

– Jeszcze o mnie usłyszysz! – wrzasnął za nią Lorenzo. – Niech cię diabli z twoimi groźbami! Zawarliśmy wiążącą umowę i zapłacisz mi, do cholery! Na pewno zapłacisz!

13

Nawet pogoda stosowała się do życzeń pani Astor. Sobotni wieczór przeznaczony na doroczny galowy spektakl w operze był piękny jak z bajki. Niebo lśniło od gwiazd i wiał łagodny, ciepły wietrzyk. Mystere jednak dumała ponuro o chwili, gdy cały ten czar pryśnie, a oni oboje z Paulem (zgodnie z przepowiednią Bellocha) zostaną publicznie zdemaskowani.

– Ratujcie się, chłopy! – krzyknął Baylis, gdy wynurzyła się z domu wsparta na ramieniu Paula Rillieux. Powóz czekał już na nich na dziedzińcu wysypanym marmurowym tłuczniem. – Przy tobie, dziewuszko, nawet wałach poczułby się ogierem.

– Baylis – zmitygował go Rillieux – dość tej sprośnej gadaniny przy chłopcu. Inaczej nigdy nie wychowam go na porządnego lokaja.

– Mówisz o tym zadurzonym cielaku? – zadrwił Baylis.

Miał oczywiście na myśli Husha, który stał przy drzwiczkach powozu. Czuł się wyraźnie nieswojo w nowiutkiej szkarłatno-złotej liberii i czapce z daszkiem, był jednak dumny ze swego stroju. Na widok Mystere odzianej w suknię ze srebrzystego atłasu wyszywanego kryształkami dzieciak zastygł z ręką na klamce.

– Hush! – Irytacja sprawiła, że głos Paula zabrzmiał niemal piskliwie. – Jesteś teraz lokajem, a nie zadurzonym szczeniakiem. Nie wybałuszaj oczu i stój w pogotowiu. Kiedy podejdziemy bliżej, opuść i zabezpiecz schodki. Potem pomóż nam przy wsiadaniu, i to wszystko. Nie gap się jak wiejski głupek i nie odzywaj się, kiedy cię nie pytają.

– Tak jest, pszepana!

Chłopiec pośpiesznie otworzył drzwiczki i opuścił schodki. Jakoś mu się udało nie patrzeć na Mystere w migotliwym blasku oświetlających dziedziniec gazowych lamp.

Baylis stał nieopodal z rękami w kieszeniach, przyglądał się im wszystkim i z rozbawieniem kiwał głową. Rillieux zmarszczył brwi na widok niedbałego wyglądu stangreta.

– Jeśli już musisz nosić tę idiotyczną brodę – warknął – to przynajmniej mógłbyś ją przystrzyc.

Baylis z dumą przeczesał palcami swą falbankę á la Newgate.

– Co to, to nie, szefie. Dość mam już tego komenderowania. W Europie królowie, w Ameryce różne tam Astory – wszędzie ten sam kłopot: cały świat kręci się wokół wielkich panów. Niech taki biedak jak ja ma przynajmniej prawo do własnej brody.

– Nic mnie nie obchodzi polityka – burknął Rillieux, sadowiąc się ostrożnie w powozie, by nie pognieść ubrania. – A poza tym, durniu, odbieramy tym wielkim panom, co się tylko da. Czy to nie jest twoim zdaniem wystarczająca zemsta?

– A jakże – burknął stangret, zanim jeszcze Hush zamknął drzwi i wdrapał się na swoją grzędę – tylko że to inni ryzykują, a ty bratasz się z tymi bogaczami i robisz się do nich kubek w kubek podobny.

– Bezczelny drab! – mruknął Rillieux, gdy woźnica wyciągnął bicz i zaciął konie.

– Nie dziwię się Baylisowi. Z wyraźną przyjemnością udajesz kogoś z ich grona. Względy pani Astor uderzyły ci do głowy. A do Baylisa i całej reszty odnosisz się tak, jakby naprawdę byli twoimi służącymi.

Mystere rzadko odzywała się do Paula takim tonem. Zmarszczył czoło, tak że jego siwe brwi zbiegły się nad nosem. W słabym świetle lamp ulicznych jego twarz wydawała się młodsza i groźniejsza niż zwykle. Ku zdumieniu Mystere odparł tylko łagodnym tonem:

– Szkoda, że młodości brakuje rozwagi, a starości siły.

Przez jakieś pół minuty przyglądał się jej w milczeniu.

– Mystere, Baylis czepia się tych żałosnych politycznych bzdur, bo obiecują zamki na lodzie biednym głupkom, z których każdy – wybacz nieeleganckie porównanie – znaczy mniej niż kropla uryny w kloace. Ale ty chyba wiesz, że w zamkach na lodzie nikt nie może zamieszkać?

W dalszym ciągu nie odpowiadała. Wyczuwając jej wzburzenie, Rillieux stał się jeszcze bardziej cierpliwy.

– Co się zaś tyczy twoich zarzutów, że traktuję resztę naszej gromadki jak służących, to pomyśl logicznie przez chwilę. Muszę przecież utrzymać dyscyplinę. Co by się stało, gdyby któreś z nich wyrwało się z czymś przy obcych? Nastąpiłaby generalna wsypa. Wytrawny aktor musi się wczuć w swoją rolę, żeby grać przekonująco.

– Znowu porównujesz złodziejskie rzemiosło do sztuki.

– Bo to naprawdę sztuka, moja panno! A ty jesteś artystką, czy tego chcesz, czy nie. Nie przyszło ci do głowy, dlaczego utrzymuję tak nieliczny personel? Przecież nawet w mieszczańskich domach miewają od czterech do sześciu służących. A w rezydencjach naszej elity jest dwa albo trzy razy więcej służby. Pani Astor taktownie przymyka oczy na fakt, że nie mamy stałego ogrodnika i pokojówki przy drzwiach. Ale bez głównego lokaja nie obyłoby się!

– Chyba masz słuszność – ustąpiła niechętnie Mystere.

– A jeśli już mowa o zamkach na lodzie, to mieszkamy w domku z kart, który się prędzej czy później rozpadnie.

– Któż by się powstrzymywał od jedzenia tylko dlatego, że może się kiedyś udławić kością? W naszym fachu nie wolno myśleć o nieszczęściach, które mogą się wydarzyć. Kiedy nam umrze przyjaciel, możemy zalewać się łzami, że już go nie ma, albo cieszyć się wspomnieniem szczęśliwych dni, które wspólnie z nim przeżyliśmy. I jedna, i druga postawa jest słuszna, każdy sobie wybiera, co woli. Rozumiesz, co chcę przez to powiedzieć?

O dziwo, rozumiała go całkiem dobrze. Niekiedy Paul mówił bardzo rozsądnie. Dostrzegała słuszność jego obserwacji. A dzięki jego wskazówkom potrafiła opanować swoje reakcje, choć nie zawsze emocje, które nie dawały się okiełznać. Zwłaszcza uczucie strachu, gdyż szczerze wątpiła, by w jakichkolwiek okolicznościach Rafe Belloch przestał być sobą – czyli najstraszliwszym zagrożeniem dla każdego, kto stanie mu na drodze.

– Nie trwóż swego serduszka – mówił dalej Rillieux kojącym a zarazem autorytatywnym tonem. Jego ciemne oczy przeszywały ją na wskroś i rzucały na nią czar. Lata przyzwyczajenia sprawiły, że znów znalazła się pod hipnotycznym wpływem Paula. – Dzisiaj zabierzesz broszkę Sylvii Rohr. Zrobisz to błyskawicznie i będziesz już daleko od niej, gdy odkryje stratę. Prawda?

Mystere skinęła głową.

– Prawda.

– Zuch dziewczyna! Pamiętaj tylko: nie zdradź się spojrzeniem. Odwróć uwagę Sylvii w jakiś prosty sposób i jednym pewnym, szybkim i płynnym ruchem zabierz broszkę i ukryj.

Mystere znów skinęła głową, posłuszna jak zawsze, ulegająca silniejszej woli.

Dziś skradnie broszkę tylko po to, by wprawić w dobry humor Paula. Ale następnym razem to będzie Antonia Butler i jej piękny pierścionek ze szmaragdem. Miała zamiar ukraść go, sprzedać i zatrzymać pieniądze dla siebie – i dla Brama.

Wszelkie imprezy, którym patronowała pani Astor, przyciągały uwagę prasy. Dziś jednak, co od razu zauważyła Mystere, ta plotkarska hołota zwaliła się całymi tabunami. Oczywiście po to, by pożerać wzrokiem wpływowych i bogatych w pełnej gali. Przede wszystkim jednak ściągnęła ich tu nadzieja na kolejny ryzykowny wyczyn Księżycowej Damy.

Nawet Mystere, której opatrzył się już blichtr wielkiego świata, była pod wrażeniem ogromu dzisiejszej imprezy. Nim dotarli do Astor Place Opera House, gmachu wzniesionego tuż za Broadwayem, wchłonął ich nieprawdopodobny tłum karet, powozików, kolasek i innych pojazdów, tworzących zbitą masę. Wszyscy zmierzali do opery.

– Widzisz go! Od chodnika będzie mi tu zajeżdżał, osioł! – wrzasnął Baylis do woźnicy tuż przed nimi. Dodał do tego wiązankę przekleństw. Rillieux gniewnie postukał laską w dach powozu.

– Kulturalniej, Baylis! – huknął.

W odróżnieniu od poirytowanego Paula Mystere zaczęła odczuwać – mimo obawy przed Bellochem – miłe podniecenie. Słynny zespół operowy z Madrytu miał wykonać *Carmen* Bizeta, jedną z jej ulubionych oper.

Kiedy w ślimaczym tempie zbliżali się do gmachu opery, Rillieux odsłonił okno powozu.

– Otóż i inspektor Byrnes – stwierdził bez entuzjazmu. – Wchodzi sam, ale możesz być pewna, że już na niego czeka dobre miejsce w loży pani Astor.

– Czatuje na Księżycową Damę – zauważyła Mystere, ubawiona ironią sytuacji. – I ani mu przyjdzie do głowy, że będzie dzielił z nią lożę.

Zakładała oczywiście, że wejdzie w skład najściślejszego kółka pani Astor, podobnie jak Paul. Ten jednak odchrząknął, unikając jej wzroku.

– Nie będziesz razem z nami podczas spektaklu. Zapomniałem ci o tym powiedzieć.

– Ale dlaczego?

– No, cóż, słyszałaś z pewnością, że książę i księżna Granville odwiedzili nasze miasto – i to z ogromnym orszakiem. Wielu bliskich przyjaciół Caroline będzie się musiało zadowolić miejscem w którejś z sąsiednich lóż.

Ale nie ja, oczywiście, mówił wyraźnie jego pewny siebie ton.

– W czyim towarzystwie mam siedzieć? – dopytywała się z nagłą podejrzliwością Mystere.

– O, ktoś z pewnością się o ciebie upomni. – Paul zbył sprawę wzruszeniem ramion. – Nie mam co do tego żadnych wątpliwości.

– Hm! – mruknęła tylko, choć wietrzyła już niecny podstęp.

Gdy zatrzymali się wreszcie przy krawężniku, jej uwagę przyciągnęło mnóstwo niezwykłych widoków i dźwięków oraz nieustający gwar powitań. Hush zeskoczył na ziemię, by pomóc im przy wysiadaniu, ale odsunął go na bok bardzo dostojnie wyglądający odźwierny w szamerowanej złotem liberii Astorów.

Śmietanka nowojorskiego towarzystwa zjawiła się w komplecie. Mystere wystarczył jeden rzut oka, by dostrzec magnata stalowego nazwiskiem Andrew Carnegie, kilkoro Vanderbiltów i ozdobę Wall Street – George'a Templetona Stronga. Rozmawiał z nim Trevor Sheridan, którego siostra Mara wyszła za księcia Granville. Sheridan był wysoki, barczysty i nieprawdopodobnie przystojny. Stanowił typ stuprocentowego Irlandczyka, choć nie afiszował się swym pochodzeniem. Historia jego życiowego sukcesu przypominała cudowną bajkę. Zakochała się w nim piękność z nowojorskiej elity, Alana Val Alden. Pobrali się i nadal uchodzili za najbardziej zakochaną parę Ameryki. Kiedy nie było przy nim żony, Trevor wydawał się wręcz ponury. Mówiono, że zazdrośnie ukrywa swe uśmiechy jak skąpiec złoto. Kiedy jednak pani Sheridan pojawiała się na horyzoncie, cała jego nieczułość topniała. Każdy mógł przekonać się na własne oczy, że poza Alaną nikt się dla niego nie liczył.

Tuż przy wejściu do opery stały Caroline i Carrie. Pani Astor wyglądała po królewsku w pelerynie z lisów. Przemknęła też w pobliżu Antonia Butler, wsparta na ramieniu wymoczkowatego lorda, z którym Mystere miała kiedyś przyjemność tańczyć. Raczej niewielką, nawiasem mówiąc. Angielski hrabia prawie wcale nie posiadał brody, a towarzysząca mu piękność wyraźnie napawała go strachem.

Mistery zerknęła w prawo i dostrzegła Sylvię Rohr; zgodnie z przewidywaniami Paula miała przypiętą do sukni swoją prześliczną broszkę, którą Mystere obiecała zdobyć jeszcze tego wieczoru.

Popatrzyła dla odmiany w lewo i napotkała zuchwałe spojrzenie zielonobłękitnych oczu Rafaela Bellocha. Wielu starszych panów, łącznie z Paulem, wystroiło się w lśniące jedwabne cylindry i szerokie spodnie. Rafe był bez kapelusza, nosił lakierki i bardzo modne w kręgach młodych przemysłowców spodnie o wąskich nogawkach.

– Wiedziałem, że dziś tu panią spotkam – odezwał się do Mystere, podchodząc i pochylając się, by ucałować jej dłoń.

Serce zatrzepotało jej w piersi. Poczuła w ustach metaliczny posmak strachu. To był niebezpieczny człowiek. Snuł różne podejrzenia na jej temat. Igrał z nią jak kot z myszą. Jak to dobrze, że wkrótce wycofa się z tej gry.

– Skąd pan wiedział, że tu będę, panie Belloch? Czyżby nauczył się pan telepatii od mego stryja?

Jej głos był chłodny, pewny siebie, bez cienia strachu.

– Nie uciekałem się do pomocy sił nadprzyrodzonych, panno Rillieux. Łatwo było przewidzieć, że taką tajemniczą młodą damę jak pani zachwyci bohaterka w rodzaju Carmen.

– O, prawda, zapomniałam! Przecież według pana jestem Księżycową Damą – odparła drwiąco.

– Istotnie. A poza tym Carmen to podstępna uwodzicielka, która owija sobie wszystkich mężczyzn wokół palca.

Wytrzymała śmiało jego spojrzenie.

– Przyznam, że bardziej w moim guście jest don José, z którego ręki zginęła.

Ujął ją za ramię, zanim zdążyła się wyrwać.

– To również mój faworyt. Podziwiam pani gust, madame, ale poważnie się zastanawiam… może lepiej obszukać taką krwiożerczą piękność, zanim wpuszczę ją do swojej loży?

– Do pańskiej loży?!

– Tak, to już ustalone – wyjaśnił, jakby sprawa była od dawna rozstrzygnięta. Potem wyraz oczu i głos mu złagodniały. – A nawiasem mówiąc, wygląda pani dziś prześlicznie. Jak zawsze zresztą.

Bez oporu pozwoliła mu prowadzić się dalej; wiedziała, że wszyscy się na nich gapią. Z pewną siebie miną (choć nie czuła się wcale pewnie) powiedziała:

– Jak to miło, że mi pan to mówi! Ale doprawdy nie jestem warta uwagi w porównaniu chociażby z Antonią. Nie będę miała pretensji, jeśli zechce pan towarzyszyć innej…

– Nie zechcę – uciął tonem nieznoszącym sprzeciwu.

Uśmiech Mystere stał się jeszcze bardziej wymuszony. Ze sztuczną skromnością ostrzegła go szeptem:

– Proszę się zbytnio nie zagalopować w roli galanta, panie Belloch.

Ręka Rafe'a zacisnęła się na jej ramieniu.

– Szybko się pani przekona, że nie zamierzam.

Gwarny tłum wtargnął wreszcie do wyściełanego dywanami foyer. Na jednej ze ścian widniał portret Johna Jacoba Astora w złotych ramach. Elektryczne lampy o mlecznych abażurach rzucały łagodne, miłe światło.

– Nie wierzę własnym oczom – rzekła Mystere, chcąc za wszelką cenę okazać, że czuje się całkiem swobodnie w towarzystwie Bellocha. – Proszę tylko spojrzeć: to przecież Abbot! Towarzyszy Caroline i Carrie. A zaledwie trzy dni temu był na jej czarnej liście.

– O, Abbot ma ogromny wpływ na panią Astor – zapewnił ją Rafe. – Proszę nie zapominać, że w głębi serca Caroline przyklaskuje jego snobistycznym uwagom... o ile nie atakuje jej ani żadnego z jej wybrańców. Dziś nasz Abbot odbywa publiczną pokutę. Pokornie towarzyszy jej i Carrie do opery, której nie może znieść żaden z męskich przedstawicieli ich klanu.

Mystere uśmiechnęła się: było to publiczną tajemnicą. Sama kiedyś słyszała jak pan Astor wykrzykiwał, iż „wszystkie opery to zawracanie głowy, tylko dla bab. Oczywiście z wyjątkiem tej kapitalnej sztuki z tym cwaniakiem Figaro".

Rafe znów pochwycił jej spojrzenie.

– Już Caroline przytrze mu rogów! Ale nawet jej trudno wykarczować takie stare drzewo genealogiczne jak naszego Abbota. Mimo że przepuścił prawie całą fortunę i stanowczo odmówił ożenku i spłodzenia spadkobiercy.

Nagle zdarzyło się coś niezwykłego. Opadła maska obojętnej ironii i w oczach Rafe'a błysnęła nieukrywana złośliwość.

– Jedynym niewybaczalnym grzechem dla Caroline i jej podobnych jest ubóstwo. Natychmiast zwierają szyki, pozbywając się pariasa. Ktoś taki jak Abbot z pewnością dostosuje się do reszty. W końcu jest jednym z filarów nowojorskiej elity.

– Podobnie jak pan, panie Belloch.

– Albo pani stryj, panno Rillieux.

Jego wzrok był równocześnie groźny i szyderczy. Ale Mystere przysięgła sobie, że nie da się zawojować, odpowiedziała więc zuchwałym spojrzeniem.

Cień uśmiechu przemknął mu się przez wargi.

– Doskonale! Widzę, że postanowi pani walczyć. Lubię nasze potyczki.

– Takie jak na balu u Sanfordów, kiedy narzucił mi się pan jak pijany dzikus?

– A więc nie zapomniałaś, Księżycowa Damo?

– O, właśnie zbliża się ktoś, kto z pewnością nie stawiałby oporu – zauważyła sucho, zręcznie unikając odpowiedzi.

Antonia zostawiła bezbarwnego arystokratę, by przywitać się z Rafe'em. Miała na palcu swój przepiękny szmaragd. Mystere ze wszystkich sił starała się nie patrzeć na pierścień. Wkrótce będzie mój, obiecywała sobie w duchu.

– Ach, Rafaelu Belloch, ty potworze bez serca! – Antonia uśmiechnęła się do Rafe'a, kompletnie ignorując Mystere. – Nie warto się fatygować, niech kobiety przejmą inicjatywę, co?

– No cóż, z tym angielskim sucharkiem niewątpliwie musi pani przejąć inicjatywę – odparł z ledwie maskowanym cynizmem. – Tylko proszę uważać, bo to, zdaje się, kruchy delikatesik.

– To był królewski nakaz Caroline. Próbuje nas wszystkie trzymać z dala od pana, nawet Carrie! Wie pan, co myślę? Ta bezwstydnica chce pana zachować dla siebie. No cóż, trudno jej się dziwić.

Ona jest doprawdy bezwstydna, pomyślała Mystere. Co za bezczelne, nieprzyzwoite uwagi! Wystarczy spojrzeć na ten wilczy, chytry uśmieszek Rafe'a i na Antonię, która robi z siebie widowisko...

Reszta nieprzystojnej rozmowy była stracona dla uszu Mystere, gdyż dopadł ją Abbot. Pozostawił na chwilę panie Astor, by szepnąć jej do ucha:

– Nie znoszę tego typka. – Jego wrogie spojrzenie spoczęło na Rafaelu. – Od pierwszej chwili. Podaliśmy sobie ręce i... niech mnie piorun strzeli, jeśli on nie ma odcisków. To kompletny prostak. Zasługuje pani na kogoś lepszego, drogie dziecko. Strzeż się tego łotra.

Nagły strach ścisnął ją za gardło. A więc wszyscy plotkowali już o niej i o Bellochu! Lepiej czy gorzej, ale wszyscy o nich mówili.

– Lepiej sam się strzeż, mój panie – odparła lekkim tonem.

– Caroline jest wyraźnie wściekła, że odszedłeś od jej boku.

– Ta kobieta to szatan, a w dodatku humorzasta – rzekł Pollard, gotując się już do odwrotu. – Ale łatwo przewidzieć, jak zareaguje. Gram na niej jak wirtuoz na fortepianie.

Po raz ostatni łypnął wrogo na Rafe'a, który odpowiedział mu równie groźnym spojrzeniem.

– Pani, moja droga – dodał Abbot na odchodnym – ma do czynienia z Waligórą, i to nieobliczalnym. Uważaj, dziecino, bo dojdzie do eksplozji i zostaną z ciebie tylko strzępy.

14

*L*ornetkę, proszę pani? – spytał usłużnie bileter, wprowadzając ich do prywatnej loży Rafe'a; podsunął Mystere cacuszko zdobne masą perłową i złotem.

– Ta młoda dama ma sokoli wzrok – wtrącił się Rafe, podając banknot bileterowi i dając mu znak, by odszedł. – Zwłaszcza jeśli chodzi o błyskotki.

Poczuła dreszcz strachu. Czyżby przed chwilą idiotycznie zagapiła się na pierścionek Antonii? A teraz… czy wkroczyła do jaskini lwa? Wszystko na to wskazywało. Szkoda, że nie ma pod ręką bicza.

– Jak mam pana przekonać, że nie jestem tajemniczą Księżycową Damą? Myślałam, że przyszliśmy tu na *Carmen*. Czy musimy przez cały wieczór zajmować się pańską manią prześladowczą? – spytała ze znużeniem, rozglądając się po wyściełanym aksamitem wnętrzu Astor Palace. W górze przyciągało wzrok romańskie sklepienie i urządzone z przepychem łoże; poniżej rzędy obitych pluszem miejsc na parterze ciągnęły się po pochyłości aż do proscenium i kanału dla orkiestry.

Rafael wyszczerzył zęby w drapieżnym uśmiechu.

– Ależ na tym polega pani urok, kochanie! Któż nie chciałby być uwodzony przez taką kusicielkę? Przez cały wieczór… i jeszcze dłużej. A tak przy okazji: może mi pani zwróci spinkę do krawata, jeśli łaska?

Udała, że go nie słyszy, i rozejrzała się dokoła.

– Pomieszczą się tu z łatwością jeszcze cztery osoby. Kto się do nas przyłączy?

– Na pewno nie pani rzekomy stryjek.

Znowu zignorowała jego słowa i odkryła ze strachem, że podsuwając jej szarmancko fotel, Rafe oparł rękę na jej plecach.

– Wpadła pani w moje szpony na cały wieczór – powiedział szyderczym tonem. – Ale mniejsza o to. Oczekuję protestów: nazwałem wszak pani czcigodnego krewnego „rzekomym stryjkiem".

– Słyszałam, panie Belloch. Nie mam jednak zamiaru podsycać pańskiej niemądrej obsesji. Czy ma pan jakieś dowody, że nie jest on moim krewnym? A może dowody są niepotrzebne, kiedy ktoś z was, filarów elity, ogłasza wyrok potępiający?

„Ktoś z was". To określenie zapiekło jak postrzał ze śrutówki. Usta Rafaela zacisnęły się z gniewu.

– Dowód jest w drodze – oznajmił bez ogródek. – Mój bardzo zdolny pracownik rozpoczął już śledztwo. Listy wędrują teraz całkiem szybko wzdłuż Missisipi. Oczekuję wieści z Nowego Orleanu w najbliższych dniach.

Mimo postanowienia, że nie da się zastraszyć, poczuła, iż zmieniła się na twarzy. Pewnie zbladła, gdyż Belloch się roześmiał.

– W literaturze kobiecej określono by to: „zbielała jak lilia".

– I cóż z tego, że pobladłam? Jak inaczej mogłam zareagować na wieść, że ktoś ogarnięty manią prześladowczą wdziera się w moje życie prywatne?

– Jakie to prywatne sekrety musi tak skrzętnie ukrywać naiwna i niewinna pensjonarka bez biustu?

Rzuciła mu mordercze spojrzenie.

– Zostawmy mój biust w spokoju, jeśli łaska!

Zaśmiał się.

– O, pani z pewnością nie zostawia go w spokoju. Trzeba przyznać, że to sprytne przebranie. Musi się pani zdrowo nad tym napracować, bo o ile pamiętam z Five Points, było tam sporo do pokazania!

– Jest pan odrażający – oświadczyła zimno, po czym, ignorując kompletnie swego towarzysza, zajęła się wyłącznie tłumem na parterze. Wśród tych, którzy nie zdobyli miejsc w loży, dostrzegła Thelmę Richards, doktora Charlesa Sanforda z małżonką, Jareda Maitlanda i jego żonę Constance, Garreta i Eugenię Teasdale'ów.

Nie mogła się jednak skoncentrować, wiedząc, że Rafe nadal ją obserwuje z pewną siebie, wszechwiedzącą miną, która tak ją irytowała.

– Proszę mi zdradzić pewną tajemnicę – zażądał. – Sam, ten mój przedsiębiorczy pracownik, o którym pani wspomniałem, już się tego i owego dowiedział. Czy to prawda, że jeździ pani konno lepiej niż większość mężczyzn? Słyszałem, że brała pani udział w polowaniu na lisa podczas pobytu w tej wytwornej angielskiej szkole, do której Rillieux panią wysłał.

– Tak, dobrze jeżdżę konno, ale to żadna tajemnica, panie Belloch.

– Nic dziwnego, że poradziła sobie pani ze mną tak wdzięcznie podczas walca. Ma pani duże doświadczenie w ujarzmianiu ogierów. – Pochylił się ku niej przez niewielką przestrzeń rozdzielającą ich fotele ozdobione złotym haftem. – Tylko że ja nie jestem przyuczony do wędzidła i uprzęży.

Pogładził delikatnie włoski na jej karku. Tak ulokował rękę, że nikt nie dostrzegł tej niestosownej poufałości.

– Ladacznica, która obrabowała mnie przy Five Points – zwierzył się szeptem – także była bardzo zgrabniutka.

– Ladacznica? A więc była prostytutką? – spytała chłodnym tonem, modląc się, by zdjął rękę z jej karku i by elektryczny prąd płynący od jego palców przestał biec po jej plecach i oblewać żarem całe ciało.

– Raczej ja mógłbym panią o to spytać.

Mystere ani drgnęła. W jej głowie panował kompletny zamęt. Jest jeszcze bardziej podejrzliwy niż dawniej, myślała. Dlaczego? Przypomniała sobie Lorenza Perkinsa i jego zawoalowane groźby.

– Szkoda, że nie zdążył się pan zapoznać z nią bliżej – odparła i przesunęła ręką po szyi, żeby odsunąć dłoń Rafaela. – Wyraźnie stracił pan dla niej głowę.

– Owszem, była niebrzydka i podobała mi się nawet jej zuchwałość, ale brakowało jej kogoś, kto by ją utemperował.

– Mówi pan tak dlatego, że ośmieliła się pana pokonać?

Ich spojrzenia się spotkały. Nie powinna demonstrować w tej chwili owej zuchwałości, którą właśnie pochwalił, ale jakże to ją podniecało! O nie, nie jest afektowaną debiutantką, którą można spłoszyć jednym groźnym grymasem. W istocie bała się tylko policji i Paula Rillieux, ale w tej chwili i „stryj", i przedstawiciel prawa znajdowali się w loży pani Astor.

Belloch odrzucił głowę do tyłu i wybuchnął śmiechem. Jego mocna i – tak, Pollard miał rację! – stwardniała od fizycznej pracy ręka przesunęła się znów na jej kark. Tym razem objął jej szyję mocno jak kat skazańca.

– Przechytrzyła mnie nie raz, ale dwa razy. Ale już się cieszę na myśl o chwili, kiedy się przekona, kto tu jest panem.

Słysząc szorstki ton jego głosu, Mystere postanowiła jak najszybciej porozumieć się z Paulem. Musi go jakoś przekonać o grożącym niebezpieczeństwie, zwłaszcza jeżeli Rafe otrzyma wieści z Nowego Orleanu. Tylko czy Paul jej posłucha? Zerknąwszy nieco w prawo, mogła dojrzeć jego siwą głowę pośród gości zebranych w loży Astorów.

I wtedy przemknęła Mystere przez myśl jeszcze jedna ewentualność, bardziej niepokojąca od długiego języka Lorenza. Paul czynił złowróżbne uwagi na temat „wypadku", któremu miał ulec Rafe Belloch. Czy wieść o śledztwie zarządzonym przez Bellocha w Nowym Orleanie nie skłoni go do podjęcia jeszcze bardziej drastycznych środków i posłużenia się w tym celu Evanem lub Baylisem? Bez względu na to, jak irytujące było zachowanie Rafaela, Mystere nie życzyła gwałtownej śmierci ani jemu, ani nikomu.

– Pańskie chorobliwe podejrzenia są skierowane pod niewłaściwym adresem, panie Belloch. Nie jestem awanturnicą, jak to pan sobie ubzdurał. Dopiero co debiutowałam w towarzystwie. Nie marzę o skandalach ani o romansach. Niechże pan zrozumie, że wszystkie pańskie wysiłki idą na marne.

Światła na widowni pogasły i spektakl się zaczął. Po ciemku bliskość Rafe'a stała się jeszcze bardziej groźna i przytłaczająca. Pochylił się ku niej. Tak blisko, że czuła jego oddech na swojej skroni, a jego potężne udo dotykało jej uda. Ten bezczelny typ pogładził ją po policzku z poufałością kochanka!

– Nie jest pani pensjonarką – szepnął. – Proszę na mnie spojrzeć.

Spełniła jego życzenie. W jej oczach mimo ciemności widoczny był niepokój.

Wziął ją za ręce. Gdyby było jasno, broniłaby się, ale po ciemku nikt nie mógł ich zauważyć, tym bardziej że byli częściowo ukryci za aksamitną kotarą.

– Ależ, panie Belloch...

– Rafe. Mów mi Rafe.

Czuła, że ogarnia ją fala jakiejś niepożądanej emocji. Nie powinna przecież pragnąć dotyku jego rąk na swej twarzy ani intymnego „ty" – ale jedno i drugie zrobiło na niej wrażenie. Nie miała pojęcia, czemu, i wolała w to nie wnikać. Jeszcze by się okazało, że jest bardziej bezbronna, niż przypuszczała.

– Proszę cię, Rafe – błagała niemal. – Nie jestem tą, której szukasz. Twoja obsesja może okazać się niebezpieczna dla nas obojga. Nie otrzymasz ode mnie tego, czego pragniesz...

– Pragnę tylko prawdy, o którą trudno wśród tej hałastry. Nic dziwnego, że tak mi na niej zależy.

– Nie mam żadnej prawdy do wyjawienia. Żadnej – szepnęła głosem zdławionym od nieprzelanych łez.

– Mylisz się – szepnął równie ochryple, zanim zakrył jej wargi swymi ustami.

Pocałunek był długi, mocny i namiętny. Mystere próbowała się uchylić, ale trzymał jej twarz jak w żelaznych kleszczach. Stopniowo zmusił jej buntownicze usta do uległości. Różowe wargi rozchyliły się i miał już wolną drogę.

Jak najwytrawniejszy kiper badał językiem wnętrze jej ust. Raz po raz zanurzał się w ich głębi, aż poczuła dziwną pustkę w lędźwiach. Rozdygotana wsparła się o niego, oddech miała nierówny, jej serce trzepotało z namiętności.

– Urządziłaś sobie zbójecką zabawę przy Five Points, Księżycowa Damo – szepnął jej we włosy, gdy wreszcie się od siebie oderwali.

– Zapewne więc szanujesz też zbójeckie reguły. Widzisz, o wiele lepiej zabić kogoś, niż go upokorzyć, bo wtedy szuka odwetu.

– Albo jesteś szalony, albo kpisz sobie ze mnie – odparła. – Nie rozumiem, jaką grę prowadzisz, ale z pewnością nie dam się w nią wciągnąć. Nic dobrego z niej nie wyniknie. Jest niebezpieczna. Rozumiesz? Niebezpieczna.

– Tylko ty jesteś w niebezpieczeństwie, Mystere. Odkryłem właśnie, że cię pragnę. A zawsze zdobywam to, na co mam ochotę.

Zapragnęła ukryć twarz w dłoniach i wybuchnąć płaczem. Z jękiem odwróciła się od niego.

– Jesteś szalony – powiedziała, myśląc o zbrodniczych zamiarach Paula Rillieux.

– Zapewniam cię, że jeszcze nigdy nie oszalałem na punkcie żadnej kobiety. Ale nigdy dotąd nie spotkałem kogoś takiego jak ty, Księżycowa Damo. Pozbawiasz ludzi nie tylko klejnotów, ale i zdrowego rozsądku.

Płacz ścisnął ją za gardło. Nie mogąc wykrztusić ani słowa, przytknęła palce do ust, które jeszcze płonęły od jego pocałunków. Przytłaczająca bliskość Rafaela nie pozwalała jej cieszyć się operą. Choć spektakl był wspaniały, arie wykonywane z niezrównanym kunsztem, kostiumy, dekoracje i efekty świetlne na najwyższym poziomie, Mystere była zbyt wstrząśnięta, by docenić je należycie. Miała wrażenie, że w jej wnętrzu rozgrywa się równocześnie kilka dramatów, ale żaden z nich nie przejmował jej tak do głębi, jak diabelska tortura ich ocierających się o siebie ud i dręczący dotyk ręki, którą nadal czuła na karku.

Podczas antraktu Rafe nie odstępował jej na krok, jakby rzucając wyzwanie, by ukradła coś przed samym jego nosem. Zastanawiała się właśnie, czy tak nie postąpić, gdy Carrie Astor przedarła się do nich przez zbity tłum w foyer.

– Podoba się wam przedstawienie? – spytała.

Mystere, która szukała właśnie w tłumie Sylvii Rohr i jej broszki, odparła z roztargnieniem:

– Tak, cudowne. Zwłaszcza pierwszy tenor.

– Doprawdy? – mruknął Rafe. – Widziałem ubiegłego lata nowy spektakl z Dzikiego Zachodu, wystawiony przez pułkownika Cody'ego. Dzisiejsza gala ogromnie mi przypomina tamto widowisko. Równie hałaśliwe i efekciarskie. Brakuje tylko kilku dzikusów wznoszących okrzyki wojenne. – Przymrużył znacząco oczy. – To nie byłby zły pomysł. Kilku Indian z pewnością odwróciłoby uwagę widzów od wszystkiego innego – dodał z naciskiem.

W jego słowach kryło się oskarżenie pod adresem Mystere.

Nie zdołała powstrzymać nagłego rumieńca: Rafael doskonale wiedział, do czego się przymierzała. Roześmiał się. Biedna Carrie nie miała pojęcia, o co tu chodzi.

– Mama kazała mi przypomnieć wam – powiedziała na odchodnym – że po teatrze jesteście zaproszeni do nas na koktajle i późną kolację.

– Stawimy się oboje z całą pewnością – zapewnił Rafe. Umyślnie podniósł głos, by stojący w pobliżu reporter mógł go usłyszeć.

Z Rafaelem towarzyszącym jej jak strażnik więzienny Mystere nie miała okazji nawet zbliżyć się do Sylvii. Jego nieustanny nadzór wpływał fatalnie na jej nerwy; była bliska załamania. Tuż przed przygaszeniem świateł, co było sygnałem do rozpoczęcia kolejnego aktu, jej spojrzenie spotkało się ze wzrokiem inspektora Byrne'a. Patrzył na nią ledwie przez chwilę, poczuła jednak lodowaty ucisk w sercu. Nagle wydało jej się, że wszyscy zerkają na nią z ukosa, podejrzliwie. Przypomniała sobie słowa Rafe'a: „Listy wędrują teraz całkiem szybko wzdłuż Missisipi".

Mimo wszystkiego, co leżało jej na sercu, Mystere w końcu poddała się urokowi spektaklu. Urzekła ją zwłaszcza aria toreadora.

Potężne bicie w kotły, żałosna skarga skrzypiec... i znów znalazła się w ramionach Rafe'a, tańcząc z nim nad zalaną księżycową poświatą rzeką Hudson. Poczuła na wargach jego brutalny, palący pocałunek. Ożyły tłumione dotąd emocje i wstrząsało nią radosne uniesienie, a w dzikim trzepocie serca słychać było wyraźnie: chcę tego, chcę! Znów miała wrażenie, iż jej życie jest rozpoczynającym się właśnie tańcem.

Zaraz jednak spojrzała na Rafe'a i na widok jego czujnych, drwiących oczu poczuła strach. Kiedy orkiestra przeszła w senne interludium, Rafael pochylił się i szepnął jej do ucha:

— Zdążyłaś już coś ukraść?

— Oczywiście — skłamała. — Jestem przecież Księżycową Damą, czyżbyś zapomniał? „Nieuchwytną jak dziki kot".

— Masz to przy sobie... tylko gdzie?

— Cicho — syknęła Caroline z sąsiedniej loży.

Ale Rafe tylko się zbliżył, tak iż muskał ucho Mystere gorącym oddechem.

— Gdzie to ukryłaś? — dopytywał się.

Potrząsnęła głową i przyłożyła palec do ust, nakazując milczenie. Rafael uśmiechnął się i przysunął do niej z fotelem. Pojęła, do czego zmierzał, ale doznała szoku, gdy objął ją w talii.

— Pytałem grzecznie — mruknął — a teraz sam sprawdzę.

— Nie — zaprotestowała zduszonym szeptem i chwytając lewą ręką jego prawe ramię, usiłowała je odciągnąć od swego biodra.

— Ciii — przyłożył palec do ust, przedrzeźniając jej ostrzegawczy gest sprzed kilku sekund.

Szamocząc się z jego ręką, znów wyczuła twarde odciski na dłoni. Jego ręka powędrowała nieco niżej, w stronę jej uda. Mystere zdała sobie sprawę, że pod tym poufałym dotknięciem przeszył ją elektryczny – i erotyczny – dreszcz.

Jej oddech stał się szybszy i choć nadal zmagała się z jego ręką, w skrytości ducha lubowała się nowym doznaniem, zarzewiem namiętności rozniecony w niej tak bezwstydnie blisko jego natrętnych palców.

Nagle zaskoczył ją, przesuwając rękę do góry i zatrzymując się zaledwie o centymetry od jej obandażowanych piersi.

W panice jeszcze szarpnęła się gwałtowniej, usiłując ściągnąć rękę w dół.

Rozbawiło to Rafaela tak bardzo, że aż się rozkasłał. Caroline znów obejrzała się na nich i nawet w przyćmionym świetle widać było, że jest wściekła.

Rafe ponownie przycisnął wargi do ucha Mystere. Jego dotyk równocześnie podniecał ją i irytował.

– Pokaż mi wszystkie swe ukryte skarby, Księżycowa Damo – szepnął drwiąco, pieszcząc wargami jej ucho. – Załóżmy się, moja ślicznotko, Pozwól, że przesunę rękę o jeden jedyny centymetr wyżej. Jeśli moje podejrzenia okażą się bezpodstawne, dorobię się uroczej, niewinnej żonki. Ale jeśli mam słuszność, zdemaskuję podstępną oszustkę. Co ty na to?

Uświadomiła sobie, że list z Nowego Orleanu to jedynie odległe zagrożenie w porównaniu z katastrofą wiszącą nad nią w chwili obecnej. Jedyną szansą ratunku był blef, którego tak po mistrzowsku uczył ją Rillieux.

– Jak sobie życzysz, mój panie – szepnęła, spoglądając śmiało w oczy Rafaela. – Ale słowo dżentelmena jest święte, nieprawdaż? Potraktujmy więc sprawę poważnie. Jeśli się mylisz, żądam ze względu na mój honor, żebyś się ze mną ożenił. Mam nadzieję, że perspektywa małżeńskich więzów powstrzyma cię od podjęcia ryzyka.

Jakże to odważnie zabrzmiało! W rzeczywistości jednak serce w niej zamarło, nim upewniła się o własnym losie.

Patrzyli sobie prosto w oczy. Dla podkreślenia pewności siebie Mystere puściła jego rękę. Teraz już nic nie powstrzymywało Rafaela: jeden mały ruch i sprawa zostanie rozstrzygnięta raz na zawsze.

Jednakże z jakichś niepojętych dla Mystere względów obejmujące ją ramię nagle się cofnęło. Czyżby Rafe udawał bardziej cynicznego i zblazowanego, niż był w istocie?

– Tylko niepewność czyni życie interesującym – stwierdził.

– Co się zaś tyczy twojego ciała, to i tak nadejdzie chwila, gdy zapoznam się z nim znacznie dokładniej, niż zdołałbym to uczynić w operowej loży.

– Miałbyś na to znacznie większe szanse z Antonią Butler. Znacznie większe – odparła z naciskiem.

– Być może. Ale coś mi mówi, że twoje ciało ma na ten temat całkiem inne zdanie niż twój świątobliwy język!

Teraz już żadne z nich nawet nie udawało, że interesuje się dramatem rozgrywającym się na scenie, choć Carmen zarzucała sidła na nowego adoratora. Zaczęli ze sobą szeptać, a głos Mystere brzmiał zbyt donośnie. Pani Astor znów posłała im oskarżycielskie spojrzenie, ale dziewczyna nie mogła się już opanować.

– Jesteś człowiekiem czy zwykłą bestią? Czy ty w ogóle kogoś w życiu kochałeś?

Przez sekundę na jego twarzy odmalował się gniew. Wiedziała już, że to może być groźne.

– A to dobre! I ty śmiesz zadawać podobne pytanie? Może poprosisz biletera o wodę święconą, żeby mnie obmyć ze śmiertelnych grzechów?

Nim Mystere zdążyła odpowiedzieć, do loży wkroczyła pani Astor.

– Nie pozwalacie nam słuchać opery – oświadczyła groźnym tonem. – Rafe, odsuń fotel na przyzwoitą odległość. Będę siedzieć między wami do końca przedstawienia. Teraz i wy trafiliście na moją czarną listę.

15

Rafe Belloch odetchnął głęboko, rozluźnił się i uważnie sprawdził lufę swego sportowego pistoletu kaliber 22. Bez pośpiechu odciągnął spust i broń nagle ożyła w jego ręku.

Wystrzelił sześciokrotnie, opróżniając cały magazynek.

Sam Farrell przyjrzał się przez binokle tarczy ustawionej w odległości czterdziestu pięciu metrów.

– Strzelasz równie dobrze, szefie, jak prowadzisz swój interes – stwierdził. – W sam środek tarczy. Sześć razy w dziesiątkę!

Rafe otworzył magazynek i znów załadował broń.

– To ojciec nauczył mnie strzelania. Był oficerem liniowym podczas wojny secesyjnej, wiesz?

– Tak, wiem – odparł Sam takim tonem, jakby odczytywał informacje z jakiejś ukrytej w mózgu kartoteki. – Piętnasty regiment strzelców nowojorskich. Trzykrotnie ranny i odznaczony za męstwo w bitwie pod Cold Harbor.

Rafe uśmiechnął się.

– Zdumiewasz mnie, Sam. Czy nic nie ujdzie twojej uwagi? – Jego uśmiech zgasł, gdy dodał: – Stał jak mur pod ogniem nieprzyjaciela, a potem zabił się, bo nie mógł znieść upokarzającej nędzy. Na czym właściwie polega prawdziwe męstwo?

– Walka z uzbrojonym wrogiem to jedno, a pokonanie upiorów zrodzonych we własnym umyśle to całkiem co innego.

– Tak – przytaknął cicho Rafe – upiorów zrodzonych we własnym umyśle.

Zabezpieczył broń i wsunął ją do przewieszonego przez ramię futerału.

Jego prywatna strzelnica znajdowała się na północno-wschodnim wybrzeżu Staten Island, wciśnięta pomiędzy parkowe tereny Garden Cove i Upper Bay.

– Jadłeś już śniadanie? – spytał swego osobistego sekretarza.

Sam potrząsnął głową.

– Spędziłem cały ranek w swoim pokoju na lekturze prasy.

– Porządny z ciebie chłop. Jeden z nas powinien czytać to świństwo. Znalazłeś jakieś ciekawe wieści? Może o nowym wyczynie Księżycowej Damy? Chodź, przegryziemy coś razem.

Ruszyli z powrotem do domu żwirowaną ścieżką, która biegła przez wspaniały kwiatowy ogród. Rafe dostosował krok do możliwości Sama, który mocno utykał z powodu zmiażdżonego biodra.

– Nawet jeśli coś zbroiła, gazety o tym nie pisały – odparł sekretarz ze zwykłą obojętną miną. – Za to kolumna Lance Streetera w „Heraldzie" była doprawdy godna przejrzenia.

– Streetera? Tego, który podgląda, co się dzieje w altankach?
– A jakże. Tylko że tym razem zajrzał do wnętrza loży.

Rafe wybuchnął śmiechem.

– Wiedziałem, że ci plotkarze mają nas na oku. Pewnie Streeter nie zostawił na nas suchej nitki?

– Twoje nazwisko wymienił z tuzin razy, podobnie jak panny Mystere Rillieux.

Rafe pochylił się, by zerwać biały goździk. Wetknął go sobie do butonierki.

– Znakomicie! – stwierdził z entuzjazmem. – Ten pismak użył słowa „skandal"?

– Dał to jedynie do zrozumienia.

– Jeszcze lepiej. Istota prawdziwego skandalu polega na tym, co zostało przemilczane.

Sam miał obojętny wyraz twarzy, ale Rafe dobrze go znał i wyczuwał milczącą dezaprobatę przyjaciela.

– No, stary, jeśli masz mi coś do powiedzenia, chętnie posłucham. Jesteś moim zaufanym doradcą, więc radź. Nie aprobujesz tego publicznego skandalu, co?

– Nie chodzi o moją aprobatę. Ludzie rozważni unikają skandalu, a nie gonią za nim.

– Powinienem mieć na względzie swoją wysoką pozycję?

Sam skinął głową. Opuścili już ogród i szli przez rozległy, idealnie utrzymany trawnik w stronę białego domu usytuowanego na szczycie niewielkiego wzniesienia. Zbudowany w latach dziewięćdziesiątych XVIII wieku przez holenderskiego kupca, miał mnóstwo francuskich okien osłoniętych żaluzjami z listewek. Wszystkie pootwierano na oścież, by wpuścić do wnętrza słoneczne ciepło i łagodny wietrzyk.

– Sukcesy zawodowe mają dla mnie wielkie znaczenie – przyznał Rafe. – I rozumiem, że szkodliwy rozgłos może naruszyć stabilność przedsiębiorstwa. Ale gdyby się okazało, że nie jestem godzien roli przywódcy i stanowię zbyt wielkie obciążenie dla Belloch Enterprises, zrezygnuję z kierowania korporacją, a ty zajmiesz moje miejsce.

– Doceniam twoje zaufanie, szefie, ale odpowiada mi obecne stanowisko.

Rafael uśmiechnął się ze zrozumieniem; trwał jednak przy swoim. Zdecydował, że już najwyższy czas wstrząsnąć wygodnym, bezpiecznym światkiem pani Astor. Wywołać skandal, po którym „bramini z Fifth Avenue" nigdy się nie pozbierają. Zdemaskowanie Paula i Mystere Rillieux nie było jego głównym celem; zarządził śledztwo z pobudek osobistych, a nie z chęci publicznego napiętnowania oszustwa. Chciał się przekonać o słuszności swoich podejrzeń, że Mystere jest zarówno Księżycową Damą, jak i tą bezczelną, złośliwą dziewuchą, która obrabowała go w Five Points.

Chciał się na niej zemścić, ale nie zależało mu na zdemaskowaniu jej samej ani jej rzekomego stryja. Głównym celem Rafaela było strącenie z piedestału Caroline i Carrie Astor, a Carrie jakoś się nie nadawała na bohaterkę skandalu. Była bezbarwną, głupiutką nudziarą, choć całkiem nieszkodliwą i na swój sposób sympatyczną. Nie miał serca jej skrzywdzić. Caroline to całkiem co innego!

Dotarli brukowanym pasażem z zachodniego skrzydła do wygodnego pokoju śniadaniowego. Zanim do niego weszli, Rafe przystanął. Odwrócił się i omiótł wzrokiem zatokę od Governor's Island po zatłoczony Manhattan.

– Baron Rothschild miał słuszność, Sam. Cały świat stał się jednym wielkim miastem. Na tej dwudziestokilometrowej wyspie niedługo nie będzie ani jednej krowy ani kurczaka.

– Ale szczury nie wyginą – odparł Sam i obaj wybuchnęli śmiechem.

Rafe lubił podczas posiłków rozmawiać swobodnie, bez nadstawiającej ucha służby, toteż potrawy pozostawiono na kredensie, na ogrzewanych półmiskach z pokrywą. Mężczyźni obsłużyli się, po czym zasiedli przy stole z kutego żelaza, skąd mieli dobry widok na statki przepływające przez cieśninę.

– Są już jakieś wieści z Nowego Orleanu? – spytał Rafe.

Sam, który właśnie smarował bułkę marmoladą, potrząsnął głową.

– Zaledwie pięć dni temu wysłałem list do kancelarii Stephena Breaux. Pewnie dowiemy się czegoś za tydzień.

Rafe nie odpowiedział, bo duchem przebywał w operowej loży z Mystere. Dlaczego nie przesunął ręki o centymetr wyżej i nie przekonał się, czy dziewczyna krępuje sobie piersi? W końcu nie był to tylko domysł, lecz niemal pewność.

Może mimo całego cynizmu zostało w nim jeszcze coś z dżentelmena? A może zadurzył się w tej małej oszustce i obawiał się, że jego podejrzenia okażą się słuszne? Miał ochotę ją zranić, ale nie unicestwić.

– Powiedz no, Sam, jak taka diablica może tak niewinnie wyglądać?!

– Zakładam, że masz na myśli pannę Rillieux?

Rafe skinął głową.

– A jaką inną postać miałaby przybrać diablica? Przecież podstawą jej piekielnej natury jest mamienie ludzi.

Rafe raz jeszcze skinął głową, doceniając słuszność tej uwagi. Muszę stłumić w sobie wszelkie emocje, ostrzegł się w duchu. Miał życiową misję do spełnienia, a Mystere mogłaby mu w niej przeszkodzić.

– Hush, umyj uszy i przystrzyż włosy – polecił Paul Rillieux.

– Już ci mówiłem, żebyś się nie pętał koło Mystere. Kiedy lokaj nie pomaga państwu wsiadać do powozu albo z niego wysiadać ani nie załatwia żadnego zlecenia, to pilnuje w głównym holu drzwi wejściowych i telefonu. A teraz wynoś się.

– Ale pszepana, ja się wcale nie pętam. Mystere powiedziała, że będę miał dziś rano lekcję czytania…

– Dobrze, żeś mi o tym przypomniał – przerwał mu Rillieux, obrzucając niezadowolonym spojrzeniem Mystere siedzącą po przeciwnej stronie salonu. – Pora skończyć z tą bzdurą.

Mystere odstawiła filiżankę z kawą na spodeczek z karbowanym brzeżkiem.

– Ależ, Paul, jak tak można? Sam powiedziałeś, że każdy powinien umieć czytać.

– Nie miałem racji. Przewróci mu się tylko w głowie od takiej edukacji. Pomyśl, ile złego wyrządziła lektura tych idiotycznych broszurek Baylisowi i Evanowi. Wynoś się, powiadam!

– powtórzył i Hush umknął.

– Ależ, Paul. Przecież to dziecko, nie pies – zaprotestowała Mystere.

– Skończ już z tym świątobliwym bajdurzeniem. Hush był zwykłym oberwańcem z ulicy, póki nie zapewniłem mu domu. Mam dość tych twoich wiecznych pretensji.

– Nie pojmuję, czemu jesteś w złym humorze. Przecież zdobyłam dla ciebie broszkę Sylvii.

W dodatku nie poszła wcale do „rodzinnego" worka, tylko do twego prywatnego sejfu, miała ochotę dodać, lecz nie starczyło jej odwagi. Udało jej się ukraść broszkę dopiero w rezydencji Astorów. Zaczekała, aż Rafe wyjdzie, i przywłaszczyła sobie klejnot w chwili zamieszania, w trakcie ogólnych pożegnań. W gazetach nie było żadnej wzmianki o tej kradzieży, prawdopodobnie więc Sylvia spostrzegła ją dopiero po powrocie do domu, a może nawet wtedy się nie zorientowała?

– Mój zły humor nie ma z tym nic wspólnego – burknął Rillieux. – Czy nie rozumiesz, że Belloch i ty zepsuliście nam całe przedstawienie? A tyle trudu mnie kosztowało, by dostać się do ścisłego kółka pani Astor. Zachowywaliście się jak para nieznośnych dzieciaków, a Caroline z waszego powodu była na mnie obrażona.

– Paul, zajmujesz się błahostkami. Dąsy Caroline nie mają znaczenia. Mówiłam ci wczoraj, że Rafe Belloch zamierza nas zdemaskować. Napisał do Nowego Orleanu w tej sprawie.

– A ja uważam, że to blef. Po co mówiłby ci o tym, zanim otrzyma informacje?

– Bo już taki jest: arogancki i strasznie pewny siebie.

Paul prychnął pogardliwie.

– A prawda, zapomniałem, że masz doświadczenie, jeśli chodzi o mężczyzn. No więc załóżmy – czysto teoretycznie – że rzeczywiście prowadzi jakieś śledztwo. Pewnie masz zamiar od tej pory unikać go jak ognia?

– Oczywiście! Przecież on...

– Najwięcej gada ten, kto ma najmniej do powiedzenia. Rusz głową, naiwny głuptasku! Gdyby ci drzazga weszła w palec, chyba nie kazałabyś sobie amputować ręki do łokcia, co?

– Ciekawe zagadnienie, ale nie widzę związku.

Westchnął ze zniecierpliwieniem.

– Słuchaj no, ten człowiek jest tobą urzeczony, marzy tylko o tym, żeby cię uwieść. Jeśli nawet grzebie w twojej przeszłości, cóż z tego? Najwyżej będziesz musiała trochę go... udobruchać, gdyby wynikły jakieś kłopoty. Pamiętaj, że dysponujesz tym, czego Rafe Belloch – przy całym swym bogactwie – nie posiada i czego pożąda jak szaleniec.

Mystere musiała przyznać, że brzmiało to logicznie. Czy byłaby jednak w stanie „udobruchać" Bellocha, jak to określił Paul?

Wątpliwe, by Rafe tak łatwo dał sobą manewrować. Nie była też wcale pewna, czy zdobyłaby się na takie poniżenie.

Paul najwyraźniej czytał jej w myślach.

– Biedak musi, gdy go diabeł kusi – rzekł. – Ostrzegam cię tylko na wszelki wypadek, gdyby twoje obawy miały jakieś uzasadnienie. Nawet jeśli Belloch nie blefuje, nie zapominaj, że zadbałem o to, by w Nowym Orleanie pozostał trwały ślad po niejakim Paulu Rillieux.

– Tak, ale nie po jego bratanicy Mystere Rillieux.

– To już bardziej skomplikowany problem – odparł tonem znudzonego monarchy, zapożyczonym od pani Astor. – Ale wypłynie tylko wtedy, gdyby przeprowadzono bardzo drobiazgowe śledztwo.

Hush przyniósł już poranną prasę. Paul przeszedł teraz przez pokój z „Heraldem" w ręce.

– Poczytaj sobie kolumnę Lance'a Streetera – powiedział nieco łagodniejszym tonem.

– Już ją czytałam.

Poczuła na twarzy gorący rumieniec, gdy przypomniała sobie pierwsze zdanie: Wszystkie loże w Astor House były wczoraj wieczorem zatłoczone do ostatecznych granic, z wyjątkiem jednej, należącej do pewnego bogatego Waligóry.

– Rusz głową, Mystere. Rafe Belloch to potężny i wpływowy człowiek. A jednak chętnie podaje się na ludzkie języki, jeśli chodzi o ciebie. To nie jest zachowanie mężczyzny, który chce zniszczyć kobietę.

– Nie bądź taki pewny. On jest inny niż wszyscy.

– Nic podobnego. Jest tylko bogatszy od większości z nas.

– Nie o to mi chodziło – zaprotestowała. – Ja...

Zamilkła, bo nie mogła znaleźć właściwych słów, które zdołałyby go przekonać, że pułapka zamyka się wokół nich. Nie wytłumaczy Paulowi czegoś, czego sama nie pojmowała. Nigdy dotąd żaden mężczyzna nie budził w niej takiego strachu i równocześnie takiej namiętności.

W holu zadźwięczał telefon. Usłyszała jak Hush go odbiera. Chwilę później chłopiec zajrzał do salonu.

– Do ciebie, Mystere.

– Dziękuję. Kto dzwoni?

– A bo ja wiem? Pytałem, ale nie powiedział.

Już po pierwszym słowie rozpoznała głos Lorenza Perkinsa.

– O co chodzi, panie Perkins? – spytała chłodno. – Nie mamy już ze sobą żadnych interesów.

– Nie tak szybko. Dzwonię, żeby powiedzieć, że za pięćset dolarów może pani liczyć na moje milczenie.

– W jakiej sprawie, panie Perkins?

– Coś mi się zdaje, że Rafe'a Bellocha bardzo by zainteresowało, że jego kochaneczka poszukuje brata i nawet nie wie, jak on się nazywa. Brata, który dał się kiedyś porwać jak ostatni głupek.

– A ja jestem pewna, panie Perkins, że pańską żonę bardzo by zaciekawiła wieść o pańskich odwiedzinach na Washington Street pod siedemnastym.

Z tymi słowy odłożyła słuchawkę. Ostatnia groźba detektywa przyprawiła ją jednak o mocne bicie serca.

Pętla zaciskała się wokół niej, ze wszystkich stron czyhało jakieś niebezpieczeństwo. Co gorsza, Paul był tak zafascynowany swoją popularnością i pozornie niewzruszoną pozycją, że ukołysany złudą bezpieczeństwa w karygodny sposób lekceważył Rafe'a i jego zamiary.

Pięćset dolarów… ogromna suma, gdyby zgodziła się ją zapłacić. Ale nie zapłaci!

A co będzie z braciszkiem i siostrzyczką?

Poczuła w oczach piekące łzy. Próbowała rozpaczliwie wskrzesić swą poprzednią determinację, pewność siebie, którą czuła kilka dni temu, jadąc dorożką do Brooklynu. Stanie się panią własnego losu. Wykorzysta zdobytą w ten sposób wolność, by odnaleźć Brama. Bez niego była zupełnie sama, nie miała nikogo na świecie.

Ale czas płynął, uciekał. Z nagłą niecierpliwością Mystere przysięgła sobie raz jeszcze, że ukradnie szmaragdowy pierścionek Antonii Butler, a potem ucieknie do innego miasta, zdobędzie nową tożsamość. Najtrudniejsze będzie ukrycie klejnotu przed Paulem. Musi obmyślić bardzo chytry plan.

Obserwujący ją z przeciwległego końca długiego frontowego holu Hush spytał:

– Wszystko w porządku, Mystere?

Zdobyła się na uśmiech.

– Jak najbardziej – skłamała. Kiwnęła na chłopca, by podszedł bliżej. Zniżając głos, by nie dosłyszał ich siedzący w salonie Paul, dodała:

– Przynieś później elementarz do mojego pokoju, to sobie razem poczytamy.

16

Cały wtorkowy ranek Mystere spędziła w swoich apartamentach, zbierając siły przed nadciągającą burzą, którą Paul uparcie lekceważył. Ponieważ grozili jej zarówno Rafe Belloch, jak i Lorenzo Perkins, usiłowała obmyślić jakiś plan awaryjny na wypadek nagłej katastrofy.

Spakowała do kuferka trochę ubrań i najbardziej niezbędne osobiste przedmioty – między innymi tajemniczy list. Nie miała zamiaru opuścić miasta, gdyż tutaj musiały się koncentrować wszelkie poszukiwania zaginionego Brama. Ale przy Centre Street było kilka bardzo przyzwoitych pensjonatów dla pań. Mystere postanowiła przywdziać wdowie szatki i wynająć pokój pod przybranym nazwiskiem. Nie mogła pozostawać tam wiecznie, ale zdobędzie przynajmniej tymczasowe schronienie.

Jej awaryjny plan był daleki od doskonałości, lecz starała się przekonać samą siebie, że stanowi pewne zabezpieczenie. Lękała się nie tylko hańby, skandalu towarzyskiego i więzienia. Zdemaskowanie i schwytanie na gorącym uczynku oznaczało też koniec marzeń o odnalezieniu brata.

Zamykała właśnie skórzany kuferek, gdy Rose wetknęła głowę przez drzwi.

– Telefon do ciebie, Mystere. Dzwoni pani Astor.

– Dziękuję. Rose, słuchaj no! – zawołała, zanim rudaska odeszła.

Twarz w obramowaniu białego czepka znów pojawiła się w drzwiach.

– O co chodzi?

Mystere zawahała się, nie wiedząc, co powiedzieć. Pragnęła ostrzec Rose i resztę „służby" przed grożącą katastrofą. Ale Paul natychmiast by się o tym dowiedział i byłby wściekły.

– Nic, nic, to może zaczekać – powiedziała z żalem.

Schodząc do holu, poczuła dreszcz niepokoju. Choć telefon od znakomitej damy nie był czymś niesłychanym, Mystere nadal znajdowała się na jej czarnej liście z powodu sobotniego incydentu w operze.

– Słucham – powiedziała głośno.

– Dzień dobry, moja droga – odezwał się zniekształcony, dziwnie wysoki głos pani Astor. – Masz jakieś plany na dzisiejsze przedpołudnie?

– Ja żadnych, ale stryjek Paul ma, zdaje się, wyznaczoną wizytę u dentysty.

– Mniejsza o Paula. Chcemy się zobaczyć z tobą.

Mystere znów poczuła dreszcz niepokoju.

– My? To znaczy pani i Carrie?

– Nie, Carrie wybrała się parowcem do West Point odwiedzić kuzyna Andrew. Mam na myśli siebie i Abbota, kochanie. Chcielibyśmy, żebyś z nami poszła na odczyt na Fourth Avenue. Potem zjemy lunch w Delmonico's.

– Czuję się zaszczycona, że pomyśleliście państwo o mnie – zapewniła Mystere.

– Nie wątpię – odparła pani Astor, jakby to się rozumiało samo przez się. – Ale pewnie nie będziesz zachwycona tym, co mamy ci do powiedzenia.

Szorstka i zagadkowa uwaga była w stylu Caroline. Ale Mystere znów przeszył strach. Czyżby kłopoty już się zaczęły?

– Wybierzemy się moim landem – dodała Caroline. – Dzień jest przepiękny i przyjemnie będzie się przejechać z opuszczoną budą. Wstąpimy po ciebie o wpół do jedenastej.

Paul zszedł na dół, nim rozmowa dobiegła końca. Przyglądał się podejrzliwie Mystere, gdy odkładała słuchawkę.

– Kto dzwonił?

– Pani Astor.

– I nie pytała o mnie?

– Chciała rozmawiać ze mną. Jadą z Abbotem Pollardem na odczyt, a potem na lunch, i zabierają mnie ze sobą.

– Tylko ciebie? Nie chce, żebym i ja pojechał?

Mystere potrząsnęła głową, zastanawiając się, czy Paul zamierza się dąsać jak zazdrosne dziecko. On jednak nieoczekiwanie się uśmiechnął.

– No, no! To bardzo interesujące. Jesteś czarującą dziewuszką, Mystere, ale nie sądzę, by Caroline zapraszała cię z powodu twojej młodości albo uroku. Jak zawsze ma ukryty motyw.

– A mianowicie?

– Chodzi o Rafe'a Bellocha.

– Myślisz, że ciągle ma mi za złe ubiegłą sobo…

Przerwał jej niecierpliwym gestem ręki.

– Skądże znowu, ty gąsko! Nie jest przecież twoją guwernantką. Przypuszczam, że chce się zabawić w swatkę.

– To niedorzeczne – powiedziała Mystere z całkowitą szczerością. – Zresztą, choćby nawet Caroline przyszło coś podobnego do głowy, nic z tego nie wyniknie. Rafe Belloch nie ma w swoich planach ożenku. Caroline powinna wiedzieć o tym lepiej niż ktokolwiek.

– Rafe bez wątpienia uwzględnia w swoich planach ciebie, moja droga.

– Owszem, ale nie w takim charakterze, jaki wszyscy podejrzewacie.

– Nie wyskakuj znów ze swymi alarmistycznymi teoriami. Może Belloch kocha się w tobie, a może nie. Ale z całą pewnością pała do ciebie żądzą, choć stroisz skromne minki. Biorąc pod uwagę jego majątek, żądza może się okazać wystarczającym powodem do zawarcia małżeństwa. Caroline zdaje sobie z tego sprawę i chce ci wyświadczyć wielką przysługę.

– Przysługę? Caroline? Przecież dopiero co powiedziałeś, że ma jakiś ukryty motyw.

– Oczywiście, że ma – zgodził się Paul. – Chce ocalić swoją Carrie przed Rafe'em. Chyba doszła do wniosku, że Rafael Belloch to rzeczywiście doskonała partia… ale nie dla jej córeczki. Widzi, jaki jest interesujący i atrakcyjny, lecz instynkt macierzyński podpowiada jej, że może być niebezpieczny.

Mystere potrząsnęła głową.

– Gdyby zamierzała mnie swatać, to by nie uprzedzała, że nasza rozmowa może mi się nie spodobać.

Paul już miał odpowiedzieć, ale właśnie w tej chwili drzwi frontowe się otworzyły i do holu weszli Baylis i Evan, wyraźnie ze sobą skłóceni.

– Nie ucz ojca dzieci robić, durniu! – pienił się Baylis. – Potrafię zaprzęgać bez twoich rad!

– Przymknij się, gówniarzu, bo przysięgam…

– Zamknąć gęby! – warknął Paul. – To porządny dom, a nie burdel! Pani Astor zaraz tu będzie. Zachowywać się przyzwoicie. Evan, wyczyść surdut: jest cały w kłakach. Hush!

Chłopiec, który tkwił posłusznie na krześle przy drzwiach, zerwał się na równe nogi.

– Tak jest, pszepana?

– Żebym więcej nie widział tej fajki! Możesz kopcić u siebie w pokoju, a nie na oczach gości. Masz być w pogotowiu, jak się zjawi pani Astor.

– Tak jest, pszepana!

– Idę się przebrać – oznajmiła Mystere, kierując się w stronę kręconych schodów.

Paul powstrzymał ją, kładąc jej rękę na ramieniu.

– Widziałaś zaproszenie, które przyniesiono wczoraj?

Skinęła głową. James i Lizet Addisonowie wydawali w najbliższy weekend bal na cześć księcia i księżnej Granville.

– Będzie istna wystawa biżuterii – oznajmił z satysfakcją. – Wszystkie damy wystroją się w to, co która ma najpiękniejszego. Może nawet zdołasz dobrać się do pierścionka Antonii. Zauważyłem, że od czasu do czasu zdejmuje go i wkłada do tej małej haftowanej paciorkami torebki.

– Rzeczywiście – zgodziła się Mystere. Ona też miała plany związane z pierścionkiem Antonii, tyle że nie zamierzała oddawać go Paulowi.

Ale jego percepcja bywała niekiedy wręcz zdumiewająca. Ciekawe, czym się zdradziłam? – pomyślała Mystere, gdy Rillieux nagle stwierdził:

– Jestem bardzo łagodny… póki mnie ktoś nie sprowokuje. A w naszej rodzinie nikt niczego nie ukrywa przed innymi, zrozumiano?

A co z twoim prywatnym sejfem? – miała ochotę spytać, lecz tylko potulnie kiwnęła głową.

– Oczywiście – zapewniła. – Czy kiedykolwiek coś przed wami ukryłam?

– Chyba nie – przyznał. – Dobra z ciebie dziewczyna. Tylko za bardzo narwana, więc boję się twoich wyskoków. Zwłaszcza jeśli chodzi o twego brata Brama.

– Nie musisz się o to kłopotać.

– Mam nadzieję, że nie, kochanie… dla twojego dobra.

– Jego uporczywe, groźne spojrzenie przyprawiało ją o dreszcz.

– Jedynym grzechem, którego nie wybaczam, jest brak lojalności względem naszej rodziny.

– Ostrożnie, panno Rillieux – ostrzegł stangret pani Astor, podsadzając Mystere do landa. – Zapomniałem powiedzieć, że jest świeżo odmalowane. Mogłaby się panienka pobrudzić.

– Na litość boską – zrzędził Abbot, zajmując miejsce naprzeciw pań. – Po cóż ktoś miałby sam piec dla siebie chleb i jeszcze potem opisywać wierszem, jak doskonale mu się go trawi? Co za banialuki.

– A mnie bardzo się podobało podejście pani Hanchon – sprzeciwiła się Caroline. – Już prawie trzydzieści lat pracuje w misji metodystów wśród biedaków i wybornie poznała ich mentalność.

Mystere również przypadł do gustu odczyt *Kształtowanie samodzielności klas pracujących*. Ale wywody pani Hanchon na temat społeczności robotniczej w New Hampshire spowodowały natychmiastowy wybuch Pollarda, który gardłował przeciw „perfumowanym bigotkom lecącym na lep każdej utopii".

– Abbot, jesteś niepoprawny – strofowała go z pewnym roztargnieniem Caroline; jej uwaga skoncentrowana była na Mystere. – Pamiętaj, co mówiła pani Hanchon: to nędza jest godna pogardy, nie biedacy.

Co znaczy ta subtelna aluzja? – zastanawiała się Mystere. Czyżby była adresowana do mnie?

– Moja droga – odpowiedział Abbot – motłoch należy poskramiać, a nie rozzuchwalać!

Wygłosił tę sentencję, gdy mijali Grand Central – dworzec Vanderbilta na skrzyżowaniu Forty-second Street i Fourth Avenue. Na zegarowej wieży olbrzymimi literami wypisano „New York & Harlem R.R." Kiedy lando odjechało od krawężnika, Abbot rzucił szydercze spojrzenie na zajmującą powierzchnię aż czterech wielkich kompleksów mieszkaniowych budowlę. Wszyscy dobrze pamiętali wybuch wściekłości Pollarda, gdy dowiedział się o dokooptowaniu Vanderbiltów do nowojorskiej elity.

– A ty co o tym sądzisz, moja droga? – zwróciła się Caroline do Mystere. – Czy ubogich należy wspierać moralnie? Czy też są nieuleczalnie zdeprawowani, jak twierdzi Abbot?

Mystere znów poczuła lęk, że pani Astor bawi się w jakieś dwuznaczniki.

– Nie sądzę, by deprawacja moralna była wyłącznie domeną ubogich – odparła.

Pani Astor skinęła głową.

– Dobrze to ujęłaś! Weźmy choćby Księżycową Damę: wszystko przemawia za tym, że jest jedną z nas.

Serce Mystere zaczęło nagle galopować; gardło miała ściśnięte. Oni wiedzą, że to ja! – myślała z rozpaczą, starając się nie okazywać po sobie strachu. Z najwyższym wysiłkiem spojrzała w oczy Caroline Astor. Wczorajsze gazety narobiły wiele hałasu z powodu kradzieży broszki Sylvii Rohr.

– Tak – przytaknęła. – Księżycowa Dama to doskonały przykład. I taki nam bliski.

– Obie tylko dolewacie oliwy do ognia – upierał się Abbot. – Dajcie motłochowi palec, a on złapie całą rękę. Pomyślcie choćby o tym, o czym wrzeszczą teraz ci odrażający malkontenci z czwartego okręgu. Pieniądze z podatków od właścicieli ziemskich mają iść na subwencjonowanie publicznego transportu dla szerokich mas. Już nigdzie nie będziemy mogli schronić się przed nimi!

Gdy Pollard wygłaszał swą tyradę, Mystere patrzyła na dzieci o zapadłych piersiach, które stały na chodnikach i gapiły się na lando. Miały błędny, szklisty wzrok zagłodzonych, chorych istot. Sama była kiedyś jedną z nich, więc serce się jej wyrywało, by jakoś im pomóc. Cóż jednak mogła dla nich uczynić? Tylko sama znalazłby się w równie rozpaczliwej sytuacji albo trafiłaby do więzienia. Kiedy minęli potężny łuk przy Washington Square, pomyślała znów o Bellochu. Dysponował prawdziwą potęgą, zdobytą dzięki przedsiębiorczości i inteligencji! Jako jego przeciwniczka nie miała praktycznie żadnych szans.

Restauracja Delmonico's mieściła się przy Ladies' Mile, gdzie było tyle ogromnych wielopiętrowych sklepów, że ulica wyglądała jak kanion o urwistych zboczach. Maître d'hôtel osobiście zaprowadził ich do stołu nakrytego obrusem z kremowej koronki i lśniącego od kryształów i srebra.

Mystere, którą ściskało w żołądku, zamówiła tylko sałatkę z karczochów i zupę rakową. Kiedy kelner przyjął zamówienie i oddalił się, złożywszy uniżony ukłon pani Astor, znakomita matrona utkwiła stalowe oczy w swej towarzyszce.

Godzina wybiła, pomyślała Mystere z sercem w gardle.

– Moja droga – zaczęła Caroline Astor z pobłażliwą wyższością. – Jesteś młoda i brak ci rad doświadczonej niewiasty, której twoje dobro leżałoby na sercu. Twój stryj jest przemiłym człowiekiem i kocha cię jak córkę, ale to zawsze mężczyzna – tu zerknęła z lekceważeniem na Abbota – i nie zna się na pewnych subtelnościach związanych z... naszą kobiecą godnością.

Wielki ciężar spadł Mystere z serca. Nie była jeszcze pewna, do czego pani Astor zmierza, ale bez wątpienia nie był to kataklizm, którego tak się obawiała.

– Nie wolno ci zapominać – kontynuowała Caroline – jak łatwo stracić dobrą reputację. To, co dodałoby uroku mężczyźnie, dla kobiety może być przyczyną usunięcia z przyzwoitego towarzystwa. Czy rozumiesz, co mam na myśli?

– Chyba tak. Ma pani na myśli Rafe'a Bellocha – odparła Mystere.

Caroline skinęła głową.

– Minęły czasy, moja droga, gdy okazywano szacunek klasom uprzywilejowanym. Kiedyś nikt by się nie ośmielił komentować naszego prywatnego życia. Jednakże z winy Johna Gordona Benneta i jego okropnego „Heralda" sytuacja zmieniła się nieodwracalnie. Ten wstrętny człowiek ma szpiegów wśród naszej służby, jego reporterom udało się przeniknąć nawet na nasze prywatne spotkania.

– Przez tego łajdaka – zawtórował jej Abbot Pollard – nagonka na bogaczy stała się najpopularniejszym sportem.

– A teraz Lance Streeter zwrócił ogólną uwagę na ten... demonstracyjny flirt między tobą i Rafaelem – ciągnęła Caroline. – Musisz mieć się na baczności, moja droga. Podziwiam Rafe'a i dobrze wiem, jaki jest pociągający dla naszej płci. Obawiam się jednak, że jest również bardzo zuchwały i drwi z wszelkich konwenansów.

– Nie bawmy się w eufemizmy – burknął Abbot. – To grubiański prostak bez honoru.

– Jesteś dla niego zbyt surowy – zaoponowała Caroline. – Rafael ma własny kodeks honorowy, tyle że odmienny od naszego.

Abbot prychnął pogardliwie.

– Jeśli tak będziemy rozumować, to okaże się, że każdy kryminalista z Blackwell's Island jest człowiekiem honoru.

Zamilkli, gdy kelner podawał im lunch na pięknej porcelanie z Limoges – jasnobłękitnej, z kwietnym szlaczkiem. Ilekroć wahadłowe drzwi do kuchni otwierały się, Mystere zerkała na dumę zakładu: ogromny ceglany piec z miedzianym okapem, dzięki któremu dym i wszelkie zapachy ulatniały się natychmiast przewodem kominowym.

– Tak czy inaczej – podjęła pani Astor, kiedy zostali sami – musisz być bardziej stanowcza w stosunku do Rafe'a, moja droga. Daj mu wyraźnie do zrozumienia, że cenisz swoją cnotę, nawet jeśli on ją lekceważy.

Nim Mystere zdążyła odpowiedzieć, Abbot mruknął:

– A to pyszne!

Jego ironiczny ton wyraźnie sugerował, że nie była to pochwała lunchu. Obie panie zwróciły wzrok w stronę, gdzie i on spoglądał. Mystere poczuła, że się rumieni: Rafe Belloch wkraczał właśnie do sali jadalnej z uwieszoną mu na ramieniu Antonią Butler. Zdumiała się, odkrywszy, że jej pierwszą reakcją nie był strach, tylko zazdrość.

Caroline nie wyglądała na zachwyconą widokiem Antonii wpatrującej się w Rafe'a z jawnym uwielbieniem. Jednak Mystere nie miała czasu na zastanawianie się nad reakcją pani Astor. Rafe dostrzegł ich i zmierzał ze swą towarzyszką prosto do ich stolika.

– Przykro mi, stary – rzekł Pollard z jawną pogardą w głosie. – Nie ma tu miejsca dla dwóch osób więcej.

Caroline spiorunowała go wzrokiem za tę grubiańską uwagę.

– Doprawdy, Abbot – zaoponowała – nie przesadzaj.

Abbot zaczerwienił się i z trudem przełknął ślinę. Jabłko Adama wyraźnie mu podskoczyło.

– Dzięki za kordialne zaproszenie, ale nie możemy skorzystać – odparł Rafe. – Zarezerwowałem pokój na górze.

Caroline Astor zmierzyła wzrokiem Antonię. Wszyscy wiedzieli, w jakim celu wynajmowano w Delmonico's prywatne pokoje na górze. Po zamknięciu drzwi rzadko poświęcano tam wiele uwagi rozkoszom stołu.

Antonia, by pokryć zdenerwowanie, zaczęła o czymś paplać z Caroline. Abbot z posępną miną wpatrywał się w talerz. Mystere poczuła na sobie uporczywy wzrok Rafe'a.

Stanął za jej krzesłem i niemal przytknął wargi do jej ucha.

– Księżycowa Damo – wyszeptał.

Nim się wyprostował, musnął jej ucho koniuszkiem języka. Ten dotyk powinien wzbudzić w niej wstręt lub gniew, ale ogarnęła ją tylko fala gorąca.

Belloch pożegnał się z Caroline, znów ujął Antonię za ramię i skierował się wraz z nią w stronę schodów.

– Antonia i Rafe – powiedział Abbot z namysłem. – No cóż, może ci plotkarscy reporterzy odczepią się teraz od pani, Mystere.

– Nie przywiązywałabym większej wagi do tego, cośmy właśnie zobaczyli – ostrzegła go Caroline. – Rafe Belloch to skomplikowany człowiek i nieraz zmierza krętą drogą do obranego celu.

Oczy znamienitej matrony spoczywały na Mystere, kiedy dorzuciła:

– Zaczynam podejrzewać, że zależy mu przede wszystkim na wywołaniu publicznego skandalu.

Mystere odzyskała wreszcie głos.

– Ależ pani Astor! Czemu miałby dążyć do czegoś tak ryzykownego i bezsensownego?

– Ryzykantem jest z natury, podobnie jak jego ojciec, którego to właśnie zgubiło. A bezsensowne? Może jego zdaniem wcale takie nie jest.

Mystere chciała spytać, w jaki sposób ojciec Rafaela sam na siebie ściągnął zgubę, ale Abbot odezwał się pierwszy.

– Belloch chce uchodzić za męczennika idei – powiedział z gryzącą pogardą. – I szlachetnego mściciela dawnych krzywd.

– Jakich krzywd? – zainteresowała się Mystery.

– Nieważne, to bardzo stare dzieje – zbyła ją Caroline. – Musisz mi coś obiecać, moja panno!

– Co takiego?

– Obiecaj, że na balu u Addisonów nie będziesz się tak afiszować z Rafe'em Bellochem.

Mystere poczuła, że jej twarz oblewa gorący rumieniec.

– Przecież to nie ja mu się narzucam!

– Moja droga, mężczyźni są agresywni z natury, zwłaszcza Amerykanie. Utrzymanie ich w karbach należy do kobiet. Jesteś młoda i niedoświadczona...

– Czego nie da się powiedzieć o Antonii – wtrącił się Pollard.

– Jest młoda i owszem, ale doskonale zna się na rzeczy. Pomyśleć tylko, zgodziła się iść z nim na górę, mała puszczalska! Na oczach wszystkich!

– Jeśli jeszcze raz mi przerwiesz, Abbot – zagroziła pani Astor z zimną stanowczością – to moja w tym głowa, żebyś nigdzie w Nowym Jorku nie dostał kredytu.

Pollard zbielał niczym rybi brzuch.

Mystere znów poczuła ukłucie zazdrości i gniew na myśl o nieprzystojnych poufałościach, na jakie sobie Rafe pozwalał – i to z dziewczyną, której nie mogła znieść!

Caroline raz jeszcze zwróciła się do niej:

– Obiecaj mi, że zdławisz ten skandal w zarodku, moja droga – rzekła. – Podziwiam Rafe'a Bellocha, ale nie będę patrzeć obojętnie na to, jak wiedzie cię do zguby. Przyrzeknij mi, że nie dopuścisz do tego, by bal u Addisonów... i twoja reputacja zostały zrujnowane.

Nawet w tym momencie, miotana sprzecznymi uczuciami, Mystere uświadomiła sobie ironię sytuacji. Caroline najwidoczniej nawet nie przyszło do głowy, że impreza mogłaby zostać zrujnowana, a skandal wybuchnąć z winy Księżycowej Damy. Czemu była taka tego pewna?

– Obiecuję – odparła z całą szczerością. – Będę unikać Rafaela Bellocha. A jeśli on nie zechce trzymać się ode mnie z daleka, wybiję mu z głowy zalecanki – i to bardzo zdecydowanie!

17

W piątek rano Mystere zakończyła pakowanie swego „awaryjnego bagażu", jak go nazywała. Utykała właśnie pachnące saszetki pomiędzy ubrania, gdy ktoś zapukał do drzwi jej garderoby.

– Chwileczkę! – zawołała, rozpoznając stukanie Paula. – Nie jestem jeszcze ubrana.

Pośpiesznie zamknęła skórzany kuferek i z pewnym wysiłkiem zaciągnęła go za parawan, a potem przeszła do sąsiadującej z garderobą sypialni.

– Dzień dobry – powitała Paula. – Wcześnie dziś wstałeś.

Musnął jej policzek suchymi wargami.

– Mógłbym to samo powiedzieć o tobie. A cóż to takiego? Znowu włożyłaś tę okropną czarną kieckę? Masz przecież odgrywać podlotka, a nie zaniedbaną wdowę.

– Lubię czarne stroje – skłamała. W rzeczywistości postanowiła wdziać wdowie szaty, żeby jej nikt nie poznał, gdy wybierze się na poszukiwanie pokoju. Czepek z welonem i tym razem ukryła w wyplatanej torbie.

– Niech każdy robi, co mu serce dyktuje – skomentował uprzejmie, lecz coś w jego tonie ostrzegło Mystere, że nie wszystko jest w porządku.

– Co się stało, Paul?

– No, no, uspokój się, moja droga. Może to nic takiego. Usiądźmy, dobrze? Stare kości szybciej się męczą.

Usadowili się na dwóch wyściełanych mahoniowych krzesłach.

– Wiesz, że opłacam kogoś z policji, kto mi dostarcza informacji? – zaczął Rillieux.

Mystere skinęła głową.

– Okazało się – kontynuował Paul – że ten specjalny zespół, powołany do wytropienia Księżycowej Damy, chce zastawić na nią pułapkę.

– Pułapkę? Jak to? To znaczy… jaką pułapkę?

Paul potrząsnął głową.

– Trzymają to w ścisłej tajemnicy. Ale coś się szykuje. W zeszłym tygodniu inspektor Byrnes złożył wizytę pani Astor i kilku innym osobom z jej kręgu. Obawiam się, że mogą zorganizować tę zasadzkę jutro, podczas balu u Addisonów.

Były to bardzo złe nowiny, ale nie śmiertelny cios, przed którym drżała: pełny raport z Nowego Orleanu, demaskujący ją i Paula jako oszustów.

– Niestety – ciągnął dalej Rillieux – nasz człowiek nie stoi zbyt wysoko w hierarchii służbowej i nie mógł dostarczyć dokładniejszych informacji. Niewątpliwie jednak coś wisi w powietrzu.

Doszedłem więc do wniosku, że Księżycowa Dama powinna zakończyć swoją działalność... albo przynajmniej ją zawiesić.

Cóż za ironia losu, pomyślała Mystere. Taka sugestia byłaby jak najbardziej pożądana, gdyby nie to, że postanowiła zatrzymać następny łup dla siebie. Potem zaś zamierzała zawiesić działalność Księżycowej Damy.

– A co z naszymi finansami? – spytała. – Czy stać nas na wycofanie Księżycowej Damy z obiegu?

– Czy stać nas na to? Oczywiście, że nie! Widziałaś przecież nasze rachunki. Za sam czynsz płacimy Bóg wie ile. W dodatku teraz, kiedy Hush zamieszkał z nami, nie możemy już liczyć na to, co nam przyniesie.

– Więc... co zrobimy?

– Co zrobimy? No cóż, na razie częściej będziemy posyłać Evana i Baylisa na robotę. To okres wakacji i wiele bogatych rezydencji nie jest dostatecznie strzeżonych.

– Wiesz przecież, co się zdarzyło ostatnim razem – przypomniała mu Mystere. – Służąca omal ich nie przyłapała na gorącym uczynku.

– No cóż, sądzę, że Rose i Hush zaczną znowu pracować na ulicy. Mam pewne opory, bo ktoś mógłby ich rozpoznać. Należą przecież do naszej służby. Ale nie widzę innego wyjścia.

– To tylko chwilowe rozwiązanie – zauważyła, obserwując go bacznie. – Ale co będzie potem? Wrócimy do rozboju na ulicach?

Rillieux potrząsnął siwą głową.

– Oczywiście, że nie! A przynajmniej nie ty. Masz inne, bardziej zyskowne i bezpieczne wyjście; wystarczy, że wykorzystasz swoje nieprzeciętne wdzięki.

Straszne podejrzenie wzbierało w niej niczym lodowa kula.

– Inne wyjście? Jakie?

– Na przykład poślubienie Rafe'a Bellocha – odparł z brutalną szczerością.

Mystere miała ochotę roześmiać mu się prosto w nos, takie jej się to wydało groteskowe i niedorzeczne. Ale tylko potrząsnęła głową, chcąc koniecznie przekonać Rillieux, jak bardzo się myli.

– Paul, ciągle ci powtarzam, że Rafe Belloch ani myśli o ożenku.

– Ale...

– Wiem, wiem, jest mną bardzo zainteresowany. Twierdzisz, że mnie pożąda, i może coś w tym jest. Ale sama żądza nie doprowadzi nikogo do ołtarza.

– Owszem, może doprowadzić, w połączeniu z groźbą skandalu.

Gorący rumieniec oblał jej twarz i szyję.

– To już wolę rabować z bronią w ręku!

– Tam, gdzie chodzi o pieniądze, Mystere, nie ma miejsca na hipokryzję. Myślisz, że John Jacob Astor albo Cornelius Vanderbilt dorobili się fortun, nie brudząc sobie rąk? A masz pojęcie, ilu ludzi ginie w kopalniach, żeby w Nowym Jorku damy z wyższych sfer mogły się popisywać swoim złotem i brylantami? Przyznam zresztą, że niewiele mnie to wzrusza.

– Nawet gdybym zdołała uwikłać Rafe'a w skandal, nawet gdybym chciała za niego wyjść, i tak nic z tego nie będzie!

– A to dlaczego?

– Przede wszystkim dlatego, że on chce mnie zniszczyć, nie uwieść. Zamierza zniszczyć nas oboje, Paul, ciebie i mnie.

– W takim razie dlaczego przy każdej okazji wywołuje plotki na wasz temat? Pełno ich w gazetach. Przecież to nie jakiś elegancik z branży teatralnej, któremu skandale tylko dodają uroku. To właściciel wielkiej korporacji! Czemu miałby narażać swoje interesy na szwank z powodu wymysłów jakichś pismaków?

– Nie potrafię na to odpowiedzieć, bo nie mogę zajrzeć mu do duszy… jeżeli ją w ogóle posiada. Ale to z pewnością nie jest człowiek, którym można manipulować – przekonywała błagalnym tonem.

– To dla ciebie jedyne wyjście – odparł kategorycznym tonem.

Po plecach Mystere przebiegł dreszcz. Dobrze znała ten ton: nie zapowiadał niczego dobrego.

W piątek wczesnym popołudniem wynajęła niewielki, ale stosunkowo czysty pokój w domu pod numerem 720 na Centre Street. Mieszkała w tej okolicy głównie zubożała inteligencja. Domy podzielono na oddzielne pokoje i mieszkania.

Mystere przedstawiła się jako Lydia Powell; wyjaśniła, że po śmierci męża, który zginął niedawno podczas wybuchu parowca na rzece Hudson, sprzedała ich dom w Brooklynie. Właścicielka pensjonatu początkowo domagała się referencji, jednakże czynsz za cały miesiąc z góry oraz nobliwy wygląd i maniery młodej wdowy skłoniły ją do zmiany zdania. Jeszcze bardziej życzliwie nastawił ją fakt, że choć Mystere nie zamierzała jadać posiłków wraz z resztą pensjonariuszy, nie zażądała obniżenia czynszu.

Kiedy klucz znalazł się już w jej woreczku, a pensjonat pozostał w tyle, Mystere zdjęła niewygodny czepek z welonem i schowała go do torby. Nie obawiała się już, że ktoś ją rozpozna.

Miała jeszcze jedno niemiłe zadanie do wykonania. Ostatnio Paul nie był dla niej szczodry, a większość gotówki poszła na wynajęcie pokoju. Zaniosła więc kilka sztuk swojej biżuterii do wyceny. W centrum dzielnicy handlowej był pewien lombard cieszący się dobrą opinią; dowiedziała się o nim od Paula. Właściciel zakładu skupował dyskretnie ładne sztuki biżuterii.

Cóż za ironia losu, pomyślała Mystere. Księżycowa Dama wyprzedaje się z klejnotów.

Grom uderzył rankiem w dniu balu u Addisonów. Dopiero poniewczasie, kiedy już było za późno na ratunek, Mystere uświadomiła sobie, że było to ostrzeżenie przed następnym, większym nieszczęściem. W pierwszej chwili jednak czysta desperacja i niepokój zmąciły jej jasność widzenia.

Zeszła na dół wcześnie, gdyż zamierzała odwiedzić bibliotekę Columbia College w centrum Manhattanu i spędzić kilka godzin, zgłębiając tajemnice heraldyki. Przeczytała niedawno, że biblioteka wzbogaciła się o nową kolekcję herbów, i miała nadzieję odnaleźć wśród nich ten, który umieszczono na nadruku listu do jej ojca.

Już schodząc po schodach, usłyszała podniesiony głos Husha, jakby się z kimś wykłócał. Kolejna sprzeczka z Evanem albo Baylisem, pomyślała w pierwszej chwili. Żaden z nich nie lubił chłopca, uważali go za rozpaskudzonego przez „szefa" bachora. Mystere przyspieszyła kroku, chcąc ich uspokoić, nim obudzą Paula. Ale dotarłszy do frontowego holu, usłyszała donośny, kłótliwy i całkiem jej nieznany głos.

– Zamknij gębę, bezczelny szczeniaku, bo pożałujesz! Sprowadź tu pannę Rillieux, i to już!

– Ani myślę – opierał się stanowczo Hush – póki się nie dowiem, o co chodzi.

– Ach ty gówniarzu, ja ci…

– Dość tego! – zawołała Mystere, zbiegając ku nim. – Proszę zostawić chłopca w spokoju.

Hush opierał się ramieniem o drzwi frontowe, starając się nie wpuścić do wnętrza niesympatycznego mężczyzny, którego nigdy dotąd nie widziała. Obcy był niemal tak zwalisty jak Evan, miał ciemną cerę i wielkie bokobrody o barwie mokrego piasku.

– No, no – mruknął intruz. – Jaśnie panienka we własnej osobie. Mystere Rillieux, co?

– Owszem. Czy my się znamy? – spytała z naciskiem.

Hush odezwał się pierwszy.

– To Sparky, Mys… znaczy się, panienko. Ten, o którym już ci mówiłem, pamiętasz?

Przez chwilę nie miała pojęcia, o kogo chodzi. Potem sobie przypomniała.

– A, przyjaciel Lorenza Perkinsa.

– Raczej wspólnik w interesach, paniusiu – uściślił Sparky.

– Dlaczego wdziera się pan do naszego domu? – spytała, choć dobrze wiedziała, że przyszedł ją szantażować.

– No, no, nie strugaj mi tu wielkiej damy, panieneczko.

Sparky wepchnął się do holu. Mimo wysokiego wzrostu i niewątpliwej krzepy cerę miał niezdrową, pożółkłą jak stara kość.

Eleganckie i zbytkowne wnętrze chyba go nieco onieśmieliło, bo przestał miotać obelgami.

– Proszę powiedzieć, o co chodzi – rzekła Mystere stanowczym tonem, choć kolana uginały się pod nią ze strachu.

Sparky wyciągnął z kieszeni wystrzępionej, poplamionej bluzy złożoną kartkę.

– Rozchodzi się o to – zaczął znów butnym tonem – że mam to zanieść jednemu nadzianemu gościowi od kolei, którego oboje znamy. Ostatnio sporo piszą o was w gazetach.

Mystere wzięła kartkę z rąk Sparky'ego, cofnęła się o kilka kroków i rozłożyła arkusik. List był napisany czarnym atramentem, drukowanymi literami. Nie brakowało kleksów i choć było tylko kilka błędów ortograficznych i gramatycznych, całość brzmiała infantylnie i napuszenie zarazem.

„Szanowny panie Belloch!

Jestem detektywem i wpadła mnie przypadkiem w ręce ciekawa rzecz na temat jednej młodej damulki. Może się to panu przydać. Czemu na ten przykład ta panienka szuka brata, któren się nazywa całkiem inaczej? I dlaczego jak załatwia ze mną interesy to chodzi do parku w przebraniu? I jak z niej taka wielka dama, to czemu tego brata zawlekli na statek, żeby służył za prostego majtka? Jak panu trzeba więcej informacji, to proszę się ze mną skątaktować pod Amos Street 21.

Kreśle się z poważaniem
L. Perkins"

Kiedy Mystere czytała, Hush przysunął się do niej bliżej.

– Sparky i tamten drugi – przypomniał jej szeptem – chcą ubić jakiś interes we włoskiej dzielnicy. Z małpami i katarynką.

Mystere skinęła głową i złożyła list. Przekonała się, że niewprawni szantażyści niewiele o niej wiedzą. Prawdę mówiąc, nic prócz tego, co sama – o ironio losu! – zdradziła Perkinsowi. Biorąc jednak pod uwagę niewątpliwą chęć zemsty Bellocha, mogła być pewna, że wykorzysta on nawet ten nikły ślad, by dowiedzieć się czegoś więcej na jej temat.

– Pięć setek gotówką – zażądał Sparky. – Może mi paniusia zapłacić od ręki albo zanieść Lorenzowi pod fontannę o piątej po południu. Inaczej list dotrze do Bellocha.

Najwyraźniej, ubolewała w duchu Mystere, czując straszny zamęt w głowie, Perkins nie zląkł się ujawnienia jego małżeńskich grzeszków. Choć pewnie wcale nie był zawodowym detektywem, miał widocznie dość sprytu na to, by pojąć, że zdradzając jego sekrety, wydałaby się także ze swoimi. A miała do stracenia znacznie więcej niż on.

– To chyba żart! – oświadczyła Sparky'emu.

Wyrwał jej list.

– Żart, co? No to opowiemy ten żart Bellochowi.

– To olbrzymia suma – protestowała. – Nie mam tyle pieniędzy.

– Co paniusia powie? – nalana twarz Sparky'ego wykrzywiła się w drwiącym uśmiechu. – Nie mnie brać na takie plewy!

Wtargnął do wnętrza holu na tyle głęboko, że mógł podziwiać perski dywan i ozdobny marmurowy stolik na listy w pobliżu drzwi.

– Daj spokój, złotko. Widzę przecie, jak mieszkasz. To prawdziwy pałac. Nie bądź skąpiradłem, nie chcemy znowu tak dużo.

– Pięćset dolarów to niedużo? – odparowała, ogarnięta paniką. Wszystko to nie podobało się Hushowi i miał już to powiedzieć, lecz Mystere uciszyła go, kładąc mu rękę na ramieniu. Postanowiła grać na zwłokę. Gdyby mogła zatkać im gębę do czasu, gdy zdobędzie pierścionek Antonii, zdołałaby umknąć przed groźbami, które sypały się na nią ze wszystkich stron.

– Nie mogę zapłacić wszystkiego od razu – powtórzyła. – Przyślę po południu Husha pod fontannę z częścią pieniędzy.

– Ile tego będzie? – dopytywał się Sparky.

– Pięćdziesiąt dolarów.

– To za mało.

– W porcie wyładowujesz beczki przez cały dzień za jednego dolca – warknął gniewnie Hush.

– Zamknij się, bezczelny szczeniaku! – wrzasnął Sparky.

– Pięćdziesiąt dolarów – powtórzyła Mystere. – Reszta potem.

– Kiedy?

– Niedługo. Jak tylko zbiorę taką sumę.

Sparky udawał, że rozważa propozycję. Mystere wiedziała jednak, że nie oprze się pokusie.

– No, dobrze, do piątej – powiedział. – Gotówką. I bez żadnych sztuczek, złotko, bo Belloch dowie się o wszystkim.

– O jakim znów „wszystkim"? – spytała wyzywająco, patrząc mu prosto w przekrwione oczy.

– Jeszcze się stawia! – burknął. Ale bezpośrednie pytanie Mystere ujawniło jego blef, wyszedł więc śpiesznie. Mystere wiedziała jednak, że nawet jeśli ten list był jedyną bronią szantażystów, mógł stać się prawdziwym zagrożeniem w rękach Rafe'a Bellocha, którego stać było na wynajęcie roju detektywów o wiele bardziej kompetentnych niż Lorenzo Perkins.

Do tej pory udało jej się stawić czoło niebezpieczeństwu. Lecz w chwili, gdy Hush zamknął drzwi za nieproszonym gościem, ogarnęła ją skrajna rozpacz. Nogi zaczęły jej drżeć.

– Mystere! – zawołał Hush, gdy potknęła się i omal nie upadła. Ujął ją za ramię i podprowadził do wygodnego staroświeckiego fotela koło telefonu. – Może podać ci jakieś lekarstwo?

Chłopiec pobladł z niepokoju. Mystere poklepała go po policzku.

– W narożnej szafce w saloniku jest koniak. Bądź tak miły i przynieś mi kieliszek, dobrze?

Hush skinął głową i pobiegł do małego salonu. Czemu życie tak się poplątało? – rozmyślała posępnie Mystere. Przecież to, czego pragnęła, było takie proste. Chciała tylko odnaleźć brata i dowiedzieć się czegoś o swojej rodzinie. Bez Brama została samiusieńka na tym okrutnym świecie, a bez nazwiska była pozbawiona swoich korzeni.

Złe moce wyraźnie sprzysięgły się, by zagmatwać sprawę jeszcze bardziej – i to w brutalny sposób. Wizyta tego łotra była najlepszym dowodem.

– Napij się, Mystere.

Troskliwy Hush podał jej kieliszek koniaku. Niepokój na twarzy chłopca wzruszył ją. Postawiła kieliszek na stoliku obok i uścisnęła dzieciaka.

– Chcę, żebyś dobrze zapamiętał to, o czym ci już mówiłam – powiedziała. – Chłopak z porządnym wykształceniem może zdobyć uczciwy zawód. Taki, z którego będzie dumny. A ty jesteś bystry i masz takie dobre serce.

– Co było w tym liście, który ci pokazał?

– Mniejsza o to. Obiecujesz, że będziesz się dalej uczył, choćby nie wiem co?

Skinął potakująco głową.

– Przyrzeknij mi jeszcze jedno. Gdyby… Gdybyśmy wpadli w kłopoty… z policją, powinieneś mówić prawdę. Przyznać, że to Paul przyuczał cię do kradzieży.

– Kłopoty? – powtórzył. – Grożą nam jakieś kłopoty, Mystere?

– Możliwe. Ale jeśli będziesz mówił prawdę i okażesz należny szacunek wobec prawa, nic ci się nie stanie. Obiecujesz, że tak zrobisz?

Znów skinął głową, ale bez entuzjazmu.

– A co z tobą, Mystere? Też ci się nic nie stanie?

– Mam nadzieję – odparła szczerze. – Znasz tę dużą fontannę w parku?

– Z aniołem?

– Tak.

– Dam ci później pieniądze. Zaniesiesz je panu Perkinsowi. Temu wąsaczowi, którego śledziłeś.

Na razie trzeba zapomnieć o poszukiwaniach, pomyślała ze smutkiem. Zamiast tego musi odwiedzić sklep na Broadwayu i sprzedać swoje ulubione złote kolczyki z wielkimi czarnymi perłami. Wyceniono je już na pięćdziesiąt dolarów.

– Ci dwaj nie mają prawa ci grozić! – oświadczył gniewnie Hush.

– Nie przejmuj się tym – powiedziała łagodnie. – Nic złego nam się nie stanie. Ani mnie, ani tobie.

Ale oczyma wyobraźni widziała przystojną, okrutną twarz Bellocha i jego oskarżycielski wzrok. Nawet rozgrzewający koniak nie mógł pokonać przejmującego ją lodowatego strachu.

18

Emerytowany sędzia Sądu Najwyższego James Addison i jego żona Lizet spędzali każdą zimę w swojej willi w Mexico City. Do rezydencji przy górnej Sixth Avenue powracali pod koniec kwietnia. Urządzany przez nich co roku letni bal był jedną z ulubionych imprez pani Astor i grona jej wybrańców, między innymi dlatego, że zawsze uczestniczyli w nim znakomici goście z zagranicy. Nowojorczycy, nazywani w wyższych kręgach paryskich czy londyńskich „nieokrzesanymi prostakami", koniecznie chcieli udowodnić, iż są obywatelami cywilizowanego świata.

Mystere z radością witała całe to podniecenie i zamieszanie, gdyż odwracało uwagę zarówno prasy, jak i opinii publicznej od Księżycowej Damy i plotek Lance'a Streetera. Zwłaszcza dziś, gdy mieli być obecni księstwo Granville, reprezentujący wielką fortunę i starożytny tytuł.

Wkrótce po przybyciu Paul i Mystere zostali przedstawieni księciu i księżnej. On wprost tryskał młodzieńczą energią, podczas gdy jego urocza żona promieniowała bardziej dyskretnym, ale równie naturalnym wdziękiem. Mara Sheridan była kruczowłosą Amerykanką irlandzkiego pochodzenia. Urodą dorównywała starszemu bratu Trevorowi, nie odziedziczyła jednak osławionego wybuchowego usposobienia Sheridana ani jego ponurego krytycyzmu.

Mystere oczarowała zarówno księcia, jak i księżnę, która dwukrotnie komplementowała jej suknię bez rękawów w kolorze miętowego likieru. Paul natomiast wprawił ją w zdumienie: był zamknięty w sobie, a nawet odciągnął „bratanicę" od towarzystwa, zanim skończyła rozmowę z księżną.

– Nie możemy zbyt długo marudzić, inni goście czekają – mruknął.

– Ależ Paul! Księżna zadała mi pytanie, a ty przerwałeś nam w pół zdania. Uznała to za niegrzeczność, poznałam po jej minie.

– Och, mniejsza o nią! Mam ci coś ważniejszego do pokazania.

Kiedy oddalili się od reszty gości czekających w kolejce na przedstawienie ich książęcej parze, lokaj poprowadził ich do sali balowej. Paul pochylił się i szepnął Mystere do ucha:

– Na galerii obok orkiestry jest inspektor Byrnes; nie patrz w tamtym kierunku. Chodzą słuchy, że wśród służby jest dziś wielu jego ludzi w przebraniu. Spójrz na te wszystkie świecidełka wystawione na pokaz. Możemy być w rozpaczliwym położeniu, moja droga, ale nie ulegnij przypadkiem pokusie.

– Możesz być pewien, że się powstrzymam – obiecała i była w tym momencie szczera. Rozejrzawszy się pośpiesznie po sali, odkryła dwa pocieszające fakty: Rafe Belloch nie był obecny, ale Antonia tak. Jej pierścionek rzucał się od razu w oczy.

Wkrótce niepokój Mystere i tłumione dotąd emocje sprawiły, że wszystko nabrało niepokojących rysów; nawet te okoliczności, które przed chwilą wydały się jej sprzyjające. Chociażby nieobecność Rafaela. Może otrzymał w końcu wieści z Nowego Orleanu? Jeżeli tak, jego nieobecność mogła być elementem pułapki, o której wspomniał Paul. Nie pokazał się umyślnie, by poczuła się bezpieczna. A to by oznaczało, że w oczach policji jest już podejrzana.

Musiała rozważyć, co lepsze: realne niebezpieczeństwo czy coraz bardziej rozpaczliwa sytuacja. Przeświadczenie Paula, że Rafe może wybawić ich z kłopotów finansowych, było jawnym absurdem. Pozostawała więc alternatywa: ukraść pierścionek Antonii albo biernie czekać na zdemaskowanie, pojmanie, upokorzenie i uwięzienie.

Mystere krążyła wśród olśniewającego tłumu, starając się wtopić w tło. Zatańczyła dwa razy: walca z prawnikiem o nazwisku George Templeton Strong oraz o wiele dłuższego kadryla ze sztywnym kadetem marynarki, który poczerwieniał jak burak, gdy chłodno odrzuciła jego próbę flirtu. Tylko tego brakowało, żeby ktoś plątał się koło niej przez cały wieczór!

Pozostawszy znów sama, podeszła do baru i poprosiła o szklankę lemoniady. Abbot Pollard, już po trzech czy czterech koktajlach (sądząc z niepewnego chodu), pojawił się nagle u jej boku.

– Wypatrzyłem Lance'a Streetera w tłumie tych pismaków na zewnątrz – oznajmił na powitanie. – Wygląda na to, że sprawi mu pani dziś zawód. Gratuluję!

– Czegoż to?

– Łatwości, z jaką pozbyła się pani tego wulgarnego prostaka Rafe'a Bellocha. Dokładnie tak, jak to doradzaliśmy z Caroline. Grzeczna dziewczynka.

– Pozbyłam się go? Wcale nie musiałam, po prostu nie przyszedł.

Abbot prychnął pogardliwie.

– Nie przyszedł? Wobec tego musi mieć brata bliźniaka, który właśnie obtańcowuje Carrie.

Całkiem zbita z tropu Mystere spojrzała we wskazanym kierunku. I nagle wśród tańczących par dostrzegła Rafaela i Carrie.

Natychmiast w jej głowie rozległy się alarmowe dzwonki. Nie zdarzało się często, by przegapiła czyjeś przybycie. Zwłaszcza że ów mężczyzna był dla niej uosobieniem groźnej Nemezis – bogini zemsty. Jej czujność wyraźnie osłabła. Nie mogła sobie na to pozwolić tej ostatniej nocy. Znów zadrżała ze strachu na myśl o zastawionej pułapce.

– Czy zjawił się dopiero przed chwilą? – spytała Abbota.

– Nie mam zielonego pojęcia i nic mnie to nie obchodzi. Trzymaj się tylko tak jak dotąd, kochanie. Niech diabli porwą pieniądze Bellocha! Co taki straganiarz robi między nami, na rany boskie?!

W miarę upływu czasu Mystere przekonywała się coraz wyraźniej, że to nie ona, zgodnie z daną pani Astor obietnicą, unika Rafe'a, ale on jej. Tylko jego przenikliwe oczy ścigały ją nieustannie.

Najwyraźniej przyczepił się na dobre do Carrie, tańcząc z nią raz po raz mimo gniewnych, oskarżycielskich spojrzeń Antonii Butler. Lecz pani Astor najwyraźniej postanowiła pokrzyżować mu plany. Gdy orkiestra umilkła, pośpieszyła z interwencją, skłaniając Rafe'a do zatańczenia z księżną, Carrie zaś z księciem.

Obojgu znamienitym gościom nowi partnerzy wyraźnie przypadli do gustu.

Paul zdołał odłączyć się na chwilę od grupki otaczającej Caroline i zamienić z Mystere kilka słów na osobności.

– Chcesz wszystko popsuć? – oskarżył ją gwałtownym szeptem.

– O czym ty mówisz?

– O Bellochu, głuptasie. Nie widzisz, że flirtuje z Carrie, by wzbudzić w tobie zazdrość? Podejdźże i pogadaj z nim.

– Ani mi się śni. A poza tym twoja władczyni, pani Astor, wyraźnie kazała mi go unikać.

– Doskonale – mruknął z ledwie powstrzymywanym gniewem. – Wylądujemy przez ciebie w przytułku dla ubogich... albo jeszcze gorzej.

– To nie ja trwonię pieniądze przeznaczone na dom na niepotrzebne udawanie bogacza.

– Taki blichtr jest niezbędny do naszej roli – odparł i dorzucił zjadliwie: – ty mała idiotko!

– Ty stary głupcze!

Zapanował nad wyrazem twarzy ze względu na otoczenie i odszedł pośpiesznie. Mystere znalazła słabo oświetlony kącik, z którego mogła obserwować wszystko, udając, że przygląda się tańczącym. Podejrzewała, że Rafe lada chwila uwolni się od księżnej Granville i zjawi się koło niej, by znów dręczyć Księżycową Damę.

Sprawił jej jednak niespodziankę. Minęło około półtorej godziny od rozpoczęcia balu, gdy Mystere stwierdziła, że Rafael po prostu zniknął. Zdarzało mu się to nie pierwszy raz, bo rzadko zważał na konwenanse i wymykał się „po angielsku". Jednak pani Astor również zauważyła jego zniknięcie; rozglądała się po zebranych ze zdumioną miną.

Mystere nie mogła uwierzyć, że Rafe dał za wygraną i przestał ją dręczyć. Jeśli miał to być element pułapki, to na czym ona polegała? Po ulotnieniu się Rafe'a nikt nie zwracał na Mystere uwagi. Miło było czuć się niemal niewidzialną.

A może chodzi właśnie o to, bym poczuła się swobodnie, rozważała. Zaczęło jej się nagle wydawać, że część gości obserwuje ją ukradkiem.

Bzdura, mówiła sobie w duchu. Czy naprawdę sądzisz, że wszyscy się sprzysięgli, żeby cię schwytać? Może nawet książę i księżna należą do spisku, co? Paul ma świętą rację: jesteś idiotką! W zamęcie tych sprzecznych myśli ledwie dostrzegła, że jakiś pan ze starannie przystrzyżonym wąsem wynurza się z tłumu i podchodzi do niej.

– Czy dobrze się pani czuje, panno Rillieux? – spytał troskliwie inspektor Byrnes. – Taka pani blada.

Przez chwilę trwoga ścisnęła ją za gardło. Potem uświadomiła sobie, że gdyby rzeczywiście policja zastawiła sieci właśnie na nią, kierujący akcją detektyw z pewnością nie wdałby się z nią w rozmowę, zwracając na siebie jej uwagę.

– Wszystko w porządku, panie inspektorze. Dziękuję za troskę. To miło z pańskiej strony. Trochę mnie boli głowa. Wezmę proszek, gdy tylko wrócę do domu.

– A może przynieść pani kieliszek szampana? Mojej żonie dobrze to robi przy bólu głowy.

– O, tak, bardzo panu dziękuję. Chyba właśnie tego mi trzeba.

Ruszył po szampana, a Mystere poczuła, że wraca jej pewność siebie. Powiedziała sobie znowu, że inspektor nie podszedłby do niej, gdyby była podejrzana. Byrnes wrócił z trunkiem i oboje gawędzili jeszcze o tym i owym przez kilka minut. Potem – jak wypadało żonatemu mężczyźnie rozmawiającemu z niezamężną kobietą – inspektor pod jakimś pretekstem odszedł. Mystere znów została sama.

Podniesiona na duchu skoncentrowała uwagę na Antonii i jej olśniewającym pierścionku. Znalazła sobie idealny punkt obserwacyjny przy tylnej ścianie galerii; była częściowo zasłonięta wielką harfą o pozłacanych strunach. Każdy obserwator ujrzałby tylko niewinny obrazek: młodą kobietę dotykającą bezwiednie strun, gdy z wyraźną przyjemnością przyglądała się tańczącym parom.

W rzeczywistości Mystere bacznie obserwowała zebranych, śledząc zwłaszcza Antonię, która nie tańczyła już z księciem.

W końcu nadszedł, jak się zdawało, odpowiedni moment.

Antonia, zapewne dotknięta obojętnością Rafe'a, który przedłożył nad nią Carrie, nie żałowała sobie wina. Nigdy nie brakowało jej partnerów, toteż i teraz z ożywieniem flirtowała z tym samym młodym kadetem, którego zaloty Mystere odrzuciła.

Prawdopodobnie jego mundur do tego stopnia uśpił obawy policji co do bezpieczeństwa szmaragdu, że prawie nikt nie spoglądał w ich stronę.

Nie wystarczyłby jednak odpowiedni moment, gdyby Antonia nie zdejmowała pierścienia. Mystere była bardzo utalentowana, a Rillieux gruntownie ją przeszkolił, lecz nawet ona nie zdołałaby niepostrzeżenie ściągnąć komuś pierścionka z palca. Pierścień Antonii był jednak ciężki i zbyt ciasny, więc zawsze w podczas wieczornego przyjęcia (niekiedy nawet kilkakrotnie) zdejmowała go z palca.

Teraz również to zrobiła: odruchowo ściągnęła pierścionek i wsunęła go do niewielkiego woreczka wyszywanego paciorkami.

Mystere poczuła, jak serce zaczyna jej gwałtownie bić. Przygotowała się na taką okoliczność jeszcze przed wyjściem z domu, zabierając ze sobą małe nożyczki.

Ostrożnie zaczęła przysuwać się do zajętej sobą pary, omiatając oczyma całą galerię i starając się wybrać – zgodnie z naukami Paula – najodpowiedniejszy moment.

Nikt nie zwracał na nią uwagi. Widocznie Caroline przekonała Paula, by dał zebranym niewielki pokaz czytania w myślach. Wiele osób, które akurat nie tańczyły, zgromadziło się wokół Rillieux w odległym kącie sali; między innymi całkowicie urzeczony inspektor Byrnes.

Korzystaj z okazji, polecił Mystere wewnętrzny głos. Kiedy jednak zbliżała się do Antonii i kadeta, obawy i wątpliwości omal nie sparaliżowały jej woli. W najlepszych nawet warunkach nie był to łatwy wyczyn. Musiała niemal otrzeć się o Antonię i działać błyskawicznie. Nie mogło być mowy o najdrobniejszym potknięciu.

O mały włos się nie rozmyśliła. Nagle jednak oczyma duszy ujrzała Brama w postaci tego złotowłosego marynarza, którego tak rozpaczliwie wołała przed laty. Przejęta nagłą determinacją zbliżyła się do upatrzonego celu.

Wieloletnie ćwiczenia pod czujnym okiem Rillieux nie poszły na marne. Wdzięcznym, płynnym ruchem, niczym baletnica wykonująca plie, Mystere zaatakowała.

Nożyczki miała już w pogotowiu. Wyczucie czasu w połączeniu z pełną koncentracją... Poczekała do chwili, gdy Antonia była całkowicie pochłonięta słowami kadeta. Zdobny paciorkami woreczek wiszący na lewym ręku znalazł się z tyłu, ukryty częściowo w fałdach sukni.

Wystarczyło jedno pewne cięcie.

Pierścionek był jej!

Przygotowana na nagły okrzyk, który jednak się nie rozległ, Mystere najkrótszą drogą, acz bez pośpiechu, opuściła galerię. W ciągu zaledwie kilku chwil znalazła się na bocznym trawniku rezydencji Addisonów – na razie całkiem bezpieczna. Oczywiście jej pośpieszne wyjście zostanie potem skojarzone z kradzieżą, ale do tego czasu będzie już w ukryciu.

Wystawiona na silny wiatr zdała sobie sprawę, że jak na koniec czerwca jest paskudnie chłodno. Ostre podmuchy wichru smagały boleśnie niczym nieosłoniętą skórę. Mystere żałowała, że nie ma ze sobą płaszcza. W świetle gazowej lampy ujrzała stojącego w pobliżu lokaja. Przywołała go.

– Co pani rozkaże? – spytał, podbiegając do niej.

– Proszę wezwać dla mnie dorożkę. Nie czuję się dobrze i chcę jak najprędzej wrócić do domu.

– W tej chwili, proszę pani.

Ruszył w kierunku ulicy. Mystere wiedziała, że czeka ją jeszcze ciężka przeprawa z Rillieux. W każdej chwili Antonia mogła dostrzec brak pierścionka i podnieść alarm. Ale przy odrobinie szczęścia może uda się dotrzeć do domu, zabrać swój awaryjny kuferek, zapłacić woźnicy, by zniósł go do dorożki, i dotrzeć do pokoiku przy Centre Street, unikając spotkania oko w oko z Paulem?

Pogrążona w rozmyślaniach nie zauważyła, że jakiś cień wyłonił się nagle z pobliskich krzewów. Przez chwilę wzięła go za innego lokaja, nagle jednak zdała sobie sprawę, że naprzeciw niej stoi policjant z wymierzonym w nią pistoletem. Ona zaś trzyma w ręku oba woreczki: własny i torebkę Antonii, ewidentny dowód przestępstwa.

– A więc to jest nasza osławiona złodziejka! Niech no ci się lepiej przyjrzę, żebym mógł powiedzieć inspektorowi Byrnesowi, coś ty za jedna!

Chciał ją wyciągnąć z cienia. Mystere odskoczyła.

Ogarnęła ją nagła panika. Została schwytana! Jej najgorsze przeczucia sprawdziły się!

– Chodź no tu! – zawołał policjant, wymachując groźnie pistoletem. – Powiedz mi, jak się nazywasz. Muszę zameldować inspektorowi.

Instynktownie cofnęła się o krok.

– Tylko bez żadnych sztuczek! Jeszcze nigdy nie strzelałem do kobiety, ale na wszystko przyjdzie kiedyś pierwszy raz. Stój, powiadam!

Odezwał się w niej instynkt przeżycia, zagłuszając wszelkie inne uczucia. Bez zastanowienia podkasała spódnicę i pognała jak dzika klacz na widok pożaru. Pędziła w stronę frontowego podjazdu i czekających tam powozów. Może tliła się w niej nadzieja, że odnajdzie wezwaną dla niej dorożkę. A może będzie tam Hush i jej pomoże? Sama już nie wiedziała, na co liczy. Czuła tylko, że musi uciekać, jakby ścigało ją całe piekło. Przez ogłuszający szum własnej krwi w uszach prawie nie słyszała policyjnego gwizdka ani krzyku, który dobiegł z sali balowej, gdy rozległ się pojedynczy strzał ze służbowej broni.

Mystere słyszała opowieści o postrzelonych psach, które ostatkiem sił pędziły do swych panów, by zdechnąć u ich nóg. Piekący ból w ramieniu nie oznaczał zapewne śmiertelnej rany, ale był straszliwy. Mimo to biegła dalej. Zielona atłasowa suknia ciążyła jej jak ołów, ale dziewczyna nie zaprzestała biegu.

Wreszcie para ramion wyciągnęła się do niej z ciemności i wepchnęła ją do czekającego powozu.

Ranna, w poplamionej krwią sukni, szamotała się z napastnikiem. Lecz twarde ręce przyciskały ją bezlitośnie do wyściełanego siedzenia. Potem dotarły do niej słowa świadczące o tym, że gra się skończyła.

– Mam cię, Księżycowa Damo! – obwieścił z triumfem Rafe Belloch.

19

Na dźwięk głosu Rafaela w Mystere zamarło serce.

– Puść mnie – błagała, bezskutecznie usiłując wyrwać się z jego uścisku. – Puszczaj!

– Nie ma mowy – odparł sucho, po czym zastukał w przednią ścianę powozu.

Ruszyli galopem.

Zajął miejsce naprzeciw niej, przyglądając się Mystere w słabym świetle powozowych latarni.

Próbowała otworzyć zamek w drzwiach, ale nim zdążyła się z nim uporać, Rafe pchnął ją znów na poduszki.

– Masz cholerne szczęście, że wieje ten północny wiatr – powiedział. – Wszyscy reporterzy zwiali, więc scena porwania nie trafi do gazet. Ale i tak będą mieli większą sensację, nieprawdaż?

Czekał na jej odpowiedź, Mystere postanowiła, że nawet na niego nie spojrzy.

Mocnym, acz bezbolesnym chwytem odciągnął jej dłoń od rany. Szybko ją obejrzał i owiązał chustką wyciągniętą z kieszeni żakietu.

– Będziesz miała ładną bliznę, Księżycowa Damo, ale wątpię, żebyś od tego umarła. Kula ledwie drasnęła ramię.

Siedział naprzeciw Mystere i wpatrywał się w nią przez kilka długich, dręczących chwil.

– Co ukradłaś? – spytał bez ogródek. – Mogę się założyć, że udało ci się podwędzić szmaragd Antonii.

Nie odpowiedziała. Spojrzała tylko na niego z nienawiścią. Jedną ręką trzymała się za obwiązane ramię, w drugiej ściskała bezcenny woreczek Antonii.

Usta Bellocha wykrzywiły się szyderczym uśmiechem.

– Podejrzewałem, że coś knujesz. Miałem cię na oku przez całą noc. Wyobraź sobie moje zdumienie, kiedy zobaczyłem cię przed domem, i to pod lufą rewolweru. A teraz spójrz na siebie. Ranna i schwytana na gorącym uczynku. Nie mogło być gorzej, prawda?

– Puść mnie! – zażądała, zbierając całą odwagę.

– Puścić cię? – urwał nagle, jakby jakiś nowy pomysł przyszedł mu do głowy. – Wiesz co? Dam ci do wyboru: albo pojedziesz ze mną w nieznane, albo wrócimy razem na bal i stawimy im czoło. Zaproponuję, żeby wszystkie damy sprawdziły, czy nie zginęło im coś z biżuterii. Co ty na to? Wolisz podróż ze mną czy przejażdżkę do więzienia w towarzystwie inspektora Byrnesa i tego dżentelmena, który cię postrzelił?

Jej milczenie było przyznaniem się do winy; spowodowało kolejny wybuch śmiechu Bellocha.

– Tak też myślałem!

Zaczęła drżeć, nie z zimna czy z bólu, ale z przejmującego strachu. Nie mogło przytrafić się jej nic gorszego niż jazda w nieznane, zwłaszcza z Rafe'em Bellochem. Nie sposób było przewidzieć, czym się to skończy.

Przyjrzawszy się jej uważnie, Rafael zdjął żakiet i narzucił go jej na ramiona.

– A teraz – powiedział z triumfalną miną, odbierając jej woreczek Antonii – obejrzymy twój łup.

Całkowicie bezradna Mystere patrzyła, jak Belloch otwiera torebkę Antonii i wysypuje całą jej zawartość na swoje kolana. Odsunął skórzaną zasłonkę w oknie powozu i do wnętrza wpadło mdłe światło ulicznych latarni.

Obok koronkowej chusteczki i kilku drobnych upominków, jakie rozdawano damom podczas balu, leżał przedmiot jej pożądania: zdumiewająco wielki szmaragd otoczony brylantami. Nawet w słabym świetle zapierał dech swoim blaskiem i przezroczystą zielonością.

– Patrzcie państwo – mruknął Rafe niemal ze zbożnym podziwem.

Wziął pierścionek do ręki i przyglądał mu się z takim zdumieniem, jakby nie mógł uwierzyć, że istnieje klejnot tak ogromny i tak wspaniale obrobiony. Szmaragd był niezrównany pod każdym względem.

Wreszcie oderwał oczy od pierścionka i spojrzał na Mystere.

– A więc to tak. Nasze małe niewiniątko grzeszyło przez cały czas. Byłem tego pewny.

– Skoro byłeś taki pewny, to czemu udajesz zaskoczonego? – odparła chłodno.

– To nie zaskoczenie – zapewnił. – To raczej satysfakcja. Każdy człowiek jest pod wrażeniem, gdy jego hipoteza okazuje się słuszna. Co zamierzałaś zrobić z tym klejnotem? Kupić za niego pół Europy?

Chciała coś powiedzieć, ale z jej gardła wydobył się tylko słaby krzyk. Nie wierzyła własnym oczom. Wyciągnęła gwałtownie rękę.

– O, nie! To ci się nie uda! – zadrwił Rafe, przenosząc szmaragd poza zasięg jej palców.

Ale Mystere wcale nie chodziło o szmaragd. Zamiast niego pochwyciła jeden z upominków, które wysypały się z woreczka Antonii. Wachlarz z jedwabiu i koronki, zdobny złotymi cekinami.

Otrzymała identyczny wachlarzyk na początku balu i prawie go nie oglądając, wetknęła do torebki. Wachlarz Antonii rozłożył się częściowo, padając na kolana Rafe'a, i teraz Mystere spoglądała na osobliwy motyw, który prześladował ją od chwili przyjazdu do Ameryki.

Po obu stronach wachlarza widniał przepołowiony orzeł i męskie ramię ze wzniesionym mieczem. Identyczny nadruk znajdował się na liście, w którym wspomniano o testamencie na rzecz jej i Brama. Tym razem jednak rysunek był wzbogacony o jeden jeszcze motyw: jelenia w wieńcu laurowych liści, umieszczonego poniżej ręki z mieczem.

– Co to... Co to jest? – spytała Mystere.

Rafe przyjrzał się jej podejrzliwie i odparł z całą powagą:

– Nie udawaj wariatki, nic ci to nie pomoże. Jesteś chytra jak lisica i żadne tanie sztuczki mnie nie omamią.

– Nie... – wykrztusiła, wpatrując się jak urzeczona w wachlarz. – Nie rozumiesz. Ja znam ten...

– Wróćmy do zasadniczego tematu – warknął, podrzucając pierścień w dłoni. – Nie tylko jesteś Księżycową Damą, ale to właśnie ty obrabowałaś mnie w Five Points. Żądam, byś przyznała się do winy. To pierwsza część twojej kary.

Kilka sekund wcześniej przyznałaby się, czemu nie? Jej sytuacja wydawała się beznadziejna. Ale ujrzawszy tak nieoczekiwanie ten dziwny motyw, poczuła nowy przypływ sił. Była gotowa bronić się, kłamać, zrobić wszystko, co pozwoli jej zachować wolność i zbadać tę sprawę.

– Wcale nie jestem Księżycową Damą – zaprzeczyła. – Znalazłam torebkę Antonii na podłodze sali balowej i wyszłam do ogrodu pewna, że właśnie tam udała się ze swoim oficerkiem. Potem policjant wystraszył mnie śmiertelnie, wyskakując nagle z cienia, a kiedy się odwróciłam, by wrócić na salę balową, postrzelił mnie w ramię. Chyba nic dziwnego, że rzuciłam się do ucieczki. Byłam przerażona.

Rafaelowi aż szczęka opadła, gdy usłyszał te bezczelne kłamstwa.

– Doprawdy? Chcesz powiedzieć, że to pomyłka? – wycedził sarkastycznie.

– Tak – szepnęła. Było jej słabo; rana nadal krwawiła. Odruchowo rozłożyła wachlarz i wpatrywała się weń, jakby to była święta relikwia. – Co znaczą te symbole? – spytała, wpatrując się w nie z natężeniem.

Pochylił się, by spojrzeć jej w twarz.

– Nie zgrywasz się, prawda? Rzeczywiście chcesz się tego dowiedzieć?

– Odpowiedz, proszę! Czy wiesz, co one znaczą?

Wydawał się nieco zbity z tropu.

– Jest wiele ważniejszych spraw niż...

– Proszę cię! Co to takiego?

– Wachlarze zostały ofiarowane wszystkim damom przez księżnę Granville, która, jak zapewne wiesz, przybyła tu z Londynu. Dowiedziałem się dziś wieczorem od Carrie, że pierwszy motyw to herb hrabstwa Connacht, z którego pochodzi księżna. A jeleń w laurowym wieńcu widnieje na tarczy herbowej Granville'ów. Czemu tak cię to interesuje?

Odpowiedź Rafaela rozczarowała Mystere. Już miała nadzieję, że wreszcie znajdzie rozwiązanie trapiącej ją od lat zagadki, tymczasem wszystko stało się jeszcze bardziej niezrozumiałe.

Ona i Bram pochodzili z Dublina, położonego na przeciwległym krańcu Irlandii niż hrabstwo Connacht. Poza tym nic w liście z Nowego Jorku nie świadczyło o ich pokrewieństwie z kimkolwiek z Londynu, a zwłaszcza z brytyjskiej arystokracji. Książę i księżna Granville nie mogli być w żaden sposób związani z dwojgiem sierot przyuczanych do złodziejskiego fachu. Sama myśl o czymś takim wydawała się absurdalna.

– Czemu tak cię to interesuje? – powtórzył Rafe.

– Wcale nie – odparła wypranym z nadziei głosem. Z rezygnacją opadła na siedzenie, gotowa na wszystko, co ją czeka z ręki Rafe'a Bellocha. – Wieziesz mnie na policję? – spytała.

– Jeżeli naprawdę jesteś niewinna, nie powinnaś się tego obawiać!

Ale się boję, pomyślała. Prawdę mówiąc, jeszcze bardziej przerażał ją Rillieux. Jego zemsta będzie straszliwsza niż wszystko, co może wymyślić policja. Paul robił wrażenie dobrodusznego dżentelmena, ale Mystere dobrze wiedziała, że jest zdolny do niezwykłego okrucieństwa, zwłaszcza wobec nielojalnych współpracowników.

Belloch zaśmiał się szorstko i podsunął Mystere pierścionek pod nos. Nie pozwolił jej odwrócić głowy, jakby była dzieckiem wzbraniającym się przed zjedzeniem posiłku.

– Nie mówmy o policji, Księżycowa Damo. Nie zamierzam pozwolić, by nieudolne władze wtrącały się w moje osobiste porachunki. Pamiętasz? To ja byłem w tamtym zaułku przy Five Points. Nigdy nie zapomniałem tego spotkania.

Strach ścisnął ją za gardło.

– Co chcesz zrobić...?

– Sam wymierzę ci karę. Za kilka minut wsiądziesz na mój jacht, a potem zabiorę cię do mojego domu, gdzie zostaniesz poddana takiemu samemu upokorzeniu, jakie musiałem znieść w tamtym zaułku.

– Jakiemu upokorzeniu? – zdołała wyszeptać.

– Ciągle udajemy niewiniątko, co? No dobrze, powiem bez ogródek. – Jego spojrzenie stało się twarde, a słowa ostre. – Każę opatrzyć twoją ranę, a potem, gdy poczujesz się już dobrze, zmuszę cię, byś rozebrała się przede mną. Później, jeśli będę w dobrym humorze, pozwolę ci opuścić mój dom... ale w takim stroju, w jakim ty mnie kiedyś zostawiłaś.

20

O tak późnej porze na ulicach prawie nie było ruchu, więc stangret Rafe'a pozwolił koniom galopować. Żelazne podkowy krzesały iskry na kocich łbach. W ciągu kilku minut dotarli do Battery. Noc była zimna i ponura, wilgotna mgła oblepiała wszystko.

Prom przewożący gości na Staten Island stał przycumowany na przystani, czekając na pierwszy poranny kurs. Jacht parowy Rafe'a o nazwie „Dzielna Kate" cumował w pobliżu, z załogą w pogotowiu i kotłami pod parą. Nieopodal stało kilka innych jachtów, między innymi należący do Astorów.

Mystere, nadal odrętwiała po szoku, jakim było dla niej ogłoszenie wyroku przez Rafe'a, potulnie dała się wprowadzić na pokład.

– Chłodno dziś, co, Skeels? – powitał Rafael jednego z członków załogi, który czekał, by zabezpieczyć trap i odwiązać linę cumowniczą.

– Prawdziwa lodownia, sir. Ale pod pokładem pali się w piecu – odparł Skeels, obrzucając wzrokiem Mystere.

Dziewczyna trzęsła się z zimna, więc perspektywa ogrzania się przy ogniu dodała jej ducha. Ale Rafe rozwiał jej nadzieje.

– Dzięki, ale jakoś wytrzymamy oboje na pokładzie – rzekł.

Co za rozmyślne okrucieństwo, pomyślała. Widzi przecież, jak przemarzłam! On też, ale jest gotów sam zamarznąć na kość, byle mnie jeszcze bardziej udręczyć.

Znów poczuła ukłucie mdlącego strachu. Nie miała pojęcia, jak zdoła przeżyć tę noc.

Załoga podniosła kotwicę i jacht skierował się na południowy zachód przez Upper Bay w stronę Staten Island. Rafael ujął Mystery za ramię i podszedłszy wraz z nią do burty, patrzył jak statek pruje wodę.

– Popełniasz straszliwy błąd – powiedziała cicho. Zimny północny wiatr przenikał ją na wskroś.

Rafael poklepał się po kieszonce koszuli, w której schował pierścień Antonii.

– Ty zaczęłaś tę wojnę – przypomniał – okradając mnie w Five Points.

– Wcale cię nie okradłam, do cholery!

– Cóż za urocze zapewnienie… i jakie dystyngowane – mruknął ironicznie.

– Gdybym nawet była Księżycową Damą – spróbowała innej taktyki – to jeszcze wcale nie dowodzi, że cię okradłam w Five Points.

– Oboje dobrze wiemy, że mnie okradłaś. Wkrótce będę miał ostateczny dowód. A co do twoich występów w roli Księżycowej Damy, to nie mam o nie większych pretensji. Prawdę mówiąc, cieszyło mnie, że narobiłaś tyle zamieszania wśród nowojorskiej elity. – Wpatrywał się w Mystere z zagadkowym wyrazem twarzy. – Przypuszczam, że to wyjaśnia moje obsesyjne pragnienie schwytania cię i zawładnięcia tobą.

Jacht przemknął obok Governor's Island i zbliżał się coraz bardziej do Staten Island, której nieliczne światła błyskały niczym robaczki świętojańskie. Mystere wyczuwała przez podeszwy bucików pulsowanie maszyn. Ogarnął ją głęboki smutek i poczucie klęski. Gdyby Rafe nie trzymał jej tak mocno, skoczyłaby za burtę, by raz na zawsze skończyć ze wszystkim.

170

Księżyc wyłonił się na chwilę zza pędzonych wiatrem ciemnych chmur i zalał zatokę srebrną poświatą. W jej blasku Mystere ujrzała z lewej burty coś, co jeszcze pogłębiło jej smutek. Co dwa tygodnie pod osłoną nocy łódź Komisji Dobroczynnej wypływała na Hart Island, gdzie znajdował się cmentarz, na którym chowano biedaków we wspólnych, anonimowych mogiłach. Mystere dostrzegła tę łódź, wypełnioną po brzegi byle jak skleconymi trumnami. Nagle przypomniała się jej rzucona od niechcenia uwaga Lorenza Perkinsa na temat Brama: „całkiem możliwe, że umarł i spoczywa w jakiejś zbiorowej mogile".

Ogarnięta rozpaczą odwróciła głowę.

– Łódź śmierci to przykry widok – zauważył Rafe z rzadką u niego nutą współczucia.

– Nie wysilaj się. Skąd możesz wiedzieć, co to znaczy być nędzarzem bez żadnej bliskiej duszy! – rzuciła ostro.

– Odpłacam ci tylko wet za wet – oświadczył zimno, potem jednak jego głos złagodniał. W następnych słowach zabrzmiała dziwnie tęskna nuta. – Tamtej nocy, kiedy cię pocałowałem w altanie, byłem gotów ofiarować ci coś więcej. I stałoby się tak, gdybyś okazała... choć odrobinę wzajemności.

Spuściła głowę, by na niego nie patrzeć. Ale to zachęciło Rafe'a do dalszego dręczenia jej. Ujął ją pod brodę i zmusił, by na niego spojrzała.

– Tam, za chmurami, kryje się księżyc w pełni – rzekł. – Zwą go księżycem szaleńców, bo podobno mąci ludziom umysły. Czy taka będzie twoja linia obrony Księżycowa Damo? To by nawet nieźle zabrzmiało podczas procesu: „Wysoki Sądzie, to wszystko przez ten księżyc, nic nie mogę na to poradzić".

Znów się roześmiał i obrzucił ją szyderczym wzrokiem. W tym momencie Mystere czuła do niego tylko bezbrzeżną nienawiść.

– Podczas procesu? Myślałam, że poddając się tym udrękom, uniknę przynajmniej sądu.

– Jeśli będziesz kontynuować swój proceder, ktoś z pewnością dopilnuje, byś trafiła przed sąd. Wy, złodziejaszki, jesteście zbyt pewni siebie, zanadto przeświadczeni o własnym sprycie i przez to zawsze zostajecie złapani. Zamierzam jednak zadbać o zreformowanie cię dzisiejszej nocy... i następnej... i jeszcze następnej.

Spojrzała na niego ze wstrętem. Wprost odjęło jej mowę. Miała wrażenie, że właśnie zawarła pakt z diabłem.

„Dzielna Kate" przybiła do lądu w niewielkiej odległości od rezydencji Rafe'a. Z brzegu wyspy ciemny budynek przycupnięty na niewielkim wzniesieniu przypominał swym mrocznym konturem zamieszkane przez upiory zamczyska z cygańskich legend. W świetle księżyca, który znów na chwilę wyłonił się zza chmur, Mystere dostrzegła w pobliżu domu powozownię obrośniętą wistarią.

Nie straciła jeszcze całkiem nadziei, że zdoła przekonać Rafe'a o swej niewinności, ale jej obawy rosły z każdą chwilą. Może Belloch dowiedział się czegoś konkretnego, zdobył dowody potwierdzające jej winę. Nie miała wątpliwości, że wkrótce sam jej to powie.

Dotarli do okazałej stróżówki z polnego kamienia zwieńczonej słupkami z lanego żelaza.

– Jimmy! – zawołał Rafe.

Ze stróżówki wyłonił się potężny mężczyzna z latarnią w dłoni. Mystere ze zdumieniem spojrzała na pistolet, który miał zatknięty za pasek.

– Moja służba jest dobrze uzbrojona i strzela równie celnie jak ja. Nie tylko ty życzysz mi jak najgorzej, Księżycowa Damo – mruknął Rafe, gdy Jimmy otwierał ciężką bramę. – Populiści i chwiejniaki marzą, by dobrać mi się do skóry.

Mystere nie miała pojęcia, co to są „chwiejniaki", ale o populistach słyszała od Abbota Pollarda. Gdy Jimmy zamknął za nimi bramę, Rafael zaprowadził ją przed frontowe drzwi do prawie nieoświetlonego domu.

Szarpnął za sznur od dzwonka i po chwili kobieta w średnim wieku ubrana w wykrochmalony biały fartuch wpuściła ich do wnętrza. Mystere rozejrzała się po okazałym głównym holu z wielkim szafkowym zegarem. Jedynym źródłem światła był mosiężny sześcioramienny świecznik.

– Mamy tu gaz – wyjaśnił Rafe, zauważywszy jej zdumione spojrzenie – ale nie znoszę jego zapachu, więc używam go tylko w gabinecie podczas pracy. Wolę poczekać na elektryczność. – Odwrócił się do służącej. – Dobry wieczór, Ruth. To jest panna Rillieux. Zostanie na noc.

– Dobry wieczór pani. – Ruth rzuciła swemu chlebodawcy dyskretne spojrzenie. – Czy mam przygotować dla niej pokój?

– Nie – odparł z drapieżnym uśmiechem. – Gość zasługuje na własny pokój, ale przestępczyni tylko na więzienną celę! Gospodyni była wyraźnie zaskoczona. Ta młoda, elegancko ubrana kobieta nie wyglądała na kryminalistkę.

– Uległa wypadkowi – dodał Belloch, zdejmując z ramion Mystere swój żakiet. – Czy wystarczy jedna z twoich czarodziejskich maści, czy też mam posłać po lekarza?

Ruth przyjrzała się powierzchownej ranie.

– Sama sobie poradzę, proszę pana – odparła. – Nie trzeba nam tu żadnych rzeźników.

Rafe roześmiał się.

– Wobec tego zdaję się na ciebie, Ruth – i zapytał: – Czy Sam jeszcze nie śpi?

– Czyta u siebie w pokoju, proszę pana. Dopiero co zaniosłam mu kakao.

Rzuciła ostatnie niespokojne spojrzenie na Mystere, po czym znikła w mrocznym wnętrzu wielkiego domu. Rafe poprowadził Mystere po wąskich schodach w dół na inny, zapewne kuchenny korytarz.

– Pozwól, że ci pokażę twój apartament – powiedział ugrzecznionym tonem, jak oberżysta do gościa.

Zdjąwszy czteroświecowy lichtarz z postumentu obok klatki schodowej, powiódł swą brankę w stronę wilgotnego pomieszczenia, które w pełni zasługiwało na nazwę lochu. Blask świec sprawiał, że chybotliwe cienie tańczyły na szarych kamiennych ścianach pokrytych pajęczynami. Mystere wzdrygnęła się, gdy jedna z nich musnęła ją po policzku.

– Uwaga na szczury – Rafael uśmiechnął się, gdy przysunęła się bliżej do kręgu światła i tym samym do niego.

Zatrzymał się przed żelaznymi drzwiami i kciukiem przesunął w górę przykrywkę judasza.

– Zajrzyj do środka – zaprosił pogodnym tonem. – Tuż pod sufitem jest zakratowane okno, przez które wpada światło księżyca. Dla takiego nocnego drapieżnika jak ty to całkiem przytulne miejsce.

– Nie ośmielisz się zamknąć mnie tutaj! – zaprotestowała, usiłując zuchwałością pokryć strach. – Nie masz prawa tak postąpić!

– O, to nie będzie konieczne, jeśli pójdziemy na ugodę. Inaczej spędzisz tu resztę nocy. Można by to nazwać aresztem domowym, umożliwiającym rachunek sumienia. Bądź pewna, że jeśli nie okażesz się skłonna do współpracy, zostaniesz tu znacznie dłużej i nikt nie będzie pytał o moje prawa. – Roześmiał się i wskazał otwór judasza. – No, zajrzyj do środka!

Mystere przytknęła oko do dziurki i ujrzała pustą kamienną celę. Podłogę, która była właściwie klepiskiem, przykrywał tylko cienki chodniczek spleciony ze szmat. Rolę łóżka spełniała drewniana półka wystająca z jednej ze ścian.

– Pewnie się domyślasz, do czego służy kubeł w kącie – zauważył Rafe.

Mystere wzdrygnęła się i pośpiesznie odwróciła wzrok.

– Podczas wojny secesyjnej trzymano tu szpiegów Południa – wyjaśnił. – Przeważnie kobiety przysłane na... specjalne przesłuchania, że tak powiem. Coś w rodzaju tego, z czym się sama zetkniesz.

– Nie ośmielisz się! – rzuciła ze wzgardą, choć kolana nadal drżały jej ze strachu.

– Czyżby? – odparł i zaprowadził ją z powrotem na wąskie schody. – Więc spróbuj mi to wyperswadować. Wyznam, że wolałbym cię zobaczyć na jedwabnej pościeli niż w tym ponurym lochu.

Na te słowa ciarki przeszły jej po plecach.

– A zwykła litość, panie Belloch?

– Nie powiadomiłem policji o twoim wyczynie, prasy także nie. To właśnie jest litość. Twoje... grzeszki pozostaną naszą prywatną tajemnicą.

– Rozumiem.

Uśmiechnął się szeroko.

– Nie jestem takim nieposkromionym rozpustnikiem, za jakiego mnie bierzesz. O, jesteśmy na miejscu.

Otworzył szeroko dębowe drzwi wspaniałego salonu z wysokimi wąskimi oknami. Mystere dostrzegła rzeźbione meble z czasów króla Jakuba i biblioteczki z drewna różanego wypełnione tomami oprawnymi w skórę. Na ozdobionych fryzem ścianach pyszniły się francuskie akwarele z początku XIX wieku w pięknych złotych ramach. Ogień trzaskał przyjaźnie w dużym kominku z czarnego włoskiego marmuru. Płomienie odbijały się w wypolerowanej posadzce i meblach, sprawiając, że lśniły jak rozżarzone węgle.

– Przytulnie tu i ciepło – zauważył Rafael, wciągając Mystere do środka i zamykając drzwi. – Od razu poczujesz się lepiej, gdy Ruth opatrzy ci ranę.

Jak na zawołanie, zjawiła się gospodyni z bandażami i silnie woniejącą zieloną maścią. Oczyściła i zabandażowała ramię Mystere, a potem nalała jej grzanego wina. Dziewczyna miała ochotę wypić go w dwóch łykach, ale obawiała się zdradzić w ten sposób ze swym lękiem.

Gdy Ruth wyszła, życząc państwu dobrej nocy, Mystere zdecydowała się wygłosić swą mowę obrończą. Nie mówiła już z taką dumą ani tak oficjalnie jak poprzednio.

– Czego właściwie chcesz ode mnie? Czy zależy ci na mojej zdobyczy, czy też jest to po prostu gra, w której musisz mnie pokonać? – Była teraz całkowicie szczera; w głowie kręciło się jej ze strachu, zmęczenia i od wypitego alkoholu. – Jeśli tylko na tym ci zależy, oficjalnie uznaję cię za zwycięzcę i skończmy już z tą inkwizycją.

– Inkwizycją, powiadasz? – odrzucił głowę do tyłu i zaśmiał się szyderczo. – Dobrze, Księżycowa Damo, dzisiaj nie będę Rafe'em Bellochem. Skoro oskarżasz mnie, że gram rolę inkwizytora, zabawię się w Torquemadę.

Stanął przy biurku z podnoszonym wierzchem i uniósł mahoniowe wieko. Mystere poczuła, że krew zastyga jej w żyłach, gdy wyjął ostry srebrzysty nóż.

– Jako główny inkwizytor generalny – obwieścił, przeszywając ją błękitnozielonymi oczyma – przekonałem się, że habit nie czyni mnicha. Rozbieraj się, moja damo, i zobaczymy, jaka z ciebie święta.

Podszedł do Mystere i stanął za nią.

– Pomogę ci. Nie ma po co nadwerężać chorej ręki.

Gdy poczuła jego palce na plecach, przeszedł ją bezwiedny dreszcz, bynajmniej nie wywołany strachem.

– Można by sądzić, że nie nosisz ani nie potrzebujesz gorsetu. Mnie się jednak zdaje, że skromnie ukrywasz swoje wdzięki. Sprawdźmy to, dobrze?

Włożył ciepłą, twardą dłoń między atłasową sznurówkę a jej nagą skórę. Jego palce zatrzymały się na lnianym bandażu, który krępował biust kobiety.

Zręcznie wsunął ostrze noża między warstwy naprężonego płótna. Mystere usłyszała trzask rozcinanego materiału.

Piersi zdradziły ją, rozkwitając w całej krasie i niemal rozsadzając przód atłasowej sukni. Chwyciła stanik zdrową ręką, próbując się osłonić.

Rafe pochylił się i chwyciwszy dziewczynę za brodę, zmusił ją, by spojrzała na niego. Nagły błysk w ciemnych oczach powiedział Mystere, że jego wątpliwości ostatecznie się rozwiały. Był pewien, że schwytał swoją rozbójniczkę.

Stał tak blisko, że czuła jego oddech na swej skroni niczym diabelską, ognistą pieszczotę.

– A, niegrzeczna oszustka! Przyznaj się teraz, moja panno, czemu to robiłaś?

– Nie mogę ci tego powiedzieć – szepnęła bezradnie i do oczu napłynęły jej łzy.

Na jego twarzy pojawił się jakiś dziwny wyraz. Nie odrywał od niej wzroku.

– Czyżby twój kochany stryjek zmuszał cię do tego?

Wyszarpnęła brodę z jego uścisku. Ból w ramieniu był znacznie słabszy od bólu w jej sercu.

– Nie powiem – rzuciła zimno, przekonana o wściekłości Rillieux, gdyby go zdradziła.

Głos Rafaela zniżył się do szeptu.

– Ulotna jest granica między szaleńcem a bohaterem.

– A kim ty jesteś, mój panie?

Mystere nie była skłonna do płaczu, toteż zaskoczyły ją łzy, które spłynęły po jej policzkach. Była bliska załamania.

Rafe uniósł nóż na wysokość jej oczu. Ostrze zamigotało w blasku ognia.

– Słowo daję! Chyba dziś sam tego nie wiem. Nigdy jeszcze nie porywałem damy, ale nie spotkałem dotąd kobiety, której by się udało mnie obrabować... i to dwa razy!

Wyprostował się, cofnął do najbliższego parapetu i przysiadłszy na nim, wpatrywał się w Mystere z intensywnością niezaspokojonego kochanka.

– Zatrzymaj sobie pierścień, byleś mnie puścił! Mogę ci przynieść więcej klejnotów, jeśli chcesz – zaproponowała; jej oczy pociemniały od niewypowiedzianego smutku.

– To ty obrabowałaś mnie przy Five Points. Czy to był rodzaj treningu przed ambitniejszymi dokonaniami?

Wzięła głęboki oddech i wyznała:

– Zachowałam się bezwstydnie tamtej nocy. Nie sądziłam, że cię jeszcze kiedyś spotkam.

Z niezwykłą celnością ugodził ją w najboleśniejsze miejsce.

– „We dnie i w nocy będę myślała o tym, co mnie ominęło, panie Belloch".

Ciemny rumieniec oblał jej twarz.

– Jeśli sprawi ci satysfakcję, że poddasz mnie takiemu samemu upokorzeniu, niech i tak będzie... byleś potem pozwolił mi odejść.

Otarła oczy, wstała, zsunęła z ramion zieloną atłasową suknię i pozwoliła, by opadła jej do stóp. Kawałki bandaża opasującego piersi rozsypały się po kosztownym dywanie. Już tylko cieniutka jak różowy obłoczek koszulka i koronkowe majteczki okrywały jej nagość.

Rafe skinął głową. Jego następna uwaga świadczyła, że miał znakomitą pamięć.

– „Wstęp był ogromnie interesujący, niech mi pan teraz nie sprawi zawodu".

Po raz wtóry odczuła jako bolesny policzek swe własne słowa z tamtej okropnej nocy. Nienawidziła Bellocha, ale musiała przyznać, że odpłacał jej tylko pięknym za nadobne.

Jej upokorzenie i wahanie były wyraźnie widoczne. Pragnęła zasłonić się ramionami i uciec z pokoju. Przezroczysta koszulka nie pozostawiała niczego dla wyobraźni. Nawet sama Mystere dostrzegała przez bladoróżowy jedwab skurczone od chłodu brodawki. Znikły wszelkie pozory dziewczęcej niewinności. Była kobietą w pełnym rozkwicie.

– Będziesz nadal zaprzeczać? – szepnął. Wpatrywał się w jej piersi pożądliwym wzrokiem.

– Tak, to ja cię obrabowałam – wyznała.

Ani jej twarz, ani ton głosu nie wyrażały skruchy.

– Ty czarująca mała szelmo – powiedział, spoglądając wreszcie w jej oczy. – Nasza szczuplutka panieneczka okazała się piersiastą kobietą. No, dalej! Przysięgam, że nie zrezygnuję z tej zabawy, póki nie zostanę w pełni usatysfakcjonowany.

Dwuznaczność ostatniego zdania zatrwożyła Mystere, ale sprowokowany przez Rafe'a gniew płonął w jej żyłach jak żrący kwas.

– Miałeś już chyba dość satysfakcji. Teraz idź do wszystkich diabłów, panie Belloch! – Odwróciła się od niego i zasłoniła piersi skrzyżowanymi ramionami. – Jestem złodziejką, ale nie prostytutką – dodała z chłodną precyzją. – Jeśli chcesz zobaczyć mnie całkiem nagą, musisz mnie najpierw zastrzelić.

– Ty bezwstydna hipokrytko! Cóż za chodząca szlachetność. Gdzie też się ona podziewa, gdy grabisz i kradniesz? Kiedy żyjesz fałszem?

Szczupłe ramiona Mystere drżały ze strachu i wyczerpania, ale twarz była nadal obojętną, nieprzeniknioną maską.

– Nie żyję fałszem. Wiem, kim jestem – powiedziała, czując ból w sercu przy tym szczerym wyznaniu. – To ty i cała nowojorska elita wiecznie kłamiecie. Udajecie, że nie istnieje nic równie wulgarnego jak nędza, że nie ma głodujących dzieci. Jestem, jak wielu innych, ubocznym skutkiem wielkiego głodu w Irlandii. W wieku zaledwie ośmiu lat pozostawiono mnie na ulicach Nowego Jorku, bym sama zadbała o siebie. Rillieux uchronił mnie od śmierci i prostytucji. Jest złym człowiekiem, ale zawsze będę mu wdzięczna za ocalenie. Możesz mi wierzyć albo nie, ale mam zwyczaj spłacać swoje długi!

Na to zdumiewające wyznanie oczy Rafaela złagodniały. Drgnął mu mięsień w policzku, jakby pomyślał o czymś, co przejmowało go wstrętem.

– Powiedziałem ci już kiedyś, moja panno, że jesteśmy do siebie podobni. Ja też nie żywię gorących uczuć względem nowojorskiej elity, chociaż można mnie do niej zaliczyć. To rozpaskudzeni hipokryci. Gardzę nimi w najwyższym stopniu.

– A jednak patrzysz teraz nie na mnie, ale przeze mnie, jak przez brudną szybę – powiedziała cicho.

Spuścił wzrok. Sądząc z wyrazu twarzy, było mu niemal wstyd.

– Kim ty naprawdę jesteś? – spytał łagodnie. – Czy rzeczywiście nazywasz się Mystere Rillieux?

– Na imię mam naprawdę Mystere, ale nazwisko jest przybrane.

– Więc Paul Rillieux nie jest twoim krewnym?

Potrząsnęła głową.

– No więc jak się nazywasz?

– Nie wiem. Albo nigdy nie znałam swojego nazwiska, albo dawno je zapomniałam.

Wstał i podszedłszy do biurka, odłożył nóż.

– Pasuje do ciebie to tajemnicze „Mystere". – Odwrócił się od niej prawie z żalem i rzucił jej kaszmirowy szal w tureckie wzory leżący na pobliskim fotelu. – Okryj się, ale opowiedz mi więcej o swojej przeszłości.

Otuliła ramiona szalem i zaczęła opowiadać swoją historię. Mówiła o najdawniejszych wspomnieniach z Dublina i okropnych latach w sierocińcu przy Jersey Street. Opisała porwanie Brama wkrótce po „ocaleniu" ich przez Paula Rillieux.

Rafe raz po raz zadawał pytania, wyraźnie chcąc sprawdzić spójność jej opowieści. Kiedy skończyła, bardzo długo milczał. Wpatrywał się w nią tylko, tak jakby była istotą, jakiej nigdy dotąd nie widział.

– Zaciekawiłaś mnie od pierwszej chwili, gdy cię ujrzałem w wielkim świecie – rzekł wreszcie. – A co do tego nadruku na twoim liście... może przypisujesz mu zbyt wielkie znaczenie. Ten list mógł napisać służący, który podwędził papier listowy swojego pana. To się często zdarza. Poza tym drukarze nieraz używają bezprawnie herbowych symboli, ponieważ wtedy papeteria bardziej się podoba klientom. Pamiętaj, że Granville'owie to słynna stara rodzina. Mało prawdopodobne, żeby mieli jakichś nieznanych spadkobierców.

Ta rzucona mimochodem uwaga zdławiła do reszty nadzieje Mystere. Belloch mówił z wielką pewnością siebie i rozsądnie. W dodatku dziewczyna ledwie mogła ustać na nogach, a co dopiero zebrać myśli. Przeżycia ostatnich godzin bardzo ją wyczerpały – wciąż drżała, i to nie z zimna.

– Podejdź do ognia – mruknął, biorąc ją za rękę.

Posadził Mystere na ozdobnym rzeźbionym tapczanie z epoki króla Jakuba i zajął miejsce koło niej.

– Nie możesz dalej grać roli Księżycowej Damy – powiedział. – To zbyt niebezpieczne.

Roześmiała się gorzko.

– Mówisz, jakby cię to obchodziło.

– Wcale tego nie chcę, ale sprawiasz, że mnie to obchodzi.

Spojrzała mu w oczy.

– Ukradłam pierścionek Antonii, żeby się uwolnić od Paula Rillieux. Jeśli teraz muszę uciec od ciebie…

– Nie musisz uciekać – zapewnił.

Potrząsnęła głową.

– Rillieux chce, żebyś się ze mną ożenił. – Wciąż patrząc mu w oczy, dodała szeptem: – I ja też.

Odrzucił głowę do tyłu i wybuchnął śmiechem.

– Takie to zabawne? – spytała gniewnie.

Nie mógł odpowiedzieć, tak bardzo był rozbawiony.

– Utrzymujesz, że nienawidzisz elity, a spójrz tylko na siebie! – zawołała. – Jesteś pyszałkowaty jak oni wszyscy. Bo czemu miałbyś być inny? Chociaż nimi gardzisz, i pewnie nie bez powodu, twoje wychowanie stawia cię wysoko nade mną. Gdyby nie tragedia twoich rodziców, w ogóle nic byś nie wiedział o ludzkich uczuciach!

– Nie jestem pozbawiony uczuć – powiedział, a w jego głosie nie było szyderstwa.

Spojrzała na niego ze łzami w oczach.

– Więc je okaż!

– Życzysz sobie małżeństwa. Ale co z miłością? Czy nie powinna stanowić części takiego związku? – spytał.

– Nie zaznałam wiele miłości w życiu, ale chyba potrafiłabym ją rozpoznać. – Jej głos złagodniał. – Czasem mi się wydaje, że mogłabym cię pokochać.

Przez dłuższą chwilę panowało milczenie, w końcu Rafe rzekł:

– Jeśli to twoja nowa sztuczka, to naprawdę ci się udała. Prawie się na nią złapałem.

Rozczarowana potrząsnęła głową. Była pewna, że nigdy nie zdoła do niego dotrzeć.

– Potrzebujesz opieki, Mystere. Mógłbym ci ją zapewnić.

– Sama potrafię się obronić.

– Tak, masz ostre pazurki, ale serce chyba zbyt miękkie. – Zbliżył rękę do jej piersi i położył na mocno bijącym sercu. – Mówisz o miłości, ale nie dostrzegam jej w tobie.

– Jestem zdolna do miłości – zapewniła. – Tego nikt mnie nie pozbawił.

– Więc okaż ją – szepnął, patrząc jej w oczy.

Zaczerpnęła tchu i wpatrzyła się w przestrzeń. Instynkt ostrzegał ją przed pocałunkiem. Nagle jednak przyszłość wydała się jej tak pusta. Byłabym głupia, nie rzucając mu się w ramiona, pomyślała. Nie czekało jej nic prócz więzienia i samotności. Jeśli zazna choć trochę szczęścia, będzie mieć przynajmniej wspomnienia na pociechę. Wiedziała, że Rafael nigdy się z nią nie ożeni; ona zaś nigdy nie zostanie jego utrzymanką. Ale jedna noc? Wydawało się jej tak naturalne mieć go przy sobie. Ogień rozgrzewał, wypity alkohol dodawał odwagi...

Serce zaczęło jej szybciej bić. Spojrzała na Rafaela, prosto w jego błękitnozielone oczy. Powoli uniosła rękę i pogładziła miękką dłonią jego szorstki policzek. Może na tym by się skończyło, gdyby nie przymknął oczu, jakby upajając się pieszczotą, gdyby nie chwycił Mystere za rękę i nie pocałował z wzruszającą wdzięcznością wrażliwego wnętrza dłoni.

Potem wszystko wydarzyło się w piorunującym tempie. Miała wrażenie, jakby oboje odtwarzali taniec, którego kroki znała instynktownie, bez uczenia się ich. Koszulka i majteczki opadły na gruby dywan wraz z tureckim szalem. Wargi Rafe'a przywarły do jej piersi, pieszcząc i drażniąc je tak, że Mystere poczuła nagły ogień u zbiegu ud.

Rafael stał nad nią, tak bardzo wysoki, i rozpinał koszulę.

Niemal nieprzytomnym wzrokiem wpatrywała się w niego, instynktownie osłaniając się rękoma. Jego tors był imponujący – twardy i muskularny, pokryty lekkim meszkiem ciemnych włosów. Mystere pragnęła przylgnąć do niego i ogrzać się.

Zdjął spodnie; nogi miał długie i zgrabne. Wrócił na tapczan i odciągnął ręce Mystere od jej ciała, jakby zabraniał jej ukrywać się przed nim.

– Nie chcę, żeby cię bolało – szepnął, całując ją namiętnie.

– Więc nie spraw mi bólu – odpowiedziała po prostu, kiedy osunął się na nią.

Zamknął jej usta pocałunkiem i wtargnął do jej wnętrza. Jeśli nawet był jakiś ból, utonął w tym cudownym pocałunku i w słodkiej, jedynej w swoim rodzaju bliskości. Rafe delikatnie całował jej białą szyję i skłonił Mystere do poddania się rytmowi. Atakował ją coraz gwałtowniej, jego pożądanie ciągle rosło, aż wreszcie ogarnęło ich oboje.

Nowe doznania opływały ją jak ogromna fala. Rosła i piętrzyła się, aż wreszcie rozprysła się nad jej ciałem. Mystere jęknęła z rozkoszy, łzy radości popłynęły jej z oczu i złączyły się z ich pocałunkiem. Czuła pulsowanie ciała Rafaela i kolejny spazm rozkoszy, tym razem ostry i wyczerpujący. Wreszcie Rafael krzyknął i opadł na nią, zaspokojony i osłabły.

Ciężko dysząc, obejmował ją, a jego ciepło i bliskość broniły Mystere przed nocnym chłodem. Sen ich osaczał, ale czuła, że nie zdoła zasnąć. W jej umyśle zrodził się strach przed bólem, który musiał nadejść.

Pojawił się aż za szybko. Rafael wstał i sięgnął po spodnie. Naga i zziębnięta Mystere, szukając po omacku swojej koszulki i majteczek, dziwiła się, jak mogła ulec mu tak łatwo. Krople jej dziewiczej krwi splamiły bieliznę – niewątpliwy dowód całkowitego oddania.

Ubrawszy się, Rafe popatrzył na nią i rzekł:

– Chyba zawrzemy rozejm?

Nie odpowiedziała; patrzyła tylko na niego, trzymając swe rozszalałe uczucia na wodzy równie mocno jak szal, którym otuliła ramiona.

– Zastanowię się nad odesłaniem cię do stryja. Jestem pewien, że Rillieux zdoła stłumić skandaliczne plotki związane z twoim zniknięciem. Zwłaszcza że nie ma żadnego dowodu, iż to ty zostałaś postrzelona przez policjanta. Ja zataję kradzież pierścionka Antonii. Zobaczysz, tak skołuję ją i policjanta, że uwierzą, że wszystko im się przyśniło – przerwał i rzucił Mystere stanowcze spojrzenie. – Nadal jednak uważam, że potrzebujesz opiekuna, Mystere. Staremu Rillieux zależy tylko na twoich łupach. Ja, wręcz przeciwnie, mam ochotę na coś całkiem innego.

Wyciągnął rękę i pogłaskał ją delikatnie po policzku. Pieszczota wprawiła jej myśli w zamęt; zapragnęła nagle czegoś więcej.

– Mówiłam ci, że nie jestem dziwką – odparła z oczyma pociemniałymi z bólu.

– Wiem, dowód był oczywisty. – Obwiódł palcem kontur jej ust. – A poza tym kochanka to o wiele ładniejsze słowo.

– Ale ja nie…

Rafe nie pozwolił jej dokończyć.

– Rillieux nie wykorzystał cię. Ale najwyższy czas, żebyś znalazła opiekuna.

– Nie możesz tego zrobić – szepnęła ochryple. – Zresztą Rillieux nie zrezygnuje ze mnie tak łatwo.

Roześmiał się.

– Pamiętasz chyba to stare przysłowie, kochanie: „Żebracy nie mogą być przebierni"? Ale tym razem to złodziejka nie może być zbyt wybredna.

– Jeśli mnie do tego zmusisz, nie będzie w tym ani śladu miłości.

Ujął twarz Mystere w dłonie i przyjrzał się jej uważnie.

– Nie będzie to całkiem pozbawione miłości, złotko. I nie zmuszę cię, tylko powiodę na pokuszenie. Żadna pokusa nie będzie za wielka dla mojej kochanki. – Zauważył, że Mystere znowu drży, i opuścił ręce. – Przede wszystkim jednak zadbam o ciebie. Każę Ruth odprowadzić cię do twego pokoju i sprawdzić, czy twoja rana nie wymaga nowego opatrunku.

– Nie mogę tu zostać… Rillieux będzie…

– Mam się postarać, żeby dał ci spokój?

Oszołomiona Mystere patrzyła, jak Rafe dzwoni na gospodynię. Rozpaczliwie próbując się ratować, powiedziała:

– Pańska oferta jest całkiem kusząca, panie Belloch…

– Rafe.

– R… Rafe – wyjąkała. – Ale wszystkie moje rzeczy są u Paula Rillieux. Muszę tam wrócić. Tamten list jest u niego. To wszystko, co pozostało z mojej przeszłości, i za nic z tego nie zrezygnuję! Muszę więc odrzucić twoją propozycję, choćbyś nawet nazwał mnie „przebierną". Bardzo bym chciała, żeby ktoś się mną opiekował i dbał o mnie, ale dobrze wiem, jakim by się to odbyło kosztem.

– O, wiele by cię to nie kosztowało – rzucił z kpiącym uśmiechem.

– Oddam ci pierścień. Zrobię wszystko, co zechcesz, ale nie mogę tu zostać.

Uśmiechnął się tylko i obrócił w palcach klejnot Antonii.

– Zapominasz, kochanie, że pierścień już mam.

– Na pewno jest coś, co mogłabym dla ciebie zdobyć. Nie kusi cię żaden z klejnotów pani Astor?

Nieoczekiwanie rzucił jej pierścień.

– Jak wiesz, moja panno, jestem bogaty i nie muszę kraść. – Zmrużył oczy. Widać było, że jakiś nowy pomysł przyszedł mu do głowy. – Zawrzyjmy układ: zostaniesz tu, dopóki rana się nie wygoi. Jeśli potem nadal nie będzie ci odpowiadała rola mojej kochanki, będę miał dla ciebie niewielkie zamówienie. Jest pewna drobnostka, którą od dawna pragnę zdobyć.

– Powiedz mi, o co chodzi, a ja zdobędę to jeszcze dziś! – zawołała z rozpaczą.

Uśmiechnął się łagodnie.

– Jesteś śmiertelnie blada i jeszcze drżysz po doznanym szoku. Dzisiejszej nocy poddasz się tylko kuracji Ruth i będziesz spać.

W tym momencie gospodyni zastukała do drzwi i weszła do pokoju.

– N... nie, nie mogę tu zostać – wyjąkała Mystere, cofając się przed obojgiem.

– Proszę przygotować wenecki pokój, Ruth.

Służąca skinęła głową. Ozdobiony falbanką czepek zakołysał się.

– Nie – jęknęła Mystere i zrobiła jeszcze krok do tyłu.

Długie frędzle szala zaplątały się jej pod nogami. Zanim zdążyła odzyskać równowagę, znalazła się w ramionach Rafaela; niósł ją na górę po pięknych mahoniowych schodach.

– Nie mogę. – Broniła się resztką sił.

– Podoba mi się twoja stanowczość. Ale wykorzystaj ją, by szybko wrócić do zdrowia, a nie przeciwko komuś, kto o ciebie dba.

– Ty wcale o mnie nie dbasz – niemal się rozpłakała.

Położył ją na francuskim łożu we wspanialej sypialni utrzymanej w tonacji weneckiego różu. Odgarnąwszy jej z czoła pukiel włosów, przez długą chwilę spoglądał jej w oczy.

– Jeśli się obawiasz, że nie będę o ciebie dbał, to lepiej nie kuś losu. A teraz śpij i rób to, co ci Ruth powie.

– Zrobię wszystko, co zechcesz. Wszystko, tylko nie...

Dalsze słowa zginęły w porcji laudanum. Ostatnie wspomnienie Mystere związane było z osobą opiekuńczej gospodyni, która otulała ją kołdrą, i z niespokojnym spojrzeniem Rafe'a Bellocha, gdy dawał Ruth instrukcje, jak ma się nią opiekować.

21

Mystere zdawało się, że ogarnia ją fala ciemności, dusząc zwojami płynnego jedwabiu. W narkotycznym śnie, zlana potem, rzucała się w atłasowej pościeli, jęcząc i błagając o litość. Zagubiona w mroku nie zdawała sobie sprawy, że ktoś ociera jej czoło wilgotnym chłodnym płótnem; nie dostrzegała mocnej męskiej ręki niosącej jej ulgę.

W końcu nadszedł upragniony świt. Powoli otworzyła oczy i ujrzała złoty promień słońca padający na pościel. Ramię ciągle pulsowało bólem, ale nie był on już tak ostry ani dręczący jak poprzedniej nocy. Uniosła się do pozycji siedzącej i rozejrzała po nieznanym pokoju. Słońce jaśniało na atłasowych weneckich draperiach barwy złotawego różu. Na jednej z berżerek leżała jej zniszczona atłasowa suknia w kolorze mięty, z plamami zaschniętej krwi na boku. Na drugiej berżerce, z wyciągniętymi przed siebie długimi nogami i rękami skrzyżowanymi na piersi spał Rafe. Miał na sobie te same spodnie co ubiegłej nocy oraz koszulę z cienkiego batystu.

Mystere przyglądała mu się z niepokojem. Czuła się jak zamknięta w jednej klatce z lwem; jej szanse ocalenia wyglądały mizernie. Nawet gdyby zdołała się ubrać i wymknąć, musiałaby jeszcze na własną rękę wrócić na Manhattan. Wszystkie jej rzeczy znajdowały się u Paula, a ten nie będzie zachwycony jej powrotem. Nie miała żadnego dobrego wyjścia.

Rafe uniósł rękę i potarł twarz. Błękitnozielone oczy spoglądały teraz na Mystere.

– Śpiąca królewna się obudziła – powiedział, prostując się w fotelu. – Jak się czujesz?

– D...doskonale, ale ch...chciałabym wrócić do domu.

– Nie masz domu, do którego mogłabyś wrócić.

To stwierdzenie zabrzmiało jak wyrok. Nie mogła go jednak odeprzeć.

Rafael wstał i przeciągnął się. Przez cienki batyst widziała wyraźnie jego pierś. Mięśnie, które poznawała wczoraj koniuszkami palców, falowały; delikatny czarny meszek widoczny był w rozpięciu koszuli. Z nadal jeszcze zaspaną miną wydawał się nieprawdopodobnie przystojny. Nie przypominał wcale demona, który ścigał ją zajadle i przywiódł do zguby.

– Jeśli mam być twoim więźniem, żądam przynajmniej sprowadzenia moich rzeczy. Mój list jest ciągle w domu Paula.

– Będziesz miała, czego tylko zapragniesz – burknął w odpowiedzi. – Ale wszystko w swoim czasie. Najpierw chcę się przekonać, czy okażesz się posłuszną kochanką.

Milczała, zatopiona w myślach.

Przyjrzał jej się bacznie i wybuchnął śmiechem.

– Widzę, że planujesz, jak by tu mnie zamordować. – Podszedł do niej, chwycił za ręce i podniósłszy z materaca, dodał: – Zapewniam cię, że jeszcze żadna kobieta nie wypędziła mnie z łóżka. Tym razem też nie dam się wygonić.

Przysiadł na skraju łóżka i pociągnął ku sobie kołdrę, odsłaniając Mystere. Była tylko w przezroczystej koszulce, jej piersi aż się prosiły, by ich dotknąć, ale opanował się. Musnął tylko dłonią wyprężoną brodawkę i pogłaskał dziewczynę po twarzy.

– Widzę, że nie jesteś usposobiona do miłosnych igraszek. Wobec tego zejdźmy na dół. Zjemy coś i omówimy – uśmiechnął się – nasz nowy układ.

Ktoś zastukał do drzwi.

– Czy młoda pani już wstała? – spytała Ruth, wchodząc do pokoju ze srebrną tacą. Najwyraźniej nie widziała nic niestosownego w tym, że pan domu siedzi na łóżku gościa.

– Zostawię cię teraz pod dobrą opieką – rzekł Rafe. – Zimno dziś, więc zjemy śniadanie przed kominkiem w bibliotece.

Wstał i podszedł do drzwi. Mystere patrzyła za nim, niezdolna zarówno do walki, jak i do poddania się.

– Bardzo ładnie się goi – powiedziała gospodyni, odwinąwszy ramię dziewczyny. – Założę się, że nie będzie dużej blizny.

– Dziękuję pani – mruknęła Mystere, zbyt przygnębiona, by zdobyć się na coś więcej.

Po wypiciu dwóch filiżanek gorącej kawy przy kominku Mystere trochę się pozbierała. Kiedy tak siedziała naprzeciw Rafe'a, doszła do wniosku, że może ją uratować tylko ucieczka. Im dłużej jednak snuła w głowie plany, tym bardziej znaczące i natarczywe stawały się jego spojrzenia. Był przeciwnikiem trudnym do zmylenia. Nie miała co do tego złudzeń.

– Podejdź do mnie – powiedział, kiedy skończyli śniadanie. Mystere wstała z fotela i owinęła się ciaśniej jedwabnym sznurem z chwaścikami przytrzymującym jej szlafrok z wigoniowej wełny. Był na nią o wiele za obszerny i tak długi, że omal się nie przewróciła o obrąbek. Kiedy stanęła przed Rafaelem, dostrzegła z przestrachem, że jego ręce powędrowały do jedwabnego sznura.

– Mógłbym go rozwiązać i sycić moje oczy, ile zechcę. Ale wolę, żebyś sama to zrobiła. Rozbierz się dla mnie.

– Nie – wyszeptała ochryple.

Objął ją i posadził sobie na kolanach.

– Nie chcesz tego zrobić? Szybko zapomniałaś, ile możesz na tym zyskać, kochanie.

Odnalazł ustami jej usta. Chciała się opierać, uciekać, ale ciepło jego warg i kojąca siła jego potężnej piersi sprawiły, że uległa. Delikatny pocałunek przerodził się w gwałtowny, zmysłowy. Gorący język Rafe'a wtargnął do jej ust, jakby znaczył swe terytorium. Bez żadnych widocznych manipulacji ze strony któregoś z nich szlafrok się rozchylił, ukazując jędrne piersi. Rafe pogłaskał je władczo.

Poczuła, że topnieje, a czas zaczął pędzić jak szalony. Była rada, że szlafrok kryje jego zuchwałe pieszczoty: wolała ich nie widzieć. Miała wrażenie, że Rafael rzucił na nią urok, a ona padła jego ofiarą. Jak sparaliżowana siedziała półnago na jego kolanach, przyjmując grzeszne pieszczoty z entuzjazmem mruczącego kociątka.

– Boże święty! – rozległo się od progu.

Urzeczeni grą miłosną nie usłyszeli, jak drzwi się otworzyły.

Stali w nich z rozdziawionymi ustami pani Astor i Ward, a za nimi bardzo zaniepokojona Ruth.

Rafe nie stracił głowy. Błyskawicznie zsunął poły rozchylonego szlafroka i pomógł Mystere wstać. Podniósłszy się również, patrzył, jak Caroline wchodzi do biblioteki, a Ward, niczym ogar na tropie, depcze jej po piętach. Ruth wyjąkała jakieś przeprosiny, zanim Rafael skinieniem głowy kazał jej odejść.

Wszystko to Mystere postrzegała jak przez mgłę. Podciągnęła szalowy kołnierz szlafroka, przytrzymując go kurczowo przy szyi. Czuła się głęboko upokorzona. Miała nadzieję, że za chwilę się obudzi i ostatnia noc okaże się tylko koszmarnym snem.

Rafe szybko odzyskał pewność siebie. Cyniczny, zawzięty uśmiech ukazał się na jego twarzy. Przypominał w tej chwili Mystere żołnierza idącego na pewną śmierć w imię przegranej sprawy.

– Witajcie, drodzy państwo – powiedział kordialnie. – Może byście się rozebrali?

Mystere nie mogła wprost uwierzyć w jego bezczelność. Żart był w najgorszym guście i wcale nie poprawił humoru Caroline. Wyraz twarzy pani Astor idealnie harmonizował z jej taftową toaletą w kolorach musztardy i żółci.

– Ty gruboskórny, pozbawiony zasad łajdaku – oświadczyła zimno. – Ty podły uwodzicielu, deprawatorze niewiniątek! Zawiodłeś to biedne jagniątko na rzeź!

– Chwileczkę, pani Astor… – usiłowała zaprotestować Mystere.

– Siedź cicho, dziecko! – uciszyła ją czcigodna matrona. – Wcale mnie nie dziwi twój… brak opanowania. Rafe jest bardzo atrakcyjny, a tobie brak macierzyńskiej ręki, która by tobą pokierowała. Nie ty jesteś głównym winowajcą w tym niesmacznym widowisku. Zostałaś zwiedziona przez prawdziwego mistrza. Ale nie licz zbytnio na moją pobłażliwość, bo i ona ma swoje granice.

Znowu zwróciła gniewny wzrok na Rafe'a.

Odezwał się, nim zdążyła coś powiedzieć.

– Pytam z czystej ciekawości, Caroline: co państwa tu sprowadza? Co was skłoniło do opuszczenia dumnej skały Manhattanu i przeprawienia się przez zatokę w tak zimny ranek? Czy tylko chęć zobaczenia mnie? – dodał ironicznie.

Wyglądało na to, że pani Astor ma ochotę go uderzyć.

– Sprowadziła mnie tu całkiem zbyteczna, jak teraz widzę, troska. Zniknąłeś nieoczekiwanie w trakcie przyjęcia i rozeszły się pogłoski o twojej chorobie. I pomyśleć, że zadałam sobie tyle trudu, by odkryć coś podobnego! Czy masz cokolwiek na swoje usprawiedliwienie, mój panie?

Trzymaj się, powiedziała sobie w duchu Mystere, starając się opanować drżenie nóg. On zaraz opowie im o wszystkim. Będę zgubiona!

Ale Rafe, zamiast zwrócić się do pani Astor, zerknął na Warda, który pożerał wzrokiem skąpo odzianą Mystere.

– Cofnij się pod tylną ścianę, stary – poradził mu Rafe. – Będziesz miał znacznie lepszy widok.

McCallister poczerwieniał i chciał zaprotestować, ale Caroline nie dopuściła go do głosu.

– To wcale nie jest zabawne! – warknęła. – Nie da się uniknąć skandalu, chyba to rozumiesz, Rafe?

– Oczywiście, że się da – odparł ze spokojem. – Wystarczy, że oboje z Wardem będziecie trzymać buzie na kłódkę.

Pani Astor spojrzała na niego z najwyższą pogardą.

– Nie zwykłam przemilczać haniebnych czynów. Możesz mnie uważać za zwykłą snobkę, ale nie masz racji. To ja utrzymuję naszą warstwę społeczną na wysokim poziomie moralnym.

– Na wysokim poziomie hipokryzji – poprawił ją.

– Nie pora na bezczelne uwagi. Mogę cię zniszczyć, Rafe, dobrze o tym wiesz. Wystarczy szepnąć słówko komu trzeba na Wall Street, a akcje twojej korporacji zmienią się w bezwartościowe śmiecie. Wątpisz, że mogę to uczynić?

– Ależ skąd, Caroline – przyznał z wyraźnym znużeniem. – Święcie wierzę, że mogłabyś sprawić, by słońce wzeszło na zachodzie.

– Dobrze. Widzę, że się doskonale rozumiemy. Nie chodzi tu o zwykły skandal, tylko o taki, w który i ja zostanę wplątana, jeśli zachowam milczenie. Nigdy dotąd nie było skazy na moim nazwisku i nigdy nie będzie!

Mystere wprost nie mogła uwierzyć, że Rafe strzeże jej sekretu z narażeniem własnej osoby. Nie pojmowała również, do czego to wszystko zmierza. Jedno tylko było przerażająco jasne: sroga pani Astor miała zadecydować o jej losie.

– Ward! To, co tu zobaczyliśmy, nigdy nie miało miejsca. Jeszcze dziś napiszę liścik, który ty niezwłocznie przekażesz wielebnemu Lowellowi. On zaś natychmiast ogłosi zapowiedzi pana Bellocha i panny Rillieux i zdławi w zarodku skandaliczne plotki.

Pokój zawirował wokół Mystere; dopiero po chwili zauważyła, że szarawa bladość pokrywa twarz Rafe'a. Otworzyła usta, by zaprotestować, ale po prostu straciła mowę. Oświadczenie Caroline dosłownie ją ogłuszyło.

– To moje ostateczne warunki – dodała niezłomna matrona.

– Czy masz coś przeciw temu, Rafe?

– Oczywiście, że mam!

– Ale czy dostosujesz się do nich?

– Jeśli tego nie zrobię, stracę korporację, prawda?

– Między innymi. Czy wątpisz, że się o to postaram?

– Czemu miałbym wątpić? – Po raz pierwszy od przybycia gości w głosie Rafaela zabrzmiał gniew. – Przecież ty i tobie podobni nie zawahaliście się zabić mego ojca.

– Ty również należysz do naszego grona – odpowiedziała pani Astor bez wahania. – Co się zaś tyczy twego ojca, to sam sobie wykopał grób. Możesz pójść w jego ślady. Chodźmy, Ward. Strasznie rozbolała mnie głowa.

Wyszli, nie obejrzawszy się ani razu.

Rafe westchnął przeciągle i ze znużeniem opadł na mahoniowy fotel stojący za biurkiem. Mystere, podkasawszy szlafrok, z okrzykiem rozpaczy rzuciła się ku drzwiom. Zadziwił ją refleksem i doskonałą formą. Zerwał się i chwycił ją za ramię, nim zdążyła uciec.

– Niech cię diabli – mruknął. – Nie dość mam przez ciebie kłopotów? Siedź spokojnie, póki wszystkiego nie przemyślę.

– Pozwól mi odejść, Rafe. Przysięgam, że zapłacę ci za wszystko, co ukradłam. Ja…

– Cicho, mam teraz ważniejsze sprawy na głowie. Caroline mówiła serio, naprawdę może zniszczyć moją korporację. Ja przeżyłbym ten cios, bo mój kapitał jest ulokowany w różnych przedsiębiorstwach. Ale moi pracownicy zostaliby bez środków do życia. Mam zobowiązania wobec nich i ich rodzin i traktuję je poważnie. A poza tym, słyszałaś, co ona poleciła McCallisterowi?

– Ona… nie może nas zmusić do małżeństwa. Na pewno nie każe ogłosić zapowiedzi, kiedy trochę ochłonie. Pamiętasz, jak przysięgała, że zrujnuje Abbota? A nie zrobiła tego!

Rafe roześmiał się i potrząsnął głową.

– Pod pewnymi względami naprawdę jesteś niewiniątkiem, Księżycowa Damo. Słowo daję, że to urocze. Caroline mogła przebaczyć Abbotowi bez uszczerbku dla własnej dumy. Ze mną to inna sprawa.

– Dlaczego?

– Dlaczego? – powtórzył, a w jego głosie zabrzmiał gniew. – Dlatego, że nigdy nie chciała wziąć sobie Abbota za kochanka, głuptasku.

Mystere spojrzała na niego ze zdumieniem.

– Chcesz powiedzieć, że ona... i ty? Nigdy w to nie uwierzę.

– Więc wyobraź sobie, że Caroline wcale nie jest niepokalaną dziewicą! Jak myślisz, czemu wygłosiła mi kazanie o swojej nieposzlakowanej moralności? To wszystko przez wyrzuty sumienia. Dobrze wie, co chciałaby ze mną robić. I czy naprawdę wierzysz, że przyjechała tutaj, myśląc, że jestem chory?

– Przecież Ward był z nią.

Rafe prychnął pogardliwie.

– Ma do Warda całkowite zaufanie. Jest pewny jak bank szwajcarski. Powiem bez ogródek: gdybym nie tracił tyle czasu na ciebie, uwiedzenie pani Astor byłoby już faktem dokonanym. I postarałbym się, żeby wszyscy o tym wiedzieli.

Ton przechwałki w jego głosie sprawił, że Mystere nastroszyła się. Słowa Rafe'a wydały jej się wręcz niesmaczne.

– Wiedziałam, że jesteś zarozumiały, ale to już przesada! Słyszałeś ją przecież, co mówiła. Nigdy nie było skazy na jej imieniu.

– To, że nigdy nie została przyłapana, nie oznacza, że nie miała ochoty pogrzeszyć. Zapewniam cię, że miała. Czekałem tylko na dzień, kiedy Caroline Astor ulegnie pokusie. A teraz, z twojej winy, nigdy do tego nie dojdzie!

– Ależ... ależ ty nią gardzisz! Dlaczego, na litość boską, miałbyś uwodzić kobietę, której nie...

– „Serce ma swoje racje, których rozum nie uznaje" – przerwał jej.

– Twój ojciec – powiedziała cicho. – To z jego powodu, prawda? Słyszałam, co mówiłeś, a i Abbot wspominał o jakiejś twojej urazie. Co ona zrobiła twojemu ojcu?

– Nic. Nawet palcem nie kiwnęła, żeby mu pomóc. Ale to nie twój cholerny interes. Nie mówmy o tym. – Z widocznym wysiłkiem opanował gniew i pochwyciwszy spojrzenie Mystere, dodał: – Nie będziemy musieli długo czekać na następny ruch Caroline. To ona ma w ręku wszystkie atuty. A ja nadal mam dla ciebie pewną propozycję.

Widząc przerażenie na jej twarzy, roześmiał się szorstko.

– To nie to, co myślisz, mały tchórzu! Choć przyznam, że różne rzeczy chodzą mi po głowie po tym, co widziałem dziś rano... Nie, Księżycowa Damo, chcę od ciebie czegoś, na czym znasz się najlepiej. Chcę, żebyś coś dla mnie ukradła. A raczej zwróciła mi coś, co było niegdyś moją własnością.

– Nie rozumiem – wykrztusiła Mystere, całkiem zbita z tropu.

– Przypomnij sobie. Mniej więcej w połowie marca, niedługo przed balem u Vanderbiltów, gdy prasa jeszcze nie nazywała cię Księżycową Damą, Strathamowie wydali wieczorek. Ukradłaś wtedy diadem z brylantów i szafirów pewnej podpitej starszej damie nazwiskiem Louise Blackburn.

Mystere natychmiast przypomniała sobie ten wieczór. Diadem był jednym z łupów, które Paul zachował w swoim sejfie.

– To nie była kradzież – odparła bardzo cicho – tylko przejęcie własności.

– Co takiego? – burknął Rafael zły, że mu przerwała.

– Nieważne. Co z tym diademem? – spytała niechętnie, bo nawet teraz, po ostatecznym zdemaskowaniu, nie miała ochoty przyznawać się do swoich przestępstw.

– To był diadem mojej matki. Klejnot, który zawsze bardzo sobie ceniła. Został sprzedany na licytacji, a teraz chciałbym go odzyskać.

– To niemożliwe.

– Tym gorzej dla ciebie. Chciałem zawrzeć z tobą bardzo korzystny układ. Zdobądź ten diadem, a nasze rachunki zostaną wyrównane. Nie będę ci groził więzieniem ani zdemaskowaniem, a poza tym... – wyjął z kieszeni koszuli pierścień Antonii; szmaragd zalśnił w blasku kominka jak rozświetlone słońcem morze – to będzie twoje. Pierścionek za diadem.

To rzeczywiście bardzo korzystna oferta, myślała Mystere. Myśl o okradzeniu Paula przerażała ją, ale Rafe mógł ją wpędzić w jeszcze gorsze kłopoty. Poza tym, nawet jeśli nie mówił poważnie o zdemaskowaniu jej, potrzebowała tego pierścienia.

– To będzie bardzo trudne – powiedziała w końcu. – Nie mogę obiecać, że mi się uda, ale postaram się.

Rafael skinął głową.

– Na twoim miejscu naprawdę bym się postarał. Niech mnie diabli, jeżeli wiem, czemu cię dzisiaj nie wydałem! – Jego głos stał się mroczny i groźny. – Pamiętaj, że wystarczy jedna rozmowa z Caroline. Kiedy się dowie, kim naprawdę jest jej „biedne jagniątko", znajdziesz się w sytuacji nie do pozazdroszczenia.

22

Udział w niedzielnych porannych nabożeństwach w kościele Świętej Trójcy, na których gromadzili się liczni przedstawiciele nowojorskiej elity, Paul Rilleux traktował jako część swojej dopracowanej w każdym szczególe roli. Zmuszał Mystere, by chodziła tam razem z nim. Wiedziała, że Paul czerpie swoistą satysfakcję z obserwowania pobożnej katoliczki w tłumie anglikanów.

Tej niedzieli jednak Rillieux był w fatalnym humorze i zamiast pójść do kościoła, urządził Mystere awanturę z powodu wydarzeń ubiegłego wieczoru. Choć była to przykra scena, Mystere wolała to, niż usłyszeć, jak wielebny Lowell ogłasza publicznie zapowiedzi jej i Bellocha. Żywiła jeszcze słabą nadzieję, że pani Astor złagodzi swój drastyczny wyrok. Z radością wyszłaby za Rafaela, gdyby sam ją o to poprosił. Ale związanie się z niechętnym oblubieńcem, zwłaszcza takim uwodzicielem jak Rafe, wydawało się jej koszmarem.

– Przeglądałaś poranne gazety, moja panno? – spytał Paul, gdy tylko Mystere weszła do salonu.

Była blada i wydawała się dziwnie krucha w swoim lnianym szlafroczku. Ciemne kręgi pod oczami świadczyły o skrajnym wyczerpaniu.

– Dobrze wiesz, że czytam tylko „Timesa" – odpowiedziała, siadając naprzeciw Paula przy alabastrowym stole i nalewając sobie brandy z karafki. – W tej redakcji nie zatrudniają plotkarzy pokroju Lance'a Streetera.

– Nie mówię o plotkach – warknął Rillieux – a publikacja, którą mam na myśli, została zamieszczona w „Timesie" na pierwszej stronie, tak jak we wszystkich innych gazetach.

Wygładził stronice swego ulubionego „Heralda" i zaczął czytać na głos.

– Nieuchwytna złodziejka z wyższych sfer, znana jako Księżycowa Dama, zaatakowała ponownie. Ubiegłej nocy podczas balu u państwa Addisonów zdobyła prawdziwy skarb: przepiękny unikatowy pierścień ze szmaragdem, którego wartości nie podano prasie. Należał on do panny Antonii Butler.

Złożył gazetę i odrzuciwszy ją na stolik, spojrzał z wściekłością przez stół na Mystere.

– Gdzie jest pierścień? – spytał. – Co innego łajdaczyć się całą noc z tym bydlakiem Bellochem, ale co innego pracować dla niego!

Zazwyczaj gniew Paula przerażał Mystere. Teraz jednak świadomość, że będzie musiała stawić czoło pani Astor, sprawiło, iż wszystko inne wydawało się bez znaczenia. Przyparty do muru Rafe z pewnością zdradzi Caroline jej sekret; nie miała co do tego wątpliwości. W dodatku istniał jeszcze problem włamania się do sejfu Paula i wykradzenia diademu.

– Nie ukradłam niczego ostatniej nocy – skłamała i dodała już zgodnie z prawdą: – Nie mam tego pierścionka.

Najwidoczniej Rillieux nie spodziewał się zaprzeczenia. Milczał przez chwilę, jakby się nad czymś zastanawiał, wreszcie spytał ostro:

– Co ci mówiłem, Mystere, na temat lojalności względem rodziny?

– Nie podoba mi się twój ton – burknęła.

– Nie obchodzi mnie, co ci się podoba, a co nie, niewdzięcznico! Jeśli ty go nie ukradłaś, jakim cudem nagle zniknął?

Mystere nie odpowiadała wpatrzona w czarną kawę w swojej filiżance. Wzdrygnęła się, gdy Paul grzmotnął w blat stołu tak mocno, że naczynia zadźwięczały.

– Dlaczego zniknęłaś z balu i gdzie Belloch cię przyłapał? – dopytywał się. – Dobrze wiem, że wróciłaś do domu zaledwie przed godziną.

Spojrzała mu w oczy.

– Być może – odparła ze spokojem – mam pewne plany co do naszej przyszłości.

W pierwszej chwili jej słowa tylko zirytowały Paula, ale potem nagle go olśniło.

– Masz na myśli małżeństwo? – zapytał.

Skinęła głową, rumieniąc się lekko.

– Ja… ja pojechałam z Rafe'em do jego domu. Owszem… była mowa o małżeństwie.

W oczach Paula błysnęło zrozumienie, na jego pobrużdżonej twarzy nadzieja zastąpiła gniew.

– A niech mnie kule biją! – wykrzyknął zaskoczony. – Nie byłaś chyba taka głupia, żeby mu pozwolić...

Mystere potrząsnęła głową, szczerze zawstydzona. Paul, choć nie w pełni usatysfakcjonowany obrotem sprawy, najwyraźniej ochłonął.

– Rozumiem. No cóż... to interesujące. Więc wzięłaś sobie do serca, co ci mówiłem. Ale jeśli nie ty podwędziłaś ten pierścionek, to kto?

Zastanawiał się przez chwilę, szarpiąc brodę. Nieoczekiwana nowina wprawiła go w znacznie lepszy humor.

– Wiesz co? – odezwał się w końcu. – Możliwe, że jakiś sprytny złodziejaszek wykorzystał popularność Księżycowej Damy. Był pewien, że kradzież pójdzie na jej konto. Policjant utrzymuje wprawdzie, że postrzelił jakąś kobietę – spojrzał na Mystere – ale to nie mogłaś być ty. Jesteś w zbyt dobrej formie.

– Raczył się uśmiechnąć. – No cóż, nie mamy monopolu na okradanie bogaczy. Zresztą pierścionek nie będzie miał większego znaczenia, jeżeli nowy układ między tobą a Rafe'em wyda owoce... że się tak wyrażę. Bardzo mi przykro, moja droga, że byłem dla ciebie taki niemiły. Powinienem był wiedzieć, że jesteś dobrą, posłuszną dziewczyną i nigdy nie wystawiłabyś do wiatru swojej rodziny.

– Nie wmawiaj sobie, że nasza przyszłość jest już zabezpieczona – protestowała. – Rafe nie ma wobec mnie żadnych zobowiązań.

– No, tak, oczywiście – przyznał. – Nie chciałbym być niedelikatny, Mystere, ale co było z bandażem? Jak mu to wytłumaczyłaś?

Znowu się zaczerwieniła i odwróciła wzrok. Zrobiła to jednak przede wszystkim po to, by zyskać na czasie. Gwałtownie poszukiwała w myśli przekonującego kłamstwa.

– Powiedziałam mu... powiedziałam, że się wstydzę tych moich... wypukłości. Że mnie krępuje, kiedy ludzie się na nie gapią. Chyba mi uwierzył, bo droczył się ze mną na ten temat.

– Droczył się z tobą? Doskonale! – Humor Paula stawał się coraz lepszy, w miarę jak dostrzegał wszelkie możliwe implikacje. – Zatem doszliście we dwójkę do porozumienia, co? Zamierzacie kontynuować waszą znajomość?

Mystere musiała być teraz ostrożna. Nie mogła wyraźnie zaprzeczyć ani tym bardziej jednoznacznie potwierdzić, na wypadek, gdyby pani Astor zrezygnowała z ogłoszenia zapowiedzi. Zdecydowała się na taktowne niedomówienie.

– Znajomość nie zostanie zerwana, chociaż nie bardzo wiem, jak się dalej potoczy.

– No cóż, lepsze to niż kompletna klapa. Powiedz mi jeszcze jedno: czy Rafe jest zdecydowany w kwestii małżeństwa?

Mystere miała ochotę się roześmiać.

– Całkiem jednoznacznie – odparła szczerze.

– Hm – mruknął Paul, ale jego szeroki uśmiech mówił sam za siebie.

Rafael Belloch nie był zbyt religijny, więc chociaż jego służba miała wolne w niedziele, on sam pracował jak zwykle w Garden Cove z Samem Farrellem. Spotkali się w gabinecie Rafe'a o dziewiątej rano na cotygodniowej konferencji.

– Przyszedł wczoraj wieczorną pocztą – rzekł Sam i podał Rafe'owi list z Nowego Orleanu. – Szukałem cię, szefie, ale Ruth powiedziała mi, że zamierzasz zostać na noc w mieście.

– No, wreszcie raport od Stephena Breaux. – Rafe rozciął kopertę złotym otwieraczem do papieru w kształcie haka szynowego. – Co prawda po wydarzeniach ostatniej nocy ma już drugorzędne znaczenie, ale mimo to przeczytam go z ciekawością.

Przemknął wzrokiem po wstępnych pozdrowieniach i przeszedł do zasadniczej sprawy.

„Nie natrafiliśmy na żaden ślad bratanicy ani innej krewnej Paula Rillieux. Także w archiwach miejskich nie odnotowano nikogo o nazwisku Mystere Rillieux. Co do Paula Rillieux, był on bardzo aktywny w tak zwanym kręgu Lafayette, skupiającym bogatych mieszkańców Vieux Carré, starej francuskiej dzielnicy w centrum Nowego Orleanu.

Nigdy nie zetknąłem się z nim osobiście, ale ze wszystkich raportów wynika, że człowiek ten cieszył się wielką popularnością wśród wybitnych obywateli naszego miasta; nie parał się żadną profesją. Żył podobno całkiem dostatnio, choć nie zbytkownie, z dochodów, które czerpał ze swych dóbr we Francji. Jednakże po jego wyjeździe – do ojczyzny, jak utrzymywał – miało miejsce interesujące odkrycie.

Pewien młody człowiek, który służył u Rillieux w charakterze lokaja, został przyłapany na kradzieży złotego zegarka jednej z osób przybyłych do naszego miasta. Postawiony przed sądem oświadczył, że został wyszkolony w złodziejskim fachu przez swego byłego pracodawcę. Opowiedział historię tak nieprawdopodobną, że sędzia odrzucił ją jako czysty wymysł. Otóż jego złodziejski mistrz miał werbować mieszkańców Gallatin Alley; osadzał ich w swoim domu w charakterze służby i żył dostatnio z łupów, które mu dostarczali".

Rafe podał list Samowi.

– A więc stary łajdak wrócił do dawnych sztuczek – powiedział, gdy sekretarz skończył lekturę. – To wystarczający dowód, by wsadzić go za kratki na resztę życia.

– Sadzę, że mogłoby to nie wyjść na dobre Mystere Rillieux – odparł spokojnie Sam.

Rafe skinął głową.

– Masz rację, psiakrew! Skrzywdziłbym dziewczynę bardziej, niż na to zasługuje. I właśnie dlatego nie zwrócę się do policji. Jestem prawie pewny, że Mystere powiedziała mi szczerą prawdę. Rillieux wyciągnął ją z sierocińca i wyuczył złodziejskiego fachu – wytresował jak obiecującego źrebaka!

– To się zgadza z jego sposobem działania w Nowym Orleanie.

– Żal mi tej dziewczyny – rzekł Rafe. – Ale litość nie zmusi mnie do ożenku.

– Do ożenku?! – Sam zrobił wielkie oczy ze zdumienia.

– Ja miałem taką samą minę! – roześmiał się Rafe i pokrótce zrelacjonował przyjacielowi wydarzenia, które doprowadziły do nieubłaganego ultimatum pani Astor.

– Masz rację, szefie – zgodził się Sam, gdy Rafael skończył. – Litość nie jest wystarczającym fundamentem małżeństwa. Zakładając, oczywiście, że nic więcej do niej nie czujesz.

Rzadko wtrącał się w osobiste sprawy swego pracodawcy, tak rzadko, że tym razem Rafe nie wziął mu tego za złe.

– Nie ulega wątpliwości, że jest piękna – powiedział. – Zwłaszcza gdy... nie ukrywa swoich wdzięków. Ale żądza też nie jest najlepszą podstawą małżeństwa.

Sam doskonale wiedział, kiedy milczeć, toteż nie odzywał się przez dłuższą chwilę.

– Myślisz, że się w niej zakochałem? – spytał zaczepnie Rafe.

– Nie mam pojęcia. Choć z pewnością jest jeszcze coś oprócz litości i żądzy. Zachowywałeś się jak opętany przez ostatnich kilka tygodni.

– Nie przeczę – przyznał niechętnie Rafael. – Ale nie zapominaj, stary, o groźbie Caroline pod adresem Belloch Enterprises.

– Myślisz, że spełni tę groźbę?

– Powtórzę za tobą: nie mam pojęcia. Wiem tylko, że byłaby zdolna do jej spełnienia. To twarda kobieta.

Umilkł i pogrążył się w rozmyślaniach. Wciąż miał przed oczyma obraz rozebranej Mystere. Żądza nie była wystarczającą motywacją do małżeństwa, ale nie mógł zaprzeczyć, że w tym przypadku mogła go do niego zmusić. Przez ostatnie tygodnie źle spał. Godzinami przewracał się na łóżku i bynajmniej nie obawa bankructwa przyprawiała go o siódme poty.

Zaraz po tej refleksji nastąpiła całkiem odmienna reakcja: gniew z powodu własnej słabości. Czemu, na litość boską, ukrył sekret tej dziewczyny przed Caroline? Wszystkie jego plany wezmą w łeb, jeśli zakocha się w tej chytrej małej złodziejce.

Zdawał sobie sprawę, że nie zdoła zrealizować swego głównego celu: zdobycia Caroline i uwikłania jej w paskudny skandal. Było jednak wiele innych dam, które aż się prosiły o skompromitowanie. Z Antonią Butler włącznie.

Nie pozwoli, by zmuszono go do małżeństwa z tą małą śliczną oszustką, która – kto wie? – gotowa go nawet otruć, żeby zawładnąć całą fortuną.

– Tak czy owak – podsumował Rafe – nie mogę planować następnego posunięcia, póki się nie upewnię, co z tymi zapowiedziami. Tymczasem zrób kopię maszynową listu. Oryginał włącz do naszych akt, a odpis wyślij Mystere Rillieux. Znajdziesz jej adres w książce telefonicznej.

Przypomni jej to, dodał w duchu, jak bardzo mi zależy na odzyskaniu diademu.

23

Nie minęła godzina od zakończenia nabożeństwa u Świętej Trójcy, kiedy w holu rezydencji Paula Rillieux zadzwonił telefon. Mystere, która siedziała w saloniku i przyszywała oderwaną falbankę u sukni, przestraszona tym dźwiękiem ukłuła się w palec. Poczuła się jak skazaniec, który za chwilę usłyszy, że kat właśnie wypróbowuje działanie szubienicy, Pani Astor i Ward odstawili ją do domu stryja niczym policyjna eskorta. Caroline nie mówiła wiele, poleciła tylko Paulowi: „nie spuszczaj jej z oczu". Paul dokładnie wypełnił polecenie. Teraz spoglądał na „bratanicę" ze swego ulubionego skórzanego fotela niczym kot na kanarka, czekając na jakieś wyjaśnienie czy wyznanie. Mystere nie spieszyła się z jednym ani z drugim. Chciała mieć jak największe pole manewru, nie wiedziała bowiem, kiedy – i jaki – padnie cios.

Dzwonek telefonu dowodził niezbicie, że cios padł.

Hush miał wychodne, nie mógł więc odebrać, Mystere nawet nie ruszyła się z miejsca. Słuchawkę podniósł Baylis, który akurat był w holu. Słyszała jego głos, ale nie mogła zrozumieć ani słowa. Chwilę później w drzwiach ukazała się głowa służącego.

– Do ciebie, Paul – oznajmił Baylis. – Ta stara Astor.

– Pani Astor – poprawił go Paul. – Naucz się okazywać szacunek lepszym od siebie.

Wstał i opierając się na lasce, wyszedł z pokoju. Kiedy był już poza zasięgiem ich głosów, Baylis puścił oko do Mystere i mruknął:

– Szacunek, dobre sobie. Ta stara jędza nigdy mi nie postawiła piwa.

Mystere próbowała się uśmiechnąć w odpowiedzi na ten niezbyt udany żart, ale ogarnął ją nagle paraliżujący strach. Spraw, dobry Boże, modliła się w duchu, żeby to było zwykłe zaproszenie na niedzielną przejażdżkę.

Gdy Paul wrócił, stało się jasne, że jej prośba nie została wysłuchana.

– Mystere, ty mała szelmo! – powiedział już od progu, uśmiechając się do niej czule. – Kryłaś się ze swoim sekretem przez całe rano. Pozwalałaś, żebym ci robił wymówki. A fe!

Baylis, który miał już wyjść z domu, wrócił do salonu.

– Z jakim sekretem? – zainteresował się.

– Baylis – oświadczył Paul z godnością, nie posiadając się ze szczęścia – nasza mała dziewuszka sprawiła nam miłą niespodziankę. Pani Astor telefonowała właśnie, by złożyć gratulacje z racji oficjalnych zaręczyn Mystere z Rafe'em Bellochem.

– Rany Julek! Z tym sławnym Bellochem? Tym nadzianym elegancikiem, którego oskubaliśmy w Five Points? Z Waligórą?

– We własnej osobie – potwierdził Paul, nadal się uśmiechając, bardzo dumny ze swej małej dziewczynki. – I pomyśleć, że kwestionowałem jej lojalność wobec rodziny! Czy mi wybaczysz, moja droga?

Ale Mystere prawie go nie słyszała. Przez dłuższą chwilę pokój wirował wokół niej; chwyciła się mocno za oparcie fotela, żeby nie upaść.

– Belloch to drugi Vanderbilt! – piał Baylis.

– No, niezupełnie – poprawił go Paul. – Ale bez wątpienia jest jednym z najbogatszych ludzi w Ameryce. I pomyśleć, że nasza dziewczynka zostanie jego żoną!

– Dotarliśmy w końcu do bezpiecznego portu – triumfował Baylis. – Popatrz no tylko, szefie, na tę naszą damę. Czy to nie jest towar w najlepszym gatunku? Kiedy ślub, złotko?

Mystere chciała się odezwać, ale jakaś niewidzialna ręka dusiła ją za gardło.

– Biedactwo nie może jeszcze uwierzyć we własne szczęście – unosił się Paul. – Według Caroline data ślubu nie została jeszcze ustalona. Ale moim zdaniem im prędzej, tym lepiej! – Mrugnął do niej porozumiewawczo. Wyglądał jak szatan we własnej osobie. – Wiesz, Mystere, że obiecałem pani Astor nie spuszczać z ciebie oka, i zamierzam dotrzymać przyrzeczenia. Miałaś za wiele swobody jak na debiutantkę i właśnie dlatego wplątałaś się w kłopoty. – Roześmiał się. – Nie pozwolimy, by cudowna gąska umknęła nam, nim zniesie złote jajko, co?

Patrząc na niego, Mystere pojęła, że wszystko skończone. Jeśli nie zdoła uciec, zmuszą ją do małżeństwa z Bellochem, bo widzą w tym własny zysk. Nie potrafiła przewidzieć, jak się to wszystko skończy, ale oczyma duszy widziała pogrzeb bardzo szybko po ślubie.

– Kiedy nadarza się taka okazja, trzeba kuć żelazo póki gorące – ciągnął dalej Paul.

– Albo Bellocha, póki jest taki napalony – zażartował Baylis i obaj mężczyźni wybuchnęli prostackim śmiechem.

Nadal ogłuszona Mystere poczuła nagle, że nie wytrzyma dłużej w tej atmosferze koszarowych dowcipów. Zebrała fałdy spódnicy i udało się jej jakoś wstać na nogi.

– Chyba... skończę to szycie na górze – zdołała wykrztusić.

– Oho! – pokpiwał Baylis. – Widzisz, co się dzieje? Już jej nasze towarzystwo nie odpowiada.

– Daj spokój – mitygował go Paul. – Zawstydziłeś dziewczynę. Nie drażnij się z nią. Biedactwo, musi być zupełnie oszołomiona. Sam jestem jak ogłuszony, a przecież to nie ja mam zostać panną młodą.

Mężczyźni odsunęli się, przepuszczając Mystere do drzwi. Uśmiechali się do niej tak, jakby właśnie ocaliła świat od zagłady. Była już w połowie holu, zmierzając w stronę kręconych schodów, kiedy podniecone głosy dochodzące z saloniku przyciągnęły jej uwagę.

Bezszelestnie wróciła i zatrzymała się na tyle blisko drzwi, by dobrze słyszeć, o czym mówią.

– Pewnie, że tak – powiedział Baylis. – Belloch będzie mocno trzymał swoją forsę.

– Oczywiście! A ty byś zrobił inaczej? Ale wiesz co? Nabieram przekonania, że naszej Mystere całkiem do twarzy w czerni.

– Cóż, każdy z nas musi kiedyś umrzeć – zażartował Baylis i obaj się roześmiali.

Lodowata dłoń zacisnęła się wokół serca Mystere. Musi ocalić Rafe'a! Usłyszane dopiero co słowa wzmogły jeszcze jej postanowienie, że będzie się opierać temu ożenkowi równie zdecydowanie jak Rafael.

Przełykając łzy rozpaczy, pośpieszyła na górę.

Mystere nie miała pojęcia, jak długo leżała na łóżku, płacząc w poduszki i powtarzając raz po raz imię Brama. Nawet teraz on był dla niej najważniejszy i rozpaczała na myśl, że nigdy więcej go nie zobaczy. Nie mogła mieć nadziei na odnalezienie go, kiedy jedna przeszkoda po drugiej zagradzała jej drogę do dalszych poszukiwań.

Uświadomiła sobie wyraźniej niż kiedykolwiek, że wzrastała w cieniu dwóch sprzecznych ze sobą obsesji. Jedną z nich była przemożna chęć rozwiązania zagadki własnej tożsamości. Drugą stanowiły wspomnienia z pierwszych lat życia: beznadziejna tułaczka po ulicach wielkiego miasta i koszmarna egzystencja w przytułku. Ten czynnik działał na nią odwrotnie niż pierwszy, podbudowujący. Rozum podpowiadał jej, że w gruncie rzeczy jej istnienie nie ma dla nikogo znaczenia i że może w każdej chwili zgasnąć jak płomień świecy na wietrze.

Stopniowo jednak rozpacz nad własnym losem cichła i powracały myśli o Rafie.

Mimo jego niemiłych słów i okropnego zachowania w ciągu ostatnich tygodni Mystere nie mogła się oprzeć uczuciu wdzięczności: wziął na siebie ostrze gniewu pani Astor i nie zdradził matronie jej sekretu! Poczucie wdzięczności kazało jej znów zastanowić się nad „urazą" Rafe'a (jak to określił Abbot) do nowojorskiej elity. Rafe wyraźnie oskarżył panią Astor o spowodowanie śmierci jego ojca. Jeśli była w tym choćby szczypta prawdy, łatwo mogła zrozumieć cynizm i szorstkość Rafaela.

Stukanie do drzwi sypialni przerwało tok jej myśli i przywróciło do rzeczywistości.

– Mystere! – rozległ się głos Rose.

Pośpiesznie siadła na łóżku, ocierając łzy brzegiem kapy.

– Wejdź, Rose!

Pokojówka także miała wolne w niedzielę, często jednak z własnej woli pracowała przez kilka godzin, chcąc utrzymać dom w czystości. Uśmiechnęła się teraz serdecznie do młodszej od siebie dziewczyny. Podszedłszy do łóżka, przysiadła obok Mystere i wzięła ją za obie ręce.

– Nie chcę się wtrącać – powiedziała ciepło – ale słyszałam, jak płaczesz. Takie zachowanie w najpiękniejszym dniu życia?

Najpiękniejszy dzień życia. To określenie zabrzmiało jak szyderstwo, ale Mystere zdołała ukryć swoje uczucia.

– Więc już o tym słyszałaś? – odparła.

– Czy słyszałam? – Rose roześmiała się. – Baylis nic, tylko lata i chwali się tym przed całym światem. Myślałby kto, że to on się zaręczył!

Zdradziecka łza spłynęła z oka Mystere, ale głos jej nie zadrżał.

– Paul zachowuje się dokładnie tak samo. Ale oni... – Ugryzła się w język w ostatniej chwili, przypomniawszy sobie, jak bardzo Rose jest lojalna wobec Rillieux. Nigdy by oczywiście nie skrzywdziła umyślnie Mystere, a może nawet utrzymała pewne zwierzenia w tajemnicy przed Paulem i innymi w imię kobiecej solidarności. Ale byłoby nierozsądne i zbyt ryzykowne przyznać się Rose, że za żadne skarby nie wyjdzie za Rafe'a Bellocha – ... ale oni myślą tylko o własnych korzyściach – dokończyła.

– Racja – przytaknęła Rose. – Prawdę mówiąc, tylko to w tobie widzą: źródło zysku. A jesteś, dziewczyno, znacznie więcej warta.

Mystere objęła Rose i tuliła się do niej przez dłuższą chwilę.

– I ty to mówisz? Obie jesteśmy w tej samej dziurawej łódce.

– Tak, ale bez Paula już byśmy zatonęły – przypomniała jej Rose. – Lepsza dziurawa łódka niż żadna, nie? No, czemu płaczesz, złotko?

Mystere niechętnie wróciła myślami do najbardziej palących spraw, zwłaszcza do odzyskania diademu, którego zażądał Rafe. Wiedziała, że kiedy Paul odkryje stratę, rozpęta się piekło. Ale wiedziała też, że Rafe nie zrezygnuje z żądania.

Mimo względów, jakie okazał jej ubiegłej nocy, był cynicznym, niebezpiecznym, nieobliczalnym człowiekiem. Musi postarać się spełnić jego żądanie. W końcu tiara była niegdyś własnością jego matki. Nic dziwnego, że chciał ją odzyskać.

Rose jako stała pokojówka wiedziała więcej o sekretach Paula niż ktokolwiek inny. Mystere postanowiła wyjawić szczerą prawdę i zdać się na jej wielkoduszność.

– Mam poważny kłopot – powiedziała. – Rafe Belloch chce koniecznie odzyskać srebrny diadem, który ukradłam zeszłej wiosny. Należał do jego zmarłej matki.

– Z pewnością już dawno został sprzedany – odparła Rose – i Pan Bóg raczy wiedzieć, gdzie jest teraz!

– Nie, nie! Widziałam go w sejfie Paula. Wiesz, że on zatrzymuje niektóre rzeczy?

Rose skinęła głową.

– Ty też na to wpadłaś? A myślałam, że tylko ja o tym wiem!

– Widzisz, Rose, Rafe'owi naprawdę bardzo zależy na tym diademie. Powiedział, że jeśli mu go nie zwrócę... znajdę się w paskudnej sytuacji.

– Narzeczony mówi ci takie rzeczy?!

Mystere nachmurzyła się. W jej błękitnych jak niezabudki oczach pojawił się smutek.

– To bardzo skomplikowane, Rose… nie wolno ci nikomu o tym wspominać, ale widzisz… Rafe wcale nie prosił o moją rękę. To pani Astor zmusiła go do tego, grożąc mu finansową ruiną.

– Boże miłosierny! – jęknęła Rose. – To dlatego tak się zapłakujesz, biedactwo!

– Tak. Wiem, że żądam od ciebie bardzo wiele, ale jestem w okropnym kłopocie. Czy mogłabyś… czy nie wiesz przypadkiem, gdzie Paul trzyma klucz od sejfu?

Słysząc to pytanie, Rose lekko zbladła.

– Chyba wiesz, że Paul urządzi prawdziwe piekło, jak się spostrzeże!

– Tak, ale nie bój się. Od razu się przyznam, kiedy odkryje zgubę.

– Nie chodzi tylko o to, że to drogie. Będzie wściekły, że ktoś wtykał nos do jego sejfu. Znasz te jego gadki o lojalności.

Mystere skinęła głową.

– Znam. Ale jest teraz w wyjątkowo dobrym humorze z powodu tych zaręczyn.

Rose nieco poweselała.

– Masz rację. Będzie teraz dla ciebie słodki jak miód. No cóż, chyba wiem, gdzie trzyma klucz. Znasz tę jego starą podniszczoną walizeczkę?

– Tę zieloną, z zardzewiałymi zamkami?

– O, właśnie! Widziałam raz, jak wyjmował klucz z szarej koperty, którą trzyma w tej walizce. A ona sama, o ile jej gdzieś tam nie przeniósł, jest schowana pod jego łóżkiem.

Kiedy już raz postanowiła pomóc Mystere, stała się bardzo praktyczna. Wstała, i wygładziwszy bawełnianą spódnicę, rzekła:

– Teraz będzie odpowiednia pora, kochanie. Evan i Baylis poszli do szynku, a Husha nosi licho wie gdzie. Widziałam Paula w saloniku: pisał listy. Zejdę na dół i jakoś go tam zatrzymam. Pośpiesz się!

– Strasznie ci dziękuję, Rose! – powiedziała Mystere, obejmując ją znowu.

– Pośpiesz się! – powtórzyła Rose i wyszła z pokoju.

Teraz, gdy nadeszła pora działania, Mystere poczuła nerwowe skurcze w żołądku. Wybiegła na długi korytarz wiodący do przeciwległego skrzydła, w którym znajdowały się apartamenty Paula. Przystanęła na chwilę przed drzwiami jego sypialni, by sprawdzić, czy ktoś nie nadchodzi. Słyszała jednak tylko gwałtowne bicie własnego serca. Zawiasy skrzypnęły, gdy otwierała drzwi; mimo że w pobliżu nie było nikogo, kto mógłby to usłyszeć, wzdrygnęła się. W wielkim pokoju było prawie ciemno, gdyż Paul – jak nietoperz – nienawidził słonecznego światła. Ciężkie draperie zasłaniały oba okna. Mystere włączyła zainstalowane niedawno elektryczne światło i spojrzała na orzechowe łoże z niewielkim baldachimem i trzydrzwiową szafę (również z orzecha) z prostokątnym lustrem. Mimo podeszłego wieku stary kanciarz był próżny. Drugie lustro, w pozłacanej brązowej ramie z okresu cesarza Napoleona, wisiało na ścianie.

Mystere podbiegła do łóżka, przyklękła i szybko odnalazła podniszczoną walizeczkę. Wyciągnęła ją i otworzyła oba zamki. W środku było pełno starych listów, wycinków z gazet i fotografii – przeważnie z dawnych czasów w Nowym Orleanie. Prawie natychmiast odnalazła niedużą kopertę, o której wspomniała Rose. Wewnątrz rzeczywiście znajdował się mosiężny klucz.

Sejf umieszczony był w ścianie za krajobrazem pędzla Alberta Bierstadta. Drżącymi rękoma Mystere zdjęła obraz i odstawiła na bok. W duchu przynaglała się do pośpiechu. Jednak mimo szczerego pragnienia wyjścia stąd czym prędzej, osłupiała w pierwszej chwili na widok zawartości sejfu. Był tam oczywiście diadem, zdobny owalnymi szafirami. Ujrzała też złotą broszę z kameą, krzyżyk ze złotego filigranu nabijany diamencikami, parę kolczyków z brylantami i szafirami oraz inne cenne błyskotki. A także pieniądze – więcej pieniędzy, niż zdołałaby zliczyć!

Mystere rozpoznała przedmioty, które sama ukradła, a także łupy Husha i innych członków „rodziny". Sięgała już po diadem, gdy nagle dotarł do niej od strony schodów głos Rose.

– Tak, będzie mnóstwo przygotowań do weseliska. Ale Mystere i ja poradzimy sobie z tym bez trudu. Nie kłopocz się, Paul.

Rose umyślnie mówiła podniesionym głosem, by ostrzec Mystere, że Paul jest już w drodze. Omal nie ogarnęła jej panika, ale zmusiła się do natychmiastowego działania. Kalectwo Paula sprawiało, że wchodził po schodach bardzo powoli, miała więc pewną szansę ocalenia. Jednakże zabranie diademu w tej chwili było niemożliwe. Mógł schwytać ją z klejnotem w ręku tuż przed drzwiami.

Zatrzasnęła drzwiczki sejfu, zawiesiła z powrotem obraz, schowała klucz do walizeczki i wepchnęła ją pod łóżko. Zgasiła światło i wymknęła się w samą porę, tak iż zdążyła znaleźć się w bezpiecznej odległości, gdy na korytarzu pojawili się Rose i Paul. Wyglądało na to, że Mystere właśnie opuściła swój pokój.

– Oto i nasza oblubienica! – Stary oszust rozjaśnił się na jej widok. – Czy wreszcie dotarło do ciebie, że zostaniesz jedną z najbogatszych kobiet w Ameryce?

– Nie – zdołała odpowiedzieć całkiem pewnym głosem. – Ciągle mi się wydaje, że to tylko sen.

Gdy Hush dostrzegł Lorenza Perkinsa wychodzącego ze swego domu przy Amos Street, zostały już najwyżej dwie godziny do zmroku. Cień detektywa wydawał się długi, cienki i złowieszczy w promieniach zachodzącego słońca. Perkins zmierzał w stronę knajp na Tin Pan Alley. Nazywano tak tętniący życiem odcinek Twenty-eight Street pomiędzy Broadwayem i Sixth Avenue, stanowiący centrum przemysłu muzycznego.

Hush szpiegował teraz z własnej inicjatywy, wypatrując Sparky'ego i Lorenza przy każdej nadarzającej się sposobności. Przysiągł sobie, że nie pozwoli, by te dwa obrzydliwe oprychy zrobiły krzywdę Mystere. Postanowił dowiedzieć się, co knują.

W pobliskiej garbarni kończyła się właśnie niedzielna zmiana, zmęczeni robotnicy wyłaniali się na światło dzienne jak dusze potępieńców z piekielnych czeluści. Stanowili doskonałą zasłonę dla Husha, który szedł tuż za Perkinsem i wśliznął się za nim do baru Pod Wysokim Cisem, ulubionego miejsca spotkań twórców piosenek oraz ich wykonawców.

Odkąd zniesiono zakaz sprzedaży alkoholu w niedziele, bary w całym mieście aż pękały w szwach w świąteczne dni. Knajpa, do której wszedł Perkins, należała do nieco wyższej klasy niż tamta na Bowery. Hush dostrzegł na ścianach sztychy, a nawet kilka szczygłów w drewnianych klatkach.

Perkins wmieszał się w tłum hałaśliwych klientów i chłopak na chwilę stracił go z oczu. Wreszcie zauważył go przy stoliku pod tylną ścianą, pogrążonego w rozmowie ze Sparkym. Hush miał tego dnia szczęście. W barze było ciemno, udało mu się więc wcisnąć za beczkę z lodem stojącą zaledwie kilka kroków od obu mężczyzn. Mimo gwaru głosów i brzęku pianina słyszał ich całkiem wyraźnie.

– Jesteś tego pewien? – pytał Sparky.

– Przysięgam na kości mojej matki!

– Przecie ona żyje, matołku!

– No jasne, ma kości. Powiadam ci, moja żona słyszała o tym dziś w kościele. Sam proboszcz to ogłaszał.

Sparky w roztargnieniu obskrobywał błoto z butów o podpórkę krzesła. Jedna z szelek mu się odpięła i spodnie obwisły z tej strony.

– No to, do licha – powiedział – idziemy na całość! Wóz albo przewóz. Dość mam już biedowania.

Wyjął z ust glinianą fajkę, wyraźny dowód swego ubóstwa, i cisnął na stolik.

– I dość tych śmierdzących, zapchlonych małpiszonów. Od dawna marzyłem o fajce z morskiej pianki, żeby popalić sobie jak jakiś elegant. A to wesele, chłopie, to dla nas szansa jak złoto. Pójdziemy prosto do Bellocha i powiemy, że mamy dla niego ciekawe nowiny.

– Lepiej nie gadaj za dużo – ostrzegł Lorenzo. – Z nim trzeba ostrożnie. Gość ma łeb nie od parady.

– No pewnie. Głupek by się tak nie dorobił. Ale każdy chłop durnieje, gdy idzie o babę.

Ze swego punktu obserwacyjnego Hush miał całkiem dobry widok na mętne oczka Lorenza i jego nawoskowane wąsy. Perkins otarł je właśnie grzbietem dłoni, wypiwszy jednym haustem pół kufla piwa.

– To nasz szczęśliwy dzień, Sparky – oświadczył. – Koło fortuny właśnie się zatrzymało obok nas – tylko wsiadać!

– Teraz ty za dużo gadasz.

– Wiesz, zawsze uważałem, że jestem urodzony do czegoś lepszego. Nawet moja żona tak myśli. Właśnie dlatego lata do kościoła dla bogaczy, chociaż tłoczy się tam z tyłu, i to na stojąco.

– To jest właściwe podejście! Nie dla nas marne groszaki. Po co nadstawiać karku, żeby wyciągnąć od dziewuchy pięćdziesiąt dolców? I pomyśleć, że Belloch chce się z nią żenić. Wszyscy już o tym wiedzą, więc teraz możemy mu zagrozić skandalem.

Hush doznał szoku. Rany boskie! Mystere wychodzi za mąż?

– Trzeba jakoś się z nim spotkać – powiedział Lorenzo – i jasno dać do zrozumienia, że musi zapłacić za milczenie.

Hush nie dowiedział się niczego więcej o ich planach, bo w tym momencie jeden z pracowników baru wyciągnął go z kryjówki i wyrzucił na ulicę. Usłyszał jednak dość, by zrozumieć, że ci mężczyźni zamierzają wyrządzić Mystere wielką krzywdę. Nawet zazdrość, którą poczuł na wieść o jej małżeństwie, zbladła w porównaniu z obawą o jej bezpieczeństwo.

Zanurkował w ciemny zaułek, by wyjąć pieniądze z portfela ukradzionego mężczyźnie, który go wyrzucił z baru. Tylko trzy dolary, ale i to dobre. Przydadzą się Mystere! Hush postanowił jej oddawać większość tego, co zdoła ukraść. Potrzebowała pieniędzy bardziej niż stary Rillieux.

Rzucił pusty portfel na kupę śmieci i ruszył w stronę domu. Po drodze zastanawiał się, jak uratować Mystere. Zamierzał działać sam. Ona, biedactwo, ma już i tak dość zmartwień na głowie. Nieraz widział, jak płakała. Myślała, że nikt nie patrzy, ale on widział cierpienie na jej twarzy i bolało go to tak, jakby jemu wyrządzono krzywdę.

Nie mógł pojąć, jak ktoś może krzywdzić Mystere. Jest taka dobra i piękna. I tak ślicznie czytała mu na głos: to brzmiało zupełnie jak harfy anielskie. A kiedy patrzył w jej cudowne niebieskie oczy, robiło mu się jakoś tak dziwnie... czuł, że mógł walczyć dla niej z całym światem!

Chciał się z nią ożenić. Czemu nie jest taki bogaty jak Rafe Belloch? Może wtedy zakochałaby się właśnie w nim?

Przypomniał sobie złowieszcze słowa Sparky'ego: „Idziemy na całość. Wóz albo przewóz".

24

We wtorek rano u Paula Rillieux zjawił się Ward McCallister, by oznajmić, że pani Astor wydaje w najbliższą sobotę przyjęcie z okazji zaręczyn Rafe'a i Mystere.

Jak zwykle, skonstatowała Mystere z bezsilnym gniewem, zabrakło uprzejmego zapytania, czy termin odpowiada honorowym gościom. Był to po prostu królewski rozkaz, do którego każdy musiał się zastosować.

W dodatku Lance Streeter skomplikował jej życie, publikując w poniedziałkowym „Heraldzie" artykuł, w którym plótł entuzjastyczne bzdury na temat „mariażu sezonu". Telefon dzwonił bezustannie przez cały dzień, a liczni wieczorni goście, którzy przybyli, by pogratulować osobiście, przyprawili Mystere o ból głowy.

Uświadamiała sobie w całej pełni ironię sytuacji. Nie tak dawno, podczas ostatniej wyprawy dorożką po Brooklynie, obiecała sobie, że będzie odtąd panią własnego losu. A teraz? Ogłoszone publicznie zaręczyny sprawiły, że czuła się jak jakiś eksponat w szklanej gablocie oglądany ze wszystkich stron. W takich warunkach szanse odnalezienia Brama były równie realne jak podróż na Księżyc. Jakby tego było mało, nadal nie udało jej się wykraść diademu z sejfu Paula.

– Jest list do ciebie – oznajmiła Rose, kiedy Mystere zeszła na dół. – Ze Staten Island – dodała, co Mystere przyprawiło o gwałtowne bicie serca. Tam, gdzie chodziło o Rafe'a Bellocha, nie mogła liczyć na dobre wieści.

Wzięła z marmurowego postumentu starannie zaadresowaną kopertę i otworzyła ją drżącymi palcami. W środku znalazła kartkę opatrzoną nagłówkiem: Odpis dokumentu, oryginał zachowany w aktach. Była to napisana kopia listu Stephena Breaux, adwokata z Nowego Orleanu. Breaux o niej ledwie wspominał, ale Mystere doskonale zdawała sobie sprawę, że list ten stanowi najwyższe zagrożenie dla Paula i całej jego rodziny. Wiedziała też, co oznacza ta przesyłka od Rafe'a.

Rose, która właśnie odkurzała miotełką z piór meble w holu, zauważyła, że dziewczyna nagle zbladła jak płótno.

– Mystere! Co się stało?! – wykrzyknęła.

– Ten diadem – odparła Mystere słabym głosem. – Rafe nalega, żebym go dla niego zdobyła.

– Dzisiaj to ci się raczej nie uda – zmartwiła się Rose. – Paul kazał mi odwołać wszystkie spotkania. Źle się czuje, pewnie poleży w łóżku cały dzień.

Mystere podarła list i kopertę na drobne kawałki, wrzuciła je do najbliższego kosza na śmieci i potrząsnęła nim, żeby opadły na samo dno. Paul ucieszył się z jej zaręczyn głównie dlatego, że miał nadzieję pokryć z pieniędzy Rafe'a własne straty. Byłby na nią wściekły, gdyby mu to uniemożliwiła. Ale jeszcze bardziej, gdyby się dowiedział, że Rafe poznał jego złodziejski modus operandi.

To względy pani Astor przewróciły mu w głowie, pomyślała Mystere. Traktuje je jako dowód najwyższego uznania, coś w rodzaju nobilitacji. Boi się nie tylko biedy, ale i utraty pozycji, może więc być naprawdę groźny.

Rafe, niewątpliwie silny i inteligentny, w swojej siedzibie Coven Garden był całkiem bezpieczny. Kiedy jednak opuszczał Staten Island, wystawiał się na niebezpieczeństwo, czego dowodził choćby napad przed dwoma laty. Evan i Baylis nie zawahają się zabić Bellocha, jeśli Paul im każe.

Z zamętu ciężkich, niespokojnych myśli wyrwał ją dzwonek telefonu. Rose podeszła do aparatu.

– Tak, proszę pana – powiedziała po chwili. – Właśnie stoi obok mnie. Jedną chwileczkę.

Podała słuchawkę Mystere.

– To do ciebie. Twój narzeczony.

„Twój narzeczony". Odczuła to niewinne określenie jak policzek.

– Słucham? – rzuciła sucho.

– Cóż to ma znaczyć? – Nawet w zniekształconym głosie Rafaela słychać było sarkazm. – Nie usłyszę żadnego „Dzień dobry, najdroższy" od mojej kochaneczki?

– Czego chcesz? – spytała niecierpliwie.

– No, no! Widzę, że moja dziewczynka jest w złym humorze. Czyżby otrzymała już popołudniową pocztę?

– Dobrze wiesz, że tak – odparła zimno. – Po co ta komedia?

– Och, nie sil się na wyniosłość, Księżycowa Damo. Widziałem cię przecież na golasa i...

– Niech cię wszyscy diabli! – wybuchnęła, zła, że Rafe mówi takie rzeczy przez telefon. Rose aż rozdziawiła usta ze zdumienia. – Mów, o co chodzi, albo natychmiast odkładam słuchawkę.

– W porządku – odparł już zwykłym tonem głosu. – Potraktuj naszą rozmowę jako uzupełnienie listu. Masz diadem?

– Jeszcze nie. Nie wspominałeś nic o żadnym ostatecznym terminie.

– Więc teraz wspominam. Jeśli nie dostanę diademu dziś po południu, wieczorem złożę wizytę twojemu „stryjowi" i przeczytam mu list pana Breaux.

Serce Mystere zabiło gwałtownie.

– Rafe! To niemożliwe! Nie zdołam...

– Słuchaj no – przerwał jej – jesteś najzdolniejszą złodziejką w całym mieście. Nie opowiadaj mi, że nie zdołasz tego zrobić.

– Nic nie rozumiesz, Paul jest...

– Dziś po południu – powtórzył. – Pracuję w moim apartamencie w hotelu Astor House. Czekam od drugiej do piątej. Pokój pięćset jedenaście.

– Rafe, zrozum, ja po prostu nie mogę...

– Zrobisz to albo poniesiesz konsekwencje. W niedzielę nie zdradziłem cię przed Caroline... licho wie czemu! Nie zapominaj jednak, że mogę się wyplątać z tej matni. Wystarczy, że ją odwiedzę i wszystko wyjaśnię.

– Więc dlaczego tego nie robisz?

– A cóż by w tym było zabawnego? Przyznam, że odczuwam perwersyjną przyjemność, mogąc zakpić sobie ze wszystkich.

– Ze mną włącznie.

Nie odpowiedział. To, że nie usłyszała kolejnych szyderstw, miało jakieś znaczenie, ale Mystere nie umiała odgadnąć jego prawdziwych intencji.

– Czekam na ciebie między drugą a piątą. Do zobaczenia, kochanie – zakończył rozmowę.

Rozłączył się, nim zdołała ponowić swe błagania. W bezsilnym gniewie trzasnęła słuchawką o ścianę tak mocno, że aż dzwonek się rozdźwięczał.

211

– Pod koniec podsłuchiwałam – wyznała Rose. – Chyba będę mogła ci pomóc.

– To wspaniale. – Mystere po desperacku uchwyciła się nadziei. – On nie ustąpi!

– Wiesz, że Paul zawsze schodzi na dół, kiedy ktoś do niego dzwoni. Hush jest teraz w powozowni, reperuje uprząż. Poślę go do centrali i każę mu zamówić rozmowę z naszym numerem. Gdy tylko się odezwę, Hush odwiesi słuchawkę. Idź do siebie i czekaj na dzwonek.

Mystere całkiem zapomniała, że w pobliżu znajduje się centrala telefoniczna, gdzie każdy może zamówić rozmowę z jakimś miejscowym numerem za astronomiczną sumę pięciu centów.

– Rozumem. Pójdziesz na górę i zawiadomisz Paula, że ktoś chce z nim mówić. Zanim zejdzie, a potem wejdzie po schodach, miną całe wieki.

Rose skinęła głową, szukając już monety pięciocentowej wśród pieniędzy przeznaczonych na domowe wydatki.

– Powiem mu… że to jakaś kobieta imieniem Sandra. A Paul będzie pewien, że połączenie zostało przerwane. Ale pośpiesz się, złotko! Boże broń, żeby cię przyłapał na gorącym uczynku i domyślił się, żeśmy go okpiły!

– Och, Rosie! Jestem ci taka wdzięczna! – zawołała Mystere, zmierzając ku schodom. – I nie bój się. Tym razem szybko się uwinę.

Plan Rose powiódł się w zupełności. Zanim Paul wrócił na górę, klnąc zajadle zbędną wspinaczkę, ozdobiony szafirami i brylantami diadem spoczywał już w torebce Mystere. Gdy tylko Paul znów zamknął się w swoim pokoju, poleciła Baylisowi zaprzęgać do powozu.

Podczas krótkiej przejażdżki do Astor House, potężnego sześciopiętrowego budynku położonego naprzeciwko City Hall Park, zdołała nieco uporządkować myśli.

Było przepiękne lipcowe popołudnie, ale Mystere nie dostrzegała zalanych słońcem ulic ani szmaragdowej zieleni parkowych trawników. Zaczęła się poważnie obawiać, że Rafe nie odda jej pierścionka Antonii w zamian za diadem. Nie zdążyła o tym wspomnieć, nim grubiańsko odłożył słuchawkę.

Grubiańsko... Tak właśnie ją traktował. Powinna go z tego powodu znienawidzić, tymczasem przyłapywała się nieustannie na bezwstydnym wspominaniu jego pocałunków i grzesznego żaru w lędźwiach, gdy ręce Rafe'a dotykały ją w sposób, który powinien budzić w niej wyłącznie oburzenie.

Czuła, że Rafe czuje do niej równie silny pociąg. Jego grubiaństwo mogło być nawet swoistą obroną męskiej niezależności w obliczu tej żądzy.

Ale żądza, przekonywała samą siebie, to zwierzęca reakcja. Jak mógłby tolerować żądzę pozbawioną ciepła i tkliwości? Ustawiczne grubiaństwa Rafe'a uniemożliwiały wszelkie przywiązanie. Zresztą Rafe zachowywał się grubiańsko nie tylko wobec niej, ale wobec całego świata. Obawiała się, że jest po prostu niezdolny do miłości, że jego serce jest równie twarde jak żądza panowania Caroline Astor.

Baylis przerwał jej rozmyślania.

– Jesteśmy na miejscu, madame – rzucił kpiącym tonem.

Zatrzymał konia przed szarą kamienną fasadą Astor House i zeskoczywszy z kozła, pomógł Mystere wysiąść. Próbowała go przekonać, by czekał na nią w powozie, ale przyczepił się jak rzep. Ignorując rozbawione spojrzenia boyów hotelowych, pośpieszyła przez hol ku rzędowi pneumatycznych wind. Baylis niemal następował jej na pięty. Windziarz, który zawiózł ich na piąte piętro, spoglądał na Mystere z chytrym uśmieszkiem, jakim witano tu damy przybyłe bez bagażu. Żałowała, że nie udała się na górę schodami.

Na myśl o wejściu do apartamentu Rafe'a poczuła, że serce zamiera jej w piersi. Kazała Baylisowi poczekać na zewnątrz i wziąwszy głęboki oddech, zastukała do drzwi oznaczonych numerem 511.

– Otwarte! – rozległ się ze środka mocny, władczy głos; brzmiał nieco niecierpliwie, jakby Rafe był zły, że ktoś mu przeszkadza.

Mystere rozejrzała się po pokoju, który Rafaelowi udało się przekształcić w ponury, zagracony gabinet do pracy. Na obitych materiałem ścianach wisiało mnóstwo wykresów i map, a na meblach piętrzyły się stosy notatników, broszur i książek fachowych o tak podniecających tytułach, jak na przykład *Osady podpowierzchniowe w dolinie Cumberland.*

Rafe siedział za wielkim orzechowym biurkiem ozdobionym głębokim żłobkowaniem. Miał na nosie okulary w rogowej oprawie, które na widok Mystere zdjął i wetknął do kieszeni koszuli. Kiedy wstał, ten kurtuazyjny gest wydał się raczej szyderstwem; jego usta zastygły w cynicznym uśmiechu.

– Moja czarująca oblubienica – powitał wchodzącą. – Pocałuj mnie na dzień dobry, kochanie!

Mystere zniosła ze stoickim spokojem te szczeniackie wygłupy.

– Przyniosłam diadem – oświadczyła rzeczowym tonem.
– Czy masz pierścień?

Udał zdumienie.

– Chodzi ci o pierścionek zaręczynowy? Doprawdy, kochanie, nie miałem jeszcze czasu…

– Dobrze wiesz, o jakim pierścionku mówię, Rafe! Masz go tutaj?

Najwyraźniej ubawiony przysiadł na skraju biurka. Ani na chwilę nie spuszczając Mystere z oka, chwycił oksydianowy przycisk do papieru i zaczął go przerzucać z ręki do ręki.

– Mam – zapewnił. Zamiast jednak kontynuować ten temat, nieoczekiwanie spytał: – Wiesz już pewnie o sobotnim przyjęciu z okazji naszych zaręczyn?

Skinęła głową.

– Co powinniśmy zrobić, jak uważasz? – spytała.

– A co mogą zrobić dwie osoby tak bardzo w sobie zakochane jak my? Ubierzemy się elegancko i będziemy się wdzięcznie uśmiechać i patrzeć sobie w oczy przez cały wieczór. Cóż innego moglibyśmy zrobić? W końcu mamy się pobrać.

– Kpisz sobie czy co?

– Ależ skąd. Nie śmiałbym kpić z małżeństwa z tobą – w głosie Rafaela brzmiało rozbawienie. – Mam wprawdzie niezłomną pewność, że twój zatwardziały charakter można zreformować tylko przy użyciu bicza, a jakoś nigdy nie miałem ochoty bić mojej żony. Ale zdecydowanie chciałbym, żebyś została moją kochanką.

Wskazał ruchem głowy drzwi w tylnej ścianie.

– Tam jest sypialnia. Może darujemy sobie ślub i przejdziemy od razu do miodowego miesiąca?

Zawrzała gniewem.

– Ty podły draniu! – wykrzyknęła.

Widząc arogancki uśmiech Rafe'a, miała ochotę go uderzyć; zdołała się jednak opanować.

– Przyniosłam to, czego chciałeś. Czy dotrzymasz umowy?

– Ta wysoce moralna postawa nie pasuje do ciebie, Księżycowa Damo – odparł. – Lepiej daj temu spokój i pogódź się z losem.

– Nie mam najmniejszego zamiaru godzić się z losem! Żądam dotrzymania umowy!

– Przecież Caroline uprzedziła cię: zawsze zdobywam to, czego pragnę. W ten czy inny sposób. – Jego oczy spoczęły na ozdobionym koronką staniku sukni z ciemnoróżowego adamaszku. – Cóż to? Znowu ten pensjonarski biuścik?

Zaczerwieniła się aż po korzonki włosów.

– Nie mógł mi przecież wyrosnąć przez jedną noc, prawda?

– Czemu nie? Sobotniej nocy trwało to, o ile pamiętam, dwie minuty. Zapewniam cię, że Ward McCallister już nigdy nie spojrzy na ciebie obojętnym wzrokiem. Ale co z Caroline? Ona też z pewnością zauważyła tę nagłą przemianę. Co będzie, jeśli...

– Możemy zmienić temat? – przerwała mu ostro. – Przyszłam tu, żeby wymienić diadem na pierścionek, a nie po to, by wysłuchiwać prostackich uwag.

– Kobieta interesu, co? W porządku, pokaż diadem.

– Najpierw ty pokaż pierścień.

– Skąd ta nieufność? Jestem przecież dżentelmenem, jednym z filarów elity. To ty przecież jesteś pospolitą złodziejką, której nie można wierzyć.

– Właśnie słyszałam przed chwilą przemowę dżentelmena. Najpierw pokaż pierścień.

Wstał i otworzywszy górną szufladę biurka, wyjął z niej klejnot. Kiedy jednak Mystere sięgnęła po niego, cofnął rękę.

– Nie tak szybko, Księżycowa Damo! Najpierw diadem!

Zawahała się na moment, ale wyjęła diadem z torebki i podała mu go. W wyrazie twarzy Rafe'a zaszła ogromna zmiana; ukazała się na niej niezwykła tkliwość. Nawet jego głos stracił ostrość.

– Tak, to jej diadem. Zapomniałem już, jaki jest piękny. Nic dziwnego, że moja matka ceniła go najbardziej ze wszystkich swych klejnotów. Dosłownie promieniała, gdy miała go na sobie.

Mystere uświadomiła sobie, że Rafael wyzbywał się cynizmu tylko wtedy, gdy mówił o swoich rodzicach.

– Co miałeś na myśli – spytała cicho – kiedy oskarżyłeś Caroline o zabicie twojego ojca?

Natychmiast zdała sobie sprawę, że popełniła błąd. Twarz Rafaela stężała.

– Oboje z matką już nie żyją – odparł głucho. – Po co rozdrapywać stare rany?

Odłożył diadem do szuflady, ale pierścionek Antonii nadal trzymał w zaciśniętej pięści.

– Mogę go dostać? – przypomniała mu Mystere.

– Ale po co ci on, kochanie? Szmaragd tej wielkości jest doprawdy wulgarny, choć przyznam, że podobają mi się te brylanciki dookoła.

– Obiecałeś mi – wykrztusiła.

– Ukradłaś diadem, nie da się zaprzeczyć. Nawet dwukrotnie.

– Ale oddałam ci go, prawda?

– I wobec tego uważasz, że należy ci się złoty medal od Kongresu?

– Nie, chcę ten pierścień! To nie jest twoja własność.

Rzucił jej przeciągłe, twarde spojrzenie. Potem jego oczy złagodniały. Pojawiło się w nich coś podobnego do współczucia czy zrozumienia.

– Masz rację – rzekł. – Zdaje się, że zostaliśmy wspólnikami przestępstwa. Waligóra i Księżycowa Dama – to brzmi jak tytuł jakiejś komedii muzycznej, prawda?

Nadal nie oddawał jej pierścionka, więc w porywie nagłego gniewu rzuciła się na niego i chwyciła za pięść, próbując ją rozewrzeć. Równie dobrze mogłaby mocować się z litą skałą. Rafe nie próbował jej powstrzymać, śmiał się tylko z jej daremnych wysiłków.

Podczas tych zapasów opadł znów na biurko i nagle Mystere uświadomiła sobie, że napiera na niego całym ciałem.

Ich spojrzenia się spotkały i oboje na chwilę zamarli. Mystere ujrzała, że rozbawienie w oczach Rafe'a a zastępuje całkiem inny wyraz. Czuła męski zapach jego ciała i tętniącą w nim groźną siłę. Ogarnęło ją nagłe pożądanie, ale w ustach czuła gorzki, metaliczny smak trwogi. Oparła się pięściami o jego szeroką pierś i odepchnęła od niej, odwracając równocześnie głowę.

– Obiecałeś – powtórzyła. Jej oczy napełniły się gorącymi łzami. Pomyślała o Baylisie warującym na korytarzu, o wynajętym mieszkanku na Centre Street i o nadziei ocalenia. Pierścień był jej ostatnią deską ratunku. Nawet gdyby zdołała wydostać się z pułapki, którą zastawiła na nich Caroline, bez tego klejnotu nie mogłaby utrzymać się przy życiu.

Rafe patrzył, jak kryształowe krople wymykają się spod powiek, drżą przez chwilę na rzęsach i spływają po policzkach.

– Dlaczego to dla ciebie takie ważne? – spytał, wręczając jej pierścień. – Czy stary Rillieux stłucze cię na kwaśne jabłko, jeśli mu go nie oddasz?

– Paul nie wie, że go ukradłam – odparła, chowając klejnot do woreczka. – Mówiłam ci w sobotę: potrzebuję pieniędzy, żeby odnaleźć brata.

– A ja ci odpowiedziałem, że tracisz tylko czas na te poszukiwania. Jeśli porwano go i zmuszono do służby w marynarce, bardzo wątpliwe, by jeszcze żył.

– To mój czas, więc mogę go tracić, jeśli zechcę.

Skierowała się ku drzwiom, ale chwycił ją za rękę i zatrzymał.

– Nadal kradniesz dla tego starego? – dopytywał się.

– Nie.

– Właśnie, że tak!

– Po co pytasz, skoro jesteś pewien, że kłamię?

– Jeśli to dla ciebie aż taka obraza, powiedzmy delikatniej, że mijasz się z prawdą. Nie ulega wątpliwości, że masz do tego prawdziwy talent.

Próbowała wyrwać rękę z jego uścisku.

– Musisz przeszukać pokój po moim wyjściu – burknęła gniewnie. – A teraz puść mnie.

– Dość już tych kradzieży – rzekł ze zjadliwą ironią. – Moja przyszła żona musi być nieskalana niczym świeżo spadły śnieg.

Mystere przestała się wyrywać.

– Bądź poważny, Rafe. Zachowujesz się, jakbyś uważał tę komedię z zaręczynami za niesłychanie zabawną. Czy nie pojmujesz, że im dłużej będziemy udawać, tym trudniej przyjdzie nam się z tego wyplątać? Czy zastanowiłeś się nad zemstą, jaką szykuje nam Caroline, w razie gdybyśmy ją zawiedli? Ty stracisz jeszcze więcej niż ja: zagroziła ci przecież finansową ruiną.

Przez chwilę przyglądał się jej z powagą, bez zwykłej arogancji.

– Zostaliśmy przyparci do muru, zgoda – przyznał. – Chciałem ci dać nauczkę, ale pobiłem się własną bronią. Można powiedzieć, że sam założyłem sobie stryczek na szyję.

Mimo wdzięczności, jaką czuła do niego za to, że nie zdradził Caroline jej sekretu, Mystere nastroszyła się, usłyszawszy tę uwagę.

– Stryczek? – krzyknęła z gniewem. – To mnie grozi stryczek, nie tobie! Małżeństwo to nic w porównaniu z szubienicą, chociaż zamiast do ślubu z tobą wolałabym iść do klasztoru.

– A to po co? Żeby ukraść wszystkie krucyfiksy?

– Obyś z piekła nie wyjrzał, pyszałkowaty tyranie!

Znowu skierowała się w stronę drzwi i Rafe znów ją powstrzymał. Za żadne skarby nie chciała teraz wybuchnąć płaczem, ale od kilku dni żyła w nieprawdopodobnym napięciu. Czuła, że jej oczy znów napełniają się łzami.

– No, no – uspokajał ją. – Okaż trochę hartu ducha.

Zdumieli się oboje, gdy nagle uderzyła go w twarz z taką siłą, że na policzku pozostał czerwony ślad.

Gniew Mystere udzielił się i jemu. Zatrwożyła się na widok furii płonącej w błękitnozielonych oczach.

– A więc życzysz sobie fizycznego kontaktu? – powiedział ze złowieszczym spokojem. W następnej chwili silne dłonie ujęły jej twarz, a usta zmiażdżyły z brutalną siłą jej wargi, zmuszając Mystere do ich rozchylenia. Tak jak tamtej nocy w altance jej ciało zareagowało gwałtownym odzewem na jego pożądanie. Objął ją w pasie, przyciskając do siebie. Na długą chwilę dwa ciała stopiły się niemal w jedno.

Mystere zdołała się w końcu wyrwać, ale wszystkie jej zmysły zbuntowały się. Zawstydzało ją, że dyszy z pożądania. Rafe nie trzymał jej teraz, ale ona – choć unikała jego wzroku – nie uciekała w stronę drzwi. Wydawało się, że ten pocałunek odebrał jej siłę woli.

Dotknęła grzbietem dłoni płonących warg i odwróciła się do drzwi, ale głos Rafe'a powstrzymał ją.

– To chyba zrozumiałe, że nie chcę się ożenić z kryminalistką. Ale wyjaśnij mi, dlaczego ty jesteś przeciwna temu małżeństwu? Wydaje się, że protestujesz całkiem szczerze... a jednak, kiedy cię całowałem, miałem wrażenie, że coś do mnie czujesz.

Spojrzała na niego przez ramię.

– Czyżby moja niechęć raniła twoją próżność?

– Mogłabyś na tym małżeństwie tylko zyskać.

– Mając tak skromnego, wręcz pokornego męża?

Parsknął śmiechem.

– Jestem szczery. Nie chcę udawać, że mam zalety, których mi brakuje. No, powiedz, czemu tak się bronisz przed tym małżeństwem?

Przez chwilę chciała wyznać mu prawdę. Było w nim coś tak groźnego, jakaś brawura granicząca z samodestrukcją... Miała wrażenie, że stąpa po linie nad rwącym potokiem. I wiedziała, że tylko igrał z uczuciami innych.

Ale nie mogła wyjawić swoich motywów. Musiała przecież uchronić go przed zdradzieckimi zakusami Paula. Nie pozwoli, by z jej winy Rafaela spotkało coś złego.

– Dlaczego nie zostaniesz przynajmniej moją kochanką? – spytał, gdy odwróciła się w milczeniu i położyła dłoń na klamce.

– Dlatego, panie Belloch – odparła chłodno – że z dwojga złego wolę być złodziejką niż konkubiną. I nie sprawiłyby mi radości pieszczoty kogoś, kim gardzę z całego serca.

25

*P*onieważ złodziei, którzy odgrywali rolę służby w rezydencji Paula Rillieux, nie wynagradzano należycie za domowe czynności, Mystere nalegała, by mieli wolne, ilekroć ich usługi nie były niezbędne. Paul tłumaczył jej wielokrotnie, że taka swoboda niszczy starannie opracowaną przez niego fasadę „normalności". Mystere jednak była nieugięta, więc starszy pan niechętnie ustępował.

Dzięki temu w dniu przyjęcia u pani Astor Hush mógł się przeprawić promem z Battery na Staten Island. Dopiero o szóstej po południu miał włożyć swój, jak go nazywał, „małpi kubrak" i towarzyszyć stangretowi do rezydencji Astorów.

Wykorzystał nowo nabytą umiejętność czytania, by odnaleźć nazwisko Rafe'a Bellocha w książce telefonicznej. Podano tam dwa adresy, jeden w hotelu Astor House, a drugi na Staten Island. Chłopiec udał się do hotelu, ale recepcjonista poinformował go, że pan Belloch wróci dopiero w poniedziałek. Hush postanowił więc poszukać go przy Bay Street na Staten Island.

Tylko kilku pasażerów zeszło razem z nim po drewnianym trapie. Przeważnie byli to stali mieszkańcy wyspy, wracający z zakupów albo ze swych miejsc biur w city. Dzień był upalny i bezwietrzny, po błękitnym niebie płynęło leniwie kilka postrzępionych obłoczków. Hush szedł ulicą wiodącą wzdłuż wygiętego w łuk falochronu na południe, w kierunku wielkiego białego domu na wzgórzu, z którego roztaczał się wspaniały widok na Upper Bay.

– O rany! – mruknął pod nosem, zbliżając się do imponującej bramy z kutego żelaza; wieńczące ją słupki sterczały groźnie niczym lufy armat. Ze stróżówki wyłonił się zwalisty odźwierny. Uśmiechnął się przyjaźnie do chłopca. Hush nie mógł oderwać oczu od zatkniętego za pas stróża pistoletu z rękojeścią z kości słoniowej.

– Hej ty! Skądeś się tu wziął? – spytał wielkolud z irlandzkim akcentem. – Zabłądziłeś?

– Nie, pszepana. Chciałbym się zobaczyć z panem Bellochem.

– Doprawdy? Czy jesteś z nim umówiony?

– Nie, pszepana.

– Nie wpuszczamy tu obcych, synu. A pan Belloch to znakomitość. Spotyka się tylko z tymi, którzy są umówieni, kapujesz?

– Tak, pszepana. Ale ja się muszę z nim zobaczyć w bardzo ważnej sprawie.

– Bardzo ważnej, powiadasz? – Olbrzym zastanawiał się chwilę, mierząc chłopca przyjaznym, ciekawym wzrokiem. – Ile masz lat, pędraku?

– Dwanaście, pszepana.

– A o czym chcesz z nim rozmawiać?

– To prywatna sprawa, pszepana. Bez urazy, ale mogę o tym mówić tylko z panem Bellochem.

Ciekawość odźwiernego przemogła jego wątpliwości. Zerknął w stronę domu, a wzrok Husha powędrował w tym samym kierunku. Na ogrodzonym padoku jakiś dżentelmen w brunatnych bryczesach i ciemnoczerwonych wysokich butach czyścił zgrzebłem rozsiodłanego kasztanka.

Stróż pociągnął za dzwonek przy bramie, zwracając w ten sposób uwagę owego dżentelmena. Mężczyzna oddał zgrzebło chłopcu stajennemu i zdecydowanym krokiem ruszył ku nim po zielonym, opadającym ku bramie trawniku. Kasztanowate włosy miał krótko przystrzyżone i odgarnięte do tyłu. Hush poczuł ukłucie zazdrości: to był Rafael Belloch, mężczyzna, którego Mystere miała poślubić.

– O co chodzi, Jimmy? – spytał Rafe, witając gościa skinieniem głowy.

– Ten młody człowiek mówi, że musi się z panem zobaczyć w ważnej sprawie, panie Belloch. Twierdzi, że tylko panu może powiedzieć, o co chodzi.

Rafe spojrzał na Husha.

– W ważnej prywatnej sprawie, powiadasz? Jak ci na imię, synu?

– Wołają mnie Hush, pszepana.

– Hush. – Rafe przyglądał mu się przez chwilę w milczeniu. – Hush, powiadasz? No więc, mój panie Hush, jaką masz do mnie sprawę? Czyżbyś chciał przetrzepać mi skórę?

Chłopiec uśmiechnął się z zażenowaniem.

– Nie, pszepana. – Zerknął przez czarne pręty ogrodzenia na odźwiernego. – Chodzi o Mystere Rillieux, pszepana. Całkiem prywatna sprawa.

Rafe zmrużył oczy.

– O Mystere? Powiedz mi od razu, czy to stary Rillieux cię tu przysłał?

– Nie, pszepana. Sam żem do pana przyszedł.

– Nie bujasz?

Hush położył rękę na sercu.

– Niech mnie piorun strzeli, jeśli łżę!

Poważny wyraz bladej chłopięcej twarzy ułagodził Rafe'a.

– Wpuść go, Jimmy.

Kiedy Hush wszedł do środka, Rafe podał mu rękę. Uścisnęli sobie dłonie.

– Chodźmy do domu i porozmawiajmy jak mężczyzna z mężczyzną, przy kawie i cygarach – zaproponował Belloch.

– A może wolisz brandy?

Hush prawie biegł, usiłując dotrzymać kroku Rafaelowi.

– Nie, pszepana, kawa będzie w sam raz.

– Wobec tego napijemy się kawy. Lubię mężczyzn, którzy nie nadużywają mocnych trunków o zbyt wczesnej porze. Taki, co pociąga od rana, nie jest wart zaufania.

– Jasne, pszepana – odparł Hush, mile zaskoczony przyjęciem, jakiego doznał ze strony Rafe'a. Szedł tu pełen niechętnych uczuć do mężczyzny, który zamierzał ożenić się z jego bóstwem; teraz mniej go już dziwiło, że Mystere tak polubiła Bellocha.

Sympatyczna starsza niewiasta wpuściła ich do domu; Rafe poprosił, by przyniosła im kawę do biblioteki. Kiedy gospodarz otworzył dębowe drzwi, Hush zdumiał się na widok luksusowo urządzonego wnętrza.

– Przeczytał pan te wszystkie książki, pszepana? – spytał ze zbożnym podziwem, przyglądając się setkom oprawnych w skórę tomów z wytłaczanymi złotem tytułami na grzbiecie.

– Sporą część, ale mam zamiar uporać się ze wszystkimi. Niektóre to straszne bzdury, ale reszta jest całkiem dobra. Umiesz czytać?

– Już trochę umiem, pszepana. Mystere mnie nauczyła.

– Naprawdę?

– Jasne, pszepana! Ona mówi, że człowiek musi umieć czytać, żeby dojść do czegoś w życiu.

– Zgadzam się w zupełności – rzekł Rafe, obserwując Husha przenikliwym wzrokiem. – Czy masz rodziców, chłopcze?

Hush potrząsnął głową.

– Ojca w ogóle nie znałem. A matce zmarło się na zarazę, jakem był mały. Też jej nie pamiętam.

Rafe skinął głową.

– Kiedy człowiek straci rodziców – powiedział rzeczowym tonem – czasem się czuje bardzo samotny w wielkim mieście, choć takie w nim tłumy ludzi.

– A jakże, pszepana. To pan też? Stracił rodziców, znaczy się?

Rafe usiadł na mahoniowym fotelu i wskazał chłopcu sąsiedni.

– Tak – odparł. – I wszystko, co tu widzisz, Hush, zdobyłem po ich śmierci, bez niczyjej pomocy. Nigdy nie myśl, że jak się jest sierotą, to człowiek do niczego w życiu nie dojdzie. Ameryka nie jest rajem na ziemi, ale człowiek ma tu duże możliwości, jeżeli nie boi się pracy.

– Mystere powtarza mi to samo. Ucz się, mówi, i znajdź sobie uczciwą pracę zamiast...

Ugryzł się w język w ostatniej chwili, a Rafe znów rzucił mu przenikliwe spojrzenie. Sytuację uratowała Ruth, zjawiając się ze srebrną tacą.

– Jaką pijasz kawę, paniczu? – spytała, uśmiechając się do osłupiałego chłopca.

Nie bardzo wiedząc, co odpowiedzieć, Hush przyjrzał się kawie Rafe'a.

– Czarną poproszę.

– Łebski chłopak! – pochwalił go Rafael. – Kto pije czarną kawę, może nawet zostać królem Irlandii.

– Chybaby mi nie odpowiadało takie zajęcie – odparł z całą powagą Hush. – Jak będę starszy, chcę pracować na kolei.

Ruth i jej chlebodawca wymienili dyskretnie rozbawione spojrzenia. Potem gospodyni opuściła pokój, a Rafe podszedł do biurka i wrócił z pudełkiem cygar. Obciął małym srebrnym nożykiem końce dwóch i jedno podał chłopcu. Następnie przypalił je, najpierw swoje, potem Husha.

– Kubańskie, ręcznie zwijane – zauważył między jednym pyknięciem a drugim. – Lubię od czasu do czasu wypalić naprawdę dobre cygaro.

Hush od czasu do czasu kurzył tylko fajeczkę, ale jakoś głupio mu było przyznawać się do tego.

– Ja też – zełgał i rozkasłał się.

– Nie wdychaj za głęboko – doradził mu od niechcenia Rafe, z trudem powstrzymując się od śmiechu. – A teraz powiedz, Hush, o czym chciałeś ze mną rozmawiać?

– O Mystere, pszepana.

– Tak, wspomniałeś już o tym. Ale o co chodzi konkretnie? Chyba nie chcesz mnie wyzwać, żebyśmy walczyli o jej rękę?

Hushowi opadła szczęka i omal nie upuścił cygara. Teraz, kiedy przyszła wielka chwila, zabrakło mu słów.

– Chodzi o to... to znaczy... Widzi pan, ona wpadła w straszne tarapaty... A ja nie mogę pozwolić, żeby ktoś ją skrzywdził, pszepana!

– Myślisz, że to ja chcę ją skrzywdzić?

– Nic podobnego! Pan się z nią przecie żeni, no nie?

Rafe wyjął z ust cygaro, przyjrzał mu się uważnie i na jego wargach pojawił się gorzki uśmieszek. A może to dym gryzł go w oczy? Hush nie był tego pewny.

– Na to wygląda – odparł w końcu Rafe. – Czy Mystere nie jest z tego powodu szczęśliwa?

Hush nie lubił okłamywać ludzi, którzy przypadli mu do gustu. Poczuł się nagle zażenowany i udał wielkie zainteresowanie stojącym obok globusem.

– Nie tak, jakby wypadało, pszepana – przyznał. – Cięgiem popłakuje.

– Naprawdę?

– Tak, pszepana, ale tylko wtedy, jak myśli, że nikt tego nie widzi. Mystere to nie płaksa. Jak na taką słodką i śliczną dziewczynę jest całkiem twarda.

Rafe dumał przez chwilę, zapatrzony w przestrzeń.

– Niełatwo zrozumieć kobiety, Hush – powiedział w końcu. – A jeśli chodzi o łzy, to nigdy nic nie wiadomo. Ale wspomniałeś coś, że nie pozwolisz jej skrzywdzić. Czy naprawdę ktoś może jej zrobić coś złego?

Hush skinął głową.

– Tak, pszepana. A przynajmniej próbuje.

Urwał, najwidoczniej wahając się, czy mówić dalej. Rafe domyślił się powodu.

– Tak między nami, Hush – zwierzył mu się – Mystere powiedziała mi prawdę.

– Prawdę, pszepana…?

– Tak. O tym starym Rillieux, który przyucza dzieciaki do kradzieży. Wykształcił ją w tym fachu… i ciebie także, prawda?

Hush zamarł na chwilę. Wreszcie kiwnął głową.

– Tak, pszepana. Widzi pan, Mystere nie miała wyboru. Pan Rillieux ma taką… taką siłę, że ludzie robią wszystko, czego on chce.

Rafe strząsnął popiół z cygara do ceramicznej popielniczki.

– Rozumiem. Czy to jego miałeś na myśli, mówiąc, że ktoś chce ją skrzywdzić?

– Nie, pszepana. Chodzi o dwóch innych facetów.

Pozbywszy się już całkiem oporów, opowiedział wszystko, czego się dowiedział o Lorenzu Perkinsie i jego kumplu Sparkym.

– A teraz – zakończył – oni chcą przyjść do pana. Nie zdążyli przede mną, co? Strasznie się śpieszyłem.

Rafe potrząsnął głową.

– Nie tak łatwo mnie złapać w ciągu tygodnia. Może i próbowali, ale nie dotarli do mnie.

– Zamiarują wyciągnąć z pana kupę forsy. A jak pan nie zapłaci... chcą narobić panu wstydu. Panu i Mystere.

– Interesujące. Jak zamierzają to osiągnąć? Co takiego wiedzą... albo tak im się tylko wydaje?

Hush wzruszył ramionami.

– Coś w tym sensie, że ona się naprawdę nie nazywa Rillieux, tylko udaje. Polecą z tym na policję i do gazet, jak im pan nie zapłaci.

– Rozumiem. I ty sam z siebie przyszedłeś mnie ostrzec o tym?

– Tak, pszepana. Nie chciałem mówić o tym Mystere, ona i bez tego ma dość kłopotów.

– Tak – mruknął Rafe, szarpiąc się za brodę. – Chyba jej ich nie brakuje.

Po chwili otrząsnął się z zadumy.

– Doskonale, Hush! – powiedział energicznym tonem, uśmiechając się do swego gościa. – Odtąd ty i ja będziemy partnerami. Co ty na to?

– Partnerami, pszepana?

– Oczywiście, przecież ta dama jest moją narzeczoną. A i tobie chyba nie jest obojętna, jeśli przyszedłeś do mnie w tej sprawie.

– Jasne, pszepana! To najfajniejsza dziewczyna na świecie! Zrobiłbym dla niej wszystko!

– Rozumiem. I chyba mogę liczyć, że będziesz się nią opiekował pod moją nieobecność?

Hush dosłownie puchł z dumy i determinacja rosła w nim coraz bardziej.

– No pewnie! Może pan na mnie liczyć!

Rafe poklepał chłopca po ramieniu.

– Wiem, że mogę. Od razu poznałem, że dzielny z ciebie chłop. Będę gotowy na spotkanie z tym Lorenzem i... jak mu tam?

– Sparky, pszepana. Wielki, niezdarny gamoń.

– No właśnie, z tym Sparkym. Przygotuję im odpowiednie powitanie. I nie bój się, nie pisnę o tobie ani słowa.

Hush znowu zakrztusił się dymem i lekko przybladł. Rafe odwrócił się, by ukryć uśmiech, i podsunął mu pudełko.

– Może jeszcze cygaro?

– Dziękuję, pszepana. Jedno mi starczy.

– Co za siła woli! Podoba mi się to. No cóż, mam teraz trochę roboty, więc wybacz, że się pożegnamy, Hush. Omówiliśmy wszystko, jak trzeba?

– Jasne, pszepana.

– Doskonale. Jakeś się tu dostał, promem?

Hush kiwnął głową.

– Czasem sam z niego korzystam, ale w weekendy trzeba zbyt długo czekać – wyjaśnił Rafe. – Pójdę z tobą do przystani i powiem załodze mojego jachtu, żeby cię odstawili z powrotem, dobrze?

Hush zrobił wielkie oczy.

– Naprawdę?!

– Oczywiście! Wyświadczyłeś mi przysługę, wypada się jakoś zrewanżować. Chciałbyś przez chwilę postać przy sterze?

Tym razem entuzjazm sprawił, że Hush całkiem zapomniał o dobrych manierach.

– Rany, czy ja bym chciał?! Człowieku!!!

Rafe roześmiał się zadowolony, że sprawił chłopcu taką radość.

– Jeszcze jedno, Hush – powiedział, gdy wychodzili z pokoju. – Ani słowa Mystere o naszej rozmowie, zgoda? Gęba na kłódkę!

– Na kłódkę, pszepana.

– Porządny z ciebie chłop. Nie zapominaj, że odtąd razem będziemy o nią dbali. Jak się dobrze postaramy, nikt jej nie skrzywdzi.

Miał już zamknąć drzwi biblioteki, gdy przypomniał sobie o czymś.

– Hush, poczekaj na mnie przez chwilę przed stróżówką Jimmy'ego, dobrze? Zaraz tam będę.

Wrócił do pokoju i wziął z biurka arkusz papieru. Maczając pióro w kałamarzu, skreślił tylko jedno zdanie: Sam! Zdobądź niezbędne informacje na temat Lorenza Perkinsa, który mieszka przy Amos Street, oraz jego kumpla, robotnika portowego o przezwisku Sparky.

Wychodząc z domu, wręczył notatkę Ruth.

– Postaraj się, żeby Sam dostał to jeszcze dziś. I powiedz mu ode mnie: im prędzej, tym lepiej.

Sam będzie wiedział, co znaczą słowa „niezbędne informacje". Znał też co najmniej tuzin detektywów, którzy kiedyś pracowali dla Belloch Enterprises. Rafe wiedział, że każdy ma coś na sumieniu, wystarczy tylko powęszyć. Niech sobie przychodzą ci dwaj szantażyści – będzie gotowy na ich powitanie.

26

Mystere szykowała się na pierwsze przyjęcie na cześć zaręczonej pary. Ponieważ wydawała je sama pani Astor, można było być pewnym, że po dzisiejszym będą następne. Nowojorska elita uważała ślub we własnym gronie za epokowe wydarzenie, porównywalne do królewskiej koronacji. Mystere nie miała pojęcia, jak zdoła utrzymać się w roli podczas tej komedii! Kiedy rozważała motywy postępowania Rafaela, pozorną radość, jaką sprawiało mu to niebezpieczne oszustwo, powzięła podejrzenie, które poważnie ją zaniepokoiło. Postanowiła przy pierwszej sposobności porozmawiać z nim sam na sam i zażądać wyraźnej odpowiedzi.

Rafe mógł się nie troszczyć o ostateczne konsekwencje stwarzania fałszywych nadziei, ale ona nie była w stanie ich ignorować. Względy Paula mogły w mgnieniu oka przekształcić się we wrogość, gdyby zaręczyny zostały zerwane. Evan i Baylis również stali się wobec niej ogromnie uważający, co wyraźnie wskazywało, że i oni liczą na osobiste zyski. Baylis zgolił nawet swą

227

śmieszną bródkę á la Newgate, oświadczając, że taki zarost nie przystoi stangretowi wielkiej damy.

Tylko Rose i Hush zdawali się rozumieć jej problemy i okazywali współczucie.

– Wiem, że masz stracha, złotko, ale nie trać nadziei – mówiła Rose, upinając w kok hebanowe włosy Mystere. – Kiedy się zamartwiamy, wszystko wydaje się gorsze, niż naprawdę jest. Myśl tylko o tym, na co sama możesz poradzić, a resztę zostaw Bogu.

Była to dobra rada i bardzo podniosła Mystere na duchu. Podobnie jak cichutka uwaga Husha, który, pomagając jej wsiąść wieczorem do powozu, szepnął:

– Nie martw się, Mystere! Pod naszą opieką nie stanie ci się nic złego.

Chłopiec powiedział to z taką pewnością siebie, że Mystere uśmiechnęła się – po raz pierwszy od dłuższego czasu.

– „Pod naszą opieką"? Czyżbyś zawarł przymierze z moim aniołem stróżem?

Hush tylko mrugnął do niej zagadkowo i zamknął drzwiczki powozu.

Droga do rezydencji Astorów przy Fifth Avenue nie trwała długo.

– Pamiętaj, kochanie – powiedział Paul, zanim Baylis zatrzymał konie przed frontowym wejściem. – Od chwili, gdy ujrzysz Rafe'a, macie być nierozłączni. Jesteście bohaterami wieczoru. Caroline wyznała mi, że zrobiła coś zupełnie bez precedensu: zaprosiła przedstawicieli prasy! Pamiętaj więc, żadnych ostrych spojrzeń, żadnej obojętności; masz być promienna i uległa. To wielka gala, a kurtyna pójdzie w górę, gdy podejdziecie do siebie z Rafe'em.

Ujął jej ręce i pochylił się ku niej; jego ostre rysy wydawały się dziwnie groźne w migotliwym świetle gazowych latarni.

– Dzisiejszy występ to przecież nic strasznego. Z twoim przygotowaniem wyjdziesz z tej próby śpiewająco. Księżycowa Dama wkrótce przestanie istnieć, a dzisiaj nie musisz przecież kraść żadnych błyskotek przed samym nosem tych bogaczy. Będziesz po prostu Mystere Rillieux, dobrze wychowaną panienką z Nowego Orleanu, przyszłą panią Rafaelową Belloch.

Tylko że, mówiła sobie Mystere w duchu, gdy Hush pomagał jej wysiąść, Rafe doskonale wie, kim jestem! Może zmienić galowe przedstawienie Paula w groteskową czarną komedię. W świetle setek lampionów widać było, jak wielu gości już się zjawiło; spacerowali parami lub w małych grupkach wśród bujnych ogrodów otaczających dom z trzech stron. Zjawił się służący i poprowadził ich dróżką wykładaną łupkowymi płytkami, dostosowując krok do możliwości starszego pana.

Mimo zapewnień Paula Mystere czuła w piersi nerwowe łaskotanie, jakby pajęczyny oplatały jej serce. W duchu wymieniała nazwiska wszystkich znanych osobistości, do których podchodziła: Garret i Eugenia Teasdale'owie, James i Lizet Addisonowie, Sylvia Rohr, Vernonowie, Antonia Butler z rodzicami, doktorostwo Sanford i oczywiście siostry Vanderbilt, które nie opuściły żadnego towarzyskiego spotkania. Ceniły sobie zaproszenia pani Astor znacznie wyżej niż męscy przedstawiciele ich rodziny.

– To Trevor Sheridan z siostrą – zauważył Paul, wyraźnie podekscytowany obecnością księżnej Granville. – Caroline zapewniła mnie, że książę też by z pewnością przybył, gdyby nie bawił właśnie na jakiejś wyprawie myśliwskiej.

Księżna Granville... Mystere pomyślała o herbie w nagłówku listu. Przelotnie błysnęła jej nadzieja, że może naprawdę istnieje jakaś więź pomiędzy tym arystokratycznym angielskim rodem a dwojgiem dzieci z dublińskich slamsów... Albo – co bardziej prawdopodobne – jakiś logiczny powód, dla którego ktoś napisał ten list na papierze z herbem Connacht.

Nie miała czasu na dalsze rozważania, bo właśnie w tej chwili dostrzegła Rafe'a stojącego obok podium dla orkiestry; rozmawiał z ożywieniem z Caroline Astor i Carrie.

– Tędy, proszę pani – powiedział z uszanowaniem służący, wprowadzając Mystere po trzech marmurowych schodkach na wielki, doskonale oświetlony ogrodowy taras.

Jak na dany znak, Paul odsunął się na bok. Kiedy Mystere wynurzyła się z cienia, zdała sobie sprawę, że zostało to starannie wyreżyserowane przez Caroline. Wejście oblubienicy. Orkiestra zaczęła grać *Piękność triumfującą* Liszta. Ucichł gwar rozmów, wszyscy mężczyźni stanęli niemal na baczność. Mystere wybrała na tę okazję swą najpiękniejszą toaletę, długą suknię bez rękawów ze szmaragdowego atłasu, przewiązaną w pasie wstęgą o podwójnej kokardzie. Nie miała na sobie żadnej biżuterii oprócz skromnych kolczyków z kamienia księżycowego. Nawet Rafe zastygł w niemym zachwycie na jej widok.

Gdy zbliżyła się do niego, ukłonił się szarmancko i ucałował jej dłoń.

– Kochanie, zaćmiewasz swą pięknością starożytne westalki – powiedział, spoglądając na nią prowokująco.

– Wybierano je ze względu na czystość, nie urodę – odcięła się Mystere.

– Lepiej, żeby do nas wzdychali, niż padali przed nami na kolana, prawda? A poza tym klejnot dziewictwa jest zdecydowanie przereklamowany.

Znów pokonana w szermierce słownej zdobyła się na zimny, obojętny uśmiech. Rafe ujął ją za ramię i podprowadził do Caroline i Carrie.

– Och, Mystere! Tak się cieszę ze względu na was oboje! – unosiła się Carrie, obejmując narzeczoną. W odróżnieniu od swej chytrej i doświadczonej matki, przyjmowała wszystko za dobrą monetę. Jej nieuzasadniona radość zabolała Mystere niemal równie mocno jak ukryty cynizm Rafe'a.

Caroline cmoknęła ją w policzek, z większą rezerwą niż zwykle, ale w pełni zachowując pozory. Rafe jednak postanowił pokazać pani Astor, że nie zamierza tańczyć tak, jak mu zagra.

– Jak ci się podoba suknia Mystere, Caroline? – spytał. – Zgadzasz się chyba, że podkreśla wszystkie jej wdzięki?

Miał na myśli coś wręcz odwrotnego. Oczywiście Mystere znów starannie obandażowała piersi. Ale nawet jeśli pani Astor dostrzegła dziwne zjawisko zmieniającego wymiary biustu, zachowała to dla siebie. Nic trudnego dla kobiety, która zawsze przedkładała pozory nad rzeczywistość.

Nie dając się sprowokować, rzuciła Rafaelowi miażdżące spojrzenie.

– Proszę się zachowywać przyzwoicie, mój panie, bo i ja mogę ruszyć do ataku. Wyrażam się jasno?

– Jak najbardziej – skapitulował Rafe.

Caroline odwróciła się na moment, by pomówić z dyrygentem. Rafe skorzystał z okazji i odprowadził Mystere z dala od największego tłumu, zmierzając w stronę żelaznego mostku przerzuconego nad prześlicznym stawem porośniętym wodnymi liliami.

Nie doszło jednak do sam na sam, bo z kępy oleandrów wyłonił się nagle Abbot Pollard, mocno woniejący alkoholem.

– Niech wolno mi będzie złożyć gratulacje szczęśliwej parze – wycedził nosowym barytonem, w którym czuć było nieszczerość.

Pochylił się ku Mystere, by szepnąć jej do ucha:

– Ale między nami, to rzucanie pereł przed wieprze.

– Powtórz to głośno, Pollard – warknął Rafe – chyba że nie starczy ci na to pijackiej odwagi.

Abbot uniósł kieliszek w szyderczym toaście.

– Dajże spokój, mości Waligóro, przyjacielu klas pracujących. Nie rozumiesz, że picie jest sub... substytutem pracy dla nas, biednych nierobów?

– Abbot – upomniała go łagodnie Mystere – czy musi pan aż tyle pić? I czemu kryje się pan po krzakach?

Znów uniósł kieliszek, tym razem wskazując nim w kierunku Caroline.

– To wina tej jędzy bez poczucia humoru. Znów się na mnie uwzięła. Wspomniałem tylko, że takie hulanki mogą doprowadzić do „zagłady domu Astorów", a ona uznała to prawie za bluźnierstwo.

– Stary dowcip, ale całkiem na miejscu – przyznał Rafe z niechętnym podziwem. – Może cię nie doceniałem, Abbot.

Ujął Mystere pod ramię i poprowadził w stronę mostku.

– Jeśli już wpadamy w sentymentalny nastrój – zawołał za nimi Abbot – to całkiem niebrzydka z was para...! Choć ta ślicznotka zasługuje na kogoś o wiele lepszego niż ty.

Weszli na mostek. Nagle znaleźli się sami wśród tłumu, mając w dodatku znakomity widok na wszystko i wszystkich. Tony skrzypiec uniosły się ponad gwar rozmów i kilka par zaczęło wirować w walcu na drewnianym parkiecie ułożonym pośrodku wielkiego tarasu.

– Trzeba dać plotkarzom powód do gadania – zauważył Rafe, wpatrując się w Mystere jak w jakiś niezwykły okaz. – Zauważyłem, że spoglądasz na rubinową bransoletkę Caroline – dodał, nadal obserwując ją bacznie. – Chciałabyś powiększyć swój posag, Księżycowa Damo?

– Księżycowa Dama przestała istnieć, odkąd zdobyłam pierścień – odparła, nie patrząc na niego.

– A, ten pierścionek. Gwarancja twojej wolności. Jak ci idą poszukiwania zaginionego brata... Jak mu tam, Brad?

– Bram.

– Prawda, Bram. Mówiłaś chyba, że jest o osiem lat starszy od ciebie. Czy myślisz, że uwierzę, iż nigdy ci nie powiedział, jak się nazywacie?

– Matka kazała mu obiecać, że nie wyjawi tego nikomu. Chyba bardzo mocno wbijała mu to w głowę, a on się bał, żebym ja – jeszcze bardzo mała – nie wygadała się przypadkiem.

– No dobrze, ale dlaczego wasza matka stawiała takie dziwne żądanie?

Zdumiało ją, gdy uświadomiła sobie, że Rafe wydaje się szczerze zainteresowany problemami, które sama od tak dawna usiłowała rozwiązać. Miała zamiar znów wspomnieć mu o liście, ale uprzedził ją następnym pytaniem.

– Skąd mam wiedzieć, że nie jest to bajeczka wyssana z palca, mająca na celu ukrycie twego prawdziwego nazwiska?

Choć to pytanie rozgniewało ją, czuła, że zostało podyktowane szczerą ciekawością, a nie sarkazmem.

– To nie jest żadna bajeczka – zapewniła. – Nie chcę ukrywać mego nazwiska, tylko je ujawnić.

Rozważał w milczeniu jej odpowiedź, oparłszy się obiema rękami o poręcz mostku i obserwując tancerzy.

On jest naprawdę bardzo przystojny, pomyślała, wpatrując się w jego odgarnięte do tyłu kasztanowate włosy i silnie zarysowany patrycjuszowski nos. Może jego przechwałki, że Caroline zamierzała go uwieść, nie były takie bzdurne? Gdy zastanawiała się nad tym, przypomniało jej się pytanie, które chciała mu zadać.

– Rafe?

– Hm?

– To, że wolałeś zastosować się do dyktatu Caroline, niż zdradzić mój sekret, bardzo mi pochlebiło. Pomyślałam, że troszczysz się o mnie. Teraz jednak mam na ten temat inną teorię.

Popatrzył na nią, unosząc brwi ze zdumieniem.

– Wyjaw mi ją koniecznie!

– Myślę, że naprawdę czujesz się odpowiedzialny za los swoich pracowników. Ale sądzę również, że byłbyś gotów narazić się na finansową ruinę, byle ostatecznie upokorzyć Caroline.

– Czyżby? A to dlaczego?

– Ponieważ nade wszystko chcesz się zemścić na niej i na całej elicie za to, co – jak sobie wyobrażasz – zrobili twoim rodzicom.

Natychmiast pojęła, że ugodziła go w najboleśniejsze miejsce. Mięśnie jego twarzy stężały, szczęki zacisnęły się. Dostrzegając jego wielki ból i gniew, pożałowała swej szczerości.

– Niech każdy stacza własne boje – rzucił ostro, ledwie panując nad głosem. – A moja wyobraźnia nie ma tu nic do rzeczy. Ojca zabiła kula, którą wpakował sobie w mózg, nie moje urojenia! Matka zmarła przedwcześnie przygnieciona bólem i hańbą, nie moimi przeczulonymi nerwami!

Głos mu się załamał i potężne uczucia pokonały jego żelazną samokontrolę. Mystere miała wrażenie, że ktoś jej wbija nóż prosto w serce, gdy ujrzała łzy w jego oczach. Rafael odwrócił twarz, chcąc ukryć swą słabość.

Przejęta skruchą schwyciła go za ramię.

– Och, Rafe! Tak bardzo mi przykro! Nie wiedziałam nic o...

Wyrwał rękę z jej uścisku.

– Właśnie! Nic nie wiedziałaś! Więc zostaw dla siebie swoje płytkie teoryjki, słyszysz?!

Po raz pierwszy jego bezlitosne słowa nie rozgniewały Mystere, tak dręczyły ją wyrzuty sumienia. Pragnęła nade wszystko pocieszyć Rafe'a. Ale ich krótkie sam na sam skończyło się. W najmniej odpowiednim momencie Carrie Astor przyłączyła się do nich na mostku.

– Wybaczcie, gołąbki, że wam przeszkadzam – powiedziała z przepraszającym uśmiechem – ale mama życzy sobie, żebyście zatańczyli dla nas walca. Spędziła już wszystkich z parkietu, rezerwując dla was miejsce. Samiście sobie winni: daliście nam taki wspaniały popis na balu u Addisonów.

– Wszystko dla naszej drogiej Caroline – odparł Rafe. Na jego twarz wróciła już dawna nieprzenikniona maska. – Idziemy, Księżycowa Damo – dodał ciszej, gdy Carrie pobiegła przodem. – Dajmy Streeterowi powód do uniesień.

Świadoma, że oczy wszystkich spoczywają na nich, Mystere starała się, by na jej twarzy nie było ani śladu lęku, który zmuszał jej serce do gwałtownego bicia. Gdy jednak orkiestra rozpoczęła walca *Nad pięknym, modrym Dunajem*, Rafe zaś poprowadził ją na parkiet, przygotowała się na powtórzenie sytuacji z balu u Addisonów, kiedy to zamienił taniec w rodzaj pojedynku między nimi.

Obawiała się, że nawet lata wyczerpującego treningu nie pomogą jej opanować wewnętrznego niepokoju, który zawsze rozładowywał się w czysto fizycznym zwarciu. Tym razem jednak była w błędzie.

Kiedy mniej więcej połowa wybrańców pani Astor (nie licząc tuzina zafascynowanych reporterów) otoczyła parkiet zwartym kręgiem, Rafe zamiast zmuszać ją do wspinania się na szczyty tanecznego kunsztu, zachęcał ją do tego i wspierał.

Stali się jak gdyby jedną istotą o wspólnym umyśle i idealnie zgranych ruchach. Wirowali po parkiecie z taką lekkością i niezrównaną gracją, że – jak napisał potem w entuzjastycznym felietonie Lance Streeter – wydawało się, iż nagle ożyła mistrzowska rzeźba jakiegoś geniusza renesansu.

Raz po raz muzyka potężniała w donośnym popisie bębnów i trąb, by następnie przejść w jedwabisty szept instrumentów smyczkowych. Mystere zdawało się, że rytm tańca dyktuje jej własne serce, nie zaś pałeczka dyrygenta. Kiedy zaś patrzyła w oczy Rafaela, który spoglądał na nią z nieznaną czułością, z najwyższym trudem zmuszała się do realnego postrzegania sytuacji.

To z jego strony tylko gra, strofowała się w duchu. Nie myl pozorów z rzeczywistością, zwłaszcza jeśli chodzi o niego. To nie jest piękna baśń, którą zawsze chciałaś przeżyć. Rafe jest okrutny i niebezpieczny, i choć taka jego postawa może mieć uzasadnione przyczyny, powinnaś obawiać się jej skutków.

Kiedy orkiestra dotarła do triumfalnego finału, Rafe, nadal trzymając swą partnerkę za rękę, cofnął się o krok i złożył jej szarmancki ukłon. Urzeczona widownia wybuchnęła gromkim aplauzem, jakiego nikt by się nie spodziewał po tak statecznej i powściągliwej grupie ludzi. Nawet pani Astor, która – zdaniem Lance'a Streetera – była „nieczuła niczym kamienny lew", mrugała załzawionymi oczyma.

– Przyznam – szepnęła później do Mystere – że miałam pewne wątpliwości, czy słusznie czynię, kojarząc was. Ale jeśli istniała kiedykolwiek para stworzona dla siebie, to tylko ty i Rafe..

Mystere zdołała się uśmiechnąć, lecz słowa pani Astor wydały się jej gwoździem do trumny jej nadziei. Rafe, jakby wyczuwając, że ich popis pogrążył jego partnerkę w jeszcze głębszej rozpaczy, z wielkim zapałem zgrywał się przed publicznością na idealnego kochanka. Był czuły, troskliwy, rycerski i przez resztę wieczoru nie odstępował Mystere ani na krok.

Nie wszyscy jednak byli zachwyceni tym niezrównanym romansem. Antonia Butler raz po raz zerkała w kierunku Mystere i pobudzała do śmiechu inne panny, szepcząc jakieś zjadliwe uwagi. Złośliwość Butlerówny sprawiła, że Mystere poczuła niemal radość, iż ukradła jej pierścionek.

Była zarazem wdzięczna Antonii za jej nieukrywaną wrogość, gdyż dzięki temu prysła tęczowa bańka iluzji i dziewczyna przypomniała sobie o zagrożeniach, których nie powinna lekceważyć. Choćby Lorenzo Perkins i Sparky. Nie niepokoili jej co prawda od chwili, gdy dała im pięćdziesiąt dolarów, ale wątpliwe, by ta pięćdziesiątka zaspokoiła ich apetyty. Z pewnością coś knuli. Nie powinna pozwolić, by kilka minut walca natchnęło ją złudnym poczuciem bezpieczeństwa.

– Skąd to przygnębienie, kochanie moje? – wyrwał Mystere z zadumy głos Rafe'a. – Wyglądasz jak skazaniec prowadzony na gilotynę. Czyżby coś zmartwiło moją dziewczynkę?

Jego ironia znów była widoczna. Udało mu się na chwilę odciągnąć Mystere na bok, gdzie migotliwa fontanna zasłoniła ich przed resztą gości.

– Czar tej chwili nie potrwa długo, wiesz o tym równie dobrze jak ja – szepnęła w odpowiedzi. – Każde z nas pójdzie swoją drogą. Ten moment niemądrej radości jest jak cios noża prosto w serce.

Otoczył ją nagle ramionami i przygarnął do siebie, nim zdążyła go powstrzymać. Czuła jego siłę, był jak napięta sprężyna. Pociągało ją to a zarazem trwożyło. Ciało reagowało zmysłowym podnieceniem, umysł ostrzegał przed niebezpieczeństwem.

– Niechże więc będzie – szepnął jej do ucha, owiewając ją ciepłym, wilgotnym oddechem. – Zmieńmy ten stan rzeczy, którego nie możesz znieść. Chciałem ci to powiedzieć już w hotelu. Pragnę cię.

Tym razem odwróciła twarz, gdy usiłował ją pocałować.

– Cóż to dla mnie za pociecha? – odcięła się gniewnie. – Gdy tylko twoja namiętność minie, wyrzucisz mnie ze swego łóżka i wrócisz do swoich ksiąg rachunkowych i map, jakbyś wypił filiżankę herbaty. Już ci mówiłam, że nie mam ochoty zostać twoją dziwką.

– Ktoś mógłby powiedzieć, że Księżycowa Dama i tak już straciła duszę przez swe złodziejstwa. Po co robić tyle szumu, jeśli chodzi o ciało?

– Może masz trochę racji, ale nie straciłam mojej duszy. Zbrukałam ją tylko. Ty za to chętnie zaprzedałbyś swoją, byle dokonać bezsensownej zemsty. Puść mnie!

Rafe roześmiał się szorstko. Bez trudu przyciągnął ją bliżej, mimo iż się broniła.

– Ciągle stoisz mi przed oczyma taka, jaką cię ujrzałem w mojej bibliotece – powiedział głosem zdławionym z pożądania. – Cały płonę. Tylko ty potrafisz tak mnie rozpalić.

– Boże święty, cóż to znowu?! – wykrzyknął za ich plecami jakiś kpiący, nieco bełkotliwy głos. – Czyżbym przyłapał nasze gołąbeczki na gorącym uczynku?

Abbot, tak pijany, że ledwo trzymał się na nogach, wyłonił się zza fontanny. W jednej ręce trzymał szklaneczkę po koktajlu. Wskazującym palcem drugiej wymachiwał im groźnie przed nosem.

– A fe, a fe! Zaraz poskarżę Wielkiej Jędzy i postawi was do kąta!

Niechętnie, klnąc pod nosem, Rafe puścił dziewczynę. Mystere szybko odwróciła się do Abbota i udało się jej uśmiechnąć. Ocalenie przyszło z najmniej oczekiwanej strony!

– Widzę, że splądrowałeś najulubieńszy klomb Caroline, mój panie – zauważyła lekkim tonem, gdyż w klapie Abbota tkwiła świeżo zerwana chryzantema. – Może to ja poskarżę jej na ciebie.

Pollard cofnął się pośpiesznie o krok i z trudem złapał równowagę. Powąchał skradziony kwiatek.

– Ten okropny zapach zabija wszystkich tych nuworyszów – zwierzył się bełkotliwie. – Najdroższe etole z norek, a jednocześnie najgorsze maniery. A Caroline naprawdę ich zaprosiła, zdradziecka suka! Pytam was, gołąbeczki: skoro my tak schodzimy na psy, co się stanie z resztą świata?

Rafe prychnął pogardliwie, ale wydawał się ubawiony widokiem pijanego, rozczochranego Abbota w roli ostatniego obrońcy bastionu „starej gwardii".

Mystere ujęła Pollarda pod ramię.

– Chodźmy, musi się pan napić kawy. Zawsze był z pana stary zrzęda, ale dzisiaj jest pan po prostu okropny.

– No to co? – wybełkotał zadziornie, ale pozwolił się prowadzić. Spojrzał na Rafe'a, który podtrzymywał go z drugiej strony.

– Niektórzy miękną z wiekiem. Inni, jak ja, robią się coraz bardziej twardzi i uparci. Kto może powiedzieć, którzy mają rację? Pytam się, mości Waligóro, kto?

– No właśnie, kto? – odparł Rafe, a jego przenikliwe błękitnozielone oczy były zwrócone na Mystere. Do niej też skierował swą następną uwagę. – To, co jednemu wydaje się bezrozumną zemstą, dla innego może być jedynym sensem życia.

27

*T*eraz albo nigdy, Sparky – oświadczył Lorenzo Perkins, zerkając nerwowo przez całą szerokość Broadwayu na potężny gmach hotelu Astor House. – Cholernie się namordowaliśmy, nimeśmy gościa dopadli; nie spartolmy teraz sprawy.

Siedzieli na ławeczce z kutego żelaza w City Hall Park, przeczekując ostatnich kilka minut przed umówionym na jedenastą rano spotkaniem z Rafe'em Bellochem.

– Powiem ci szczerą prawdę – odparł Sparky. – Pewniej bym się czuł, gdybyśmy więcej wiedzieli o tej dziewczynie.

– Chyba nie zamierzasz teraz zwiać?

– Pewnie, że nie. Pocałowałbym w dupę samego diabła, jak by mi to dało szybki profit – zapewnił wspólnika Sparky. – Ale lepiej nie zaczynać bez solidnych faktów. Cały czas się przechwalasz, że byłeś pinkertonem. Słyszałem, że to lipa; kapowałeś tylko dla nich od czasu do czasu.

- Nie kapujesz, czy co? Detale nie są ważne. Liczy się tylko strach przed tym, co wiemy albo co mogliśmy wykryć. Trzeba wmówić Bellochowi, że jest tego sporo. Opowiemy mu o tym malowniczo, rozumiesz? Jest zaręczony z tą dziewuchą; nie będzie ryzykował skandalu! Mam rację czy nie?

- No… chyba masz.

- W takim razie idziemy. - Lorenzo wstał i otrzepał spodnie z kurzu. - Do roboty. Gadanie zostaw mnie i tylko patrz, jak szybko Belloch sięgnie po forsę.

Rafe siedział za zagraconym biurkiem, mierząc swoich gości uważnym spojrzeniem. Mężczyźni zatrzymali się tuż za progiem, bo gospodarz ani myślał proponować im, żeby usiedli.

- Nie zapraszałem was, panowie. Ale skoro już tu jesteście, mówcie szybko, o co chodzi. Jestem bardzo zajęty.

- Zaraz zacznie pan mówić innym tonem, panie Belloch - odparł zuchwale Lorenzo. - Tak się składa, że to my mamy same asy.

Rafe rzucił rozbawione spojrzenie Samowi Farrellowi, który siedział na sofie w głębi pokoju i od niechcenia przerzucał „Timesa".

- W porządku - rzekł Rafe. - Ciągnijmy dalej tę metaforę. Sprawdzam. Pokażcie te swoje asy.

- Pańska narzeczona nie jest tym, za kogo się podaje - oświadczył Lorenzo melodramatycznym tonem.

- A kto z nas jest? Cały świat to jedna wielka scena, panie Perkins.

- Nie bawmy się w filozofię - odparł Lorenzo. - Powiadam panu, że to wcale nie panna Rillieux, za którą się podaje.

- Nie? Więc jak się nazywa?

Lorenzo nie odpowiedział od razu, wyraźnie zbity z tropu rzeczowym tonem, jakim Belloch zadał to pytanie.

- W każdym razie za cholerę nie Rillieux - wmieszał się Sparky, trącając łokciem Perkinsa.

Rafe roześmiał się i potrząsnął głową

- Mam poważne wątpliwości, moi panowie, co do waszych asów. Wkraczacie tu, przechwalając się, ile to wiecie, a coś mi się

238

zdaje, że tyle tego, co kot napłakał. Pytam raz jeszcze: jeśli moja narzeczona nie nazywa się Rillieux, jak brzmi jej prawdziwe nazwisko?

– Ona sama tego nie wie – poinformował go wreszcie Lorenzo. – Zatrudniła mnie, żebym odnalazł jej brata, i przyznała, że nie zna jego nazwiska.

– Odnalazłeś tego brata, mój panie? – spytał ostro Rafe.

– Nie – wyznał Perkins.

– Ale założę się, że wyciągnąłeś od niej sporo forsy.

Lorenzo udał, że tego nie słyszy.

– Cóż to innego mogło znaczyć jak nie to, że sama nie wie, jak się nazywa?

Rafe zabębnił niecierpliwie palcami o blat biurka.

– Tylko tyle, że pamięć ją czasem zawodzi. A tak przy okazji: sama mi już o tym wszystkim opowiedziała. Udało się wam czegoś dowiedzieć o jej bracie?

– Coś niecoś – odparł tajemniczo Lorenzo.

– A mianowicie?

Małe oczka Perkinsa umknęły przed bystrym wzrokiem Bellocha.

– To i owo…

Rafe roześmiał się znowu, spoglądając to na jednego, to na drugiego.

– Tak właśnie myślałem. Wyłudziliście od dziewczyny pieniądze i mamiliście ją obietnicą odnalezienia brata. Żerowanie na czyjejś miłości i trosce to łatwy chleb.

Żaden z przybyszów nie odpowiedział. Rafe uderzył pięścią w blat biurka.

– No, kończmy sprawę, chłopaki. Może przynajmniej jeden z was wyciągnie jakiegoś królika z kapelusza.

– Słuchaj no, Belloch – burknął Lorenzo. – Pracowałem dla twojej narzeczonej i musiałbym być ślepy, żeby nie widzieć, że ta dziewczyna ma masę tajemnic. Skąd pochodzi, kim jest… i w ogóle.

Obaj szantażyści grali najwidoczniej na zwłokę. Niemniej mogli wiedzieć o czymś, co sprawiłoby Mystere kłopoty. Rafe zdawał sobie z tego sprawę. A to mogło pokrzyżować i jemu szyki. Zerknął na Sama i skinął głową.

Sam westchnął ze znużeniem, odłożył gazetę i wyjął jakieś akta ze skórzanej teczki, która stała przy jego nogach. Otworzył je i wydobył ręcznie zapisany arkusz papieru.

– Panie Perkins – oznajmił – mam tu oświadczenie panny Laury Driscoll, zamieszkałej pod siedemnastym przy Washington Street. Przyznaje, że od dwóch lat jest pańską kochanką. Może pan sam przeczytać. Nie? No cóż, krótko mówiąc, jest gotowa zaświadczyć w sądzie, że wręczył jej pan pieniądze, które podobno miały być przeznaczone na niezbędną operację pańskiej żony. Chyba pan wie, jakie staroświeckie poglądy na temat cudzołóstwa mają nasze sądy. Czekałoby pana dobrych kilka lat ciężkich robót na Blackwell's Island.

Rafe przyglądał się, jak Perkins zdejmuje melonik, by otrzeć zmiętą chusteczką spocone czoło.

– Co się zaś ciebie tyczy, Sparky – kontynuował beznamiętnie Sam – twoja słabość do nieletnich może nie zainteresować specjalnie sądów, ponieważ twoje ofiary wywodzą się – tak samo jak ty – z dołów społecznych.

Sparky zmarszczył się gniewnie; na wielkim nosie utworzyły się fałdki.

– Ostrożnie, picusiu-glancusiu! – zawołał. – Jeszcze odszczekasz te zniewagi!

Prawa ręka Sama zanurzyła się w kieszeni żakietu. Wydobył stamtąd niewielki pistolet kaliber 38. Obaj przybysze wyraźnie zbledli. Sam wrócił spokojnie do swych notatek.

– Ale jedną z twoich ofiar była czternastolatka nazwiskiem Sissy Folam. Jej brat, Terrance Hollam, stoi na czele bandy z Five Points, zwanej Twarde Piąchy. Z Terrance'a też podobno twardy facet, ale ma jedną słabość: jest bardzo przywiązany do swojej małej siostrzyczki. Powiedz no, Sparky, czy Terrance wie, coś zrobił tej dziewuszce?

W postawie Sparky'ego zaszła radykalna zmiana. Przed chwilą taki butny, teraz wprost się płaszczył.

– Ja... nie, pszepana, chyba nie wie. I lepiej, żeby tak zostało.

Rafe obejrzał się na Lorenza.

– Ty również wolałbyś, żeby wszystko zostało po staremu, prawda?

Lorenzo naburmuszył się, ale i on skinął głową.

– Powinniście się trzymać Bowery – rzekł Bellows niecierpliwym tonem. – Na Wall Street jesteście tylko parą płotek w gromadzie rekinów.

Wziął z biurka pudełko z drzewa tekowego inkrustowane jadeitem.

– Nie należy wam się nic. Ale macie tu po dwieście pięćdziesiąt dolarów na łebka. Robię to nie ze względu na siebie, ale na moją narzeczoną, żebyście nie próbowali niepokoić jej w przyszłości.

Wręczył każdemu z mężczyzn jego dolę, zmuszając obu, by spojrzeli mu w oczy.

– A ponieważ nie macie już żadnych roszczeń czy pretensji, zostawcie ją w spokoju. Zapamiętajcie sobie, bo powtarzać tego nie będę: każdy mój pracownik, tak samo jak ja, jest strzelcem wyborowym. Pokażcie raz jeszcze wasze pazerne gęby na moim terenie – tu czy na Staten Island – a każę was natychmiast aresztować. Mam świadka, że próbowaliście mnie szantażować, a to poważne przestępstwo. Zostaliście ostrzeżeni, a teraz żegnam.

Kiedy obaj kompani pośpiesznie wyszli, Rafe podszedł do drzwi i zamknął je za nimi. Potem przeszedł do swojej sypialni, gdzie, wychyliwszy się z okna, sprawdził, czy Lorenzo i Sparky opuścili budynek. Wrócił do pierwszego pokoju i spojrzał na Sama.

– Sądzisz, że ich wystarczająco zniechęciłem?

– Jasne! Mamy na nich potężnego haka i obaj o tym wiedzą. Dałeś im dość forsy, by zdusić w nich pragnienie zemsty. Ale nie tyle, by mieli złudzenia, że chcesz im za wszelką cenę zatkać gębę. Nawiasem mówiąc, jakeś im rąbnął o tych płotkach i rekinach, o mały włos nie wybuchnąłem śmiechem. Aleś im popędził kota!

– Mam nadzieję – odparł Rafe z roztargnieniem. – Wiesz co, Sam? Naprawdę liczyłem na to, że się czegoś od nich dowiem. O niej, rozumiesz.

– Zauważyłem to. Prawdę mówiąc, ja też.

– No widzisz! Widzisz, jaka ona jest? Załazi ludziom za skórę… i nawet nie to, żeby specjalnie się starała… To się tak jakoś dzieje samo z siebie. – Włożył tekowe pudełko z powrotem do szuflady i zaczął krążyć od biurka do drzwi i z powrotem. – Niech to wszyscy diabli, bracie! Ja się sam przed nią odkrywam.

– Ryzykowna teoria – zauważył sucho Sam, a Rafe odpowiedział szerokim uśmiechem, jakby przepraszając za swą zbytnią otwartość.

– Rozumiem teraz – ciagnął dalej – dlaczego rzymscy wodzowie uważali, że kobiety mają destruktywny wpływ na wojowników. Zbyt zaprzątają ich myśli, a jeśli ktoś ma w głowie tylko nagie baby, niechętnie stawi czoło śmierci.

Rafe czuł, że za bardzo dramatyzuje, ale naprawdę miał pretensje do Mystere o to, iż osłabiła jego wolę zemsty. Dla Caroline Astor i jej świty śmierć Johna i Katherine Bellochów nie była nawet tematem tabu, tylko czymś zgoła bez znaczenia. Cóż z tego, że podczas beztroskich lat przed wybuchem wojny domowej jego ojciec pomagał wielu spośród nich? Ani jeden nie zatroszczył się o porządny pogrzeb dla porządnego człowieka.

Kiedy niedługo potem zmarła jego matka, Caroline i kilka innych osób przysłało kondolencje. Na pogrzebie jednak nie pojawił się nikt oprócz kilku krewnych. Te zniewagi, rozpamiętywane przez Rafe'a przez całe lata, zżerały go od środka.

Dobrze wiem, że to chorobliwa reakcja, mówił sobie. Pewnie wszystkie choroby są konsekwencją naszych sekretów.

Może na tym właśnie – na tajemniczości – polegał nieodparty urok Księżycowej Damy? Nikt nie miał więcej sekretów niż ona.

– Zbyt surowo się osądzasz – powiedział Sam, pakując akta do teczki. – Nie poznałem jej jeszcze, ale wszystko wskazuje na to, że jest naprawdę wyjątkową kobietą. A jej niezwykły urok nie polega tylko na fałszu.

– Masz słuszność. To prawdziwa zagadka, dobrze jej dobrali imię. Ale tym razem wolałbym ją rozwiązać bez twojej pomocy.

Farrell błysnął swym niepasującym do reszty twarzy uśmiechem.

– A czy ja się ofiarowałem z jakąkolwiek pomocą? Pierwsze słyszę! Rad jestem, że tak do tego podchodzisz.

– Wierzę w większość jej historii. Choćby pochodziła z najgorszych slamsów Dublina, jej osiągnięcia nie ulegają wątpliwości. Jest doskonałą tancerką i w mgnieniu oka potrafi zmienić temat rozmowy z francuskich koronek na militarne talenty Juliusza Cezara.

Ale nie zwracaj na to uwagi, ostrzegał sam siebie. Zaczynasz mieć istną obsesję na punkcie tej dziewczyny. To częściowo wina tego dzieciaka, Husha. O ile nie jest pierwszorzędnym aktorem, jego intencje podczas sobotniej wizyty były jak najszczersze. A jego uwagi o Mystere świadczyły o dziewczynie jak najlepiej. Nie powinienem jednak tak dużo o niej myśleć. Muszę pokonać ten niepożądany pociąg.

Przede wszystkim dlatego, że – taka była okrutna, naga prawda – Mystere nadawała się idealnie na narzędzie jego zemsty. Choroba? Bezrozumna zemsta? Możliwe. Ale czy żałosna pseudoarystokratyczna arogancja Caroline nie była również chorobliwym objawem? A jak dowiódł Pasteur, chorobę najlepiej można zwalczyć właśnie chorobą.

Przestał krążyć po pokoju i spojrzał na Sama, który cierpliwie czekał na polecenia swego chlebodawcy.

– W jednej chwili wydaje mi się, że mam pełny obraz sytuacji. W następnej wszystko znika, jak pięść, gdy rozewrze się dłoń. Prawdy o kobietach nie da się chyba wyrazić słowami.

– Kobieta to zagadka, zwłaszcza gdy ma na imię Mystere – podsumował Sam.

Rafe skinął głową, ale w jego oczach znów pojawił się wyraz rozmarzenia. Ujrzał przed sobą Mystere w swej bibliotece, oblaną złotawym blaskiem świec. Widział kształt jej nagiego ciała przezierającego spod cienkiej koszulki: otoczone ciemnym kręgiem sterczące sutki, cień meszku między nogami... Nagle poczuł, że krew tętni mu pożądaniem. Z najwyższą niechęcią sięgnął po aktówkę.

– Tak, Mystere-zagadka – rzekł. – A teraz poszukajmy Wilsona i wracajmy do biura. Straciliśmy już na nią zbyt wiele czasu.

Gdy w środę po lunchu Paul zwołał zebranie całej „rodziny", Mystere wiedziała, że znalazła się w kłopotach.

Przyszły właśnie procenty od jego niezawodnych obligacji i nikt jej nie musiał tłumaczyć, co się stało. Wkładając pieniądze do sejfu, Paul odkrył zniknięcie diademu. Kiedy wszyscy zebrali się w salonie na dole, Rillieux przybrał najbardziej pompatyczny wyraz twarzy i oznajmił:

– Ktoś w sposób niedopuszczalny naruszył moją prywatność.

Ledwie skończył to zdanie, Mystere odezwała się śmiało:

– To ja ją naruszyłam, Paul. Ja zabrałam diadem. Nikt inny nie miał z tym nic wspólnego.

Wiedziała, że naraża się na wielkie ryzyko. Była teraz co prawda dla Paula kluczem do bogactwa, a chciwość czyniła go wyrachowanym, wszystko jednak miało swoje granice. Zrobił się nieznośnie zarozumiały od czasu, gdy został zaliczony do grona najbliższych przyjaciół Caroline Astor. Wtargnięcie w jego prywatność uznał niemal za obrazę majestatu.

Jego reakcja była gwałtowna i przerażająca. Wstał z trudem z fotela, wyprostował się i stanął nad Mystere z uniesioną laską, jakby zamierzał ją uderzyć.

– Paul! – krzyknęła Rose. – Nie!

Evan zareagował zadziwiająco szybko jak na człowieka takiej postury. Jedną ręką chwycił za kołnierz Husha, który miał już rzucić się na Rillieux, drugą łagodnie, z szacunkiem powstrzymał starszego pana.

– Nic z tych rzeczy, szefie – przypomniał Paulowi Baylis. – Ręka, która nas karmi, i tak dalej...

Uwaga była prostacka, ale Rillieux wystarczająco chytry, by zastosować się do tej rady. Bezczelna dziewucha stanowiła ich główną nadzieję wyjścia z finansowych tarapatów. Dobrze o tym wiedział.

Ale nawet gdy nieco ochłonął, okazał tak małostkowy despotyzm, że Mystere stała się jeszcze bardziej wojownicza.

– Wszyscy mamy już po dziurki w nosie twojej tyranii – ofuknęła go. – Posuwasz się za daleko w żądaniach dotyczących tak zwanej „lojalności".

– Wszyscy? – powtórzył, rozglądając się po twarzach zebranych. – A więc to bunt?

Mystere również popatrzyła na wszystkich, ale nawet Rose i Hush nie opowiedzieli się wyraźnie po jej stronie przeciw Paulowi.

– Baylis – błagała – bądźże choć raz konsekwentny. Co czwartek latasz na te bezpłatne wykłady dla robotników. Gdzie się podziały teraz poglądy na temat ucisku klas pracujących?

Baylis wzruszył ramionami.

– Gada się różne rzeczy. Cholera, miałem szczęście, jak mi się udało przenocować bezpiecznie w stogu siana, zanim Paul wyciągnął mnie z tego błota. Gdyby nie on, makaroniarze poderżnęliby mi gardło, ani chybi!

– No właśnie – przytaknął Evan. – Nie mamy tu najgorzej. Wcale nie najgorzej, Mystere, a jak już wpakujemy Bellocha w te cztery deski...

– Dość tego! – przerwał mu Paul. – Chcę pomówić z Mystere na osobności. Reszta może wyjść.

Mimo że nie mieli odwagi poprzeć jej śmiałego wystąpienia, teraz zwlekali z wyjściem, jakby chcieli ostrzec Paula, by nie ważył się zrobić dziewczynie nic złego. Mystere rozumiała ich postawę: zawdzięczali Paulowi (albo tak im się zdawało) ocalenie przed nieszczęsnym losem. Zakosztowawszy lepszego życia, obawiali się powrotu do poprzednich warunków. Musiała na własną rękę przeciwstawić się tyranii Paula. Zdawała sobie również sprawę z niebezpieczeństwa grożącego Rafe'owi, gdyby jednak doszło do ich małżeństwa.

Nie była pewna, czy Rafe posunąłby się aż do takiej ostateczności dla zaspokojenia swojej żądzy zemsty. Ale mogło się tak stać, więc musiała za wszelką cenę zapobiec małżeństwu, znikając z horyzontu. Niełatwo będzie jednak zmylić czujne oko Paula. Wyczuwał chyba jej chęć ucieczki. Nie mogła już nigdzie się ruszyć bez eskorty. Nawet pokój wynajęty przy Centre Street nie stanowił bezpiecznego azylu. Mogłaby się w nim schronić tylko na kilka dni. Jej zniknięcie byłoby prawdziwym darem losu dla żurnalistów i mimo przebrania nie utrzymałaby się długo w roli młodej wdowy Lydii Powell.

Gdyby się jednak pospieszyła ze sprzedażą szmaragdu i przygotowaniami do opuszczenia miasta, może zdołałaby zabrać się na parowiec płynący do Europy, gdzie łatwiej byłoby zagubić się w tłumie pasażerów. A po przybyciu na miejsce mogłaby dawać lekcje angielskiego albo znaleźć pracę w jakimś teatrze...

Kiedy reszta „rodziny" wyszła, zimny głos Paula przywołał ją do rzeczywistości.

– Mystere, wystarczy, jeśli powiem, że nie mogę tolerować takiego postępowania. Przyznałaś się do zabrania diademu. Czy powiesz mi, na co wydałaś pieniądze... bo zakładam, że już go sprzedałaś?

Przynajmniej nie ma pojęcia, dlaczego musiałam go zabrać, pocieszała się w duchu Mystere. Gdyby Rillieux zorientował się, ile Rafe o nim wie, jego desperacja mogłaby mieć nieobliczalne konsekwencje. Musi więc koniecznie zwrócić gniew Paula przeciw sobie.

– Wykorzystałam je na poszukiwania Brama – skłamała.

Jej odpowiedź go nie zdziwiła, ale z trudem pohamował gniew.

– No i co, znalazłaś go?

Potrząsnęła głową.

– Ani śladu.

– Czy pierścionek Antonii ukradłaś w tym samym celu?

– Ukradł go ktoś inny.

– Ile razy ci powtarzałem, żebyś zaprzestała tych idiotycznych poszukiwań?

– Mnóstwo razy. Ale dlaczego? Czemu aż tak cię złości, że chcę odnaleźć mojego jedynego krewnego?

– Czemu? Czyś ty całkiem oszalała, Mystere? Masz pojęcie, ile to mnie już kosztowało?!

– Tylko ciebie?

– No nie, oczywiście: ile to kosztowało całą rodzinę. Dałem ci wykształcenie, Mystere. Wyciągnąłem cię z tej wylęgarni karaluchów przy Jermyn Street nie po to, żeby cię karmić odpadkami. Pomyśl tylko, jak tu żyjesz: w komforcie, otoczona służbą...

– Do której sama należę. Nawet kiedy podróżowaliśmy po Europie, zmuszałeś mnie do kradzieży. Rose ściele nam łóżka, ale prócz tego musi obrabiać „na boku" cudze kieszenie. To dzięki naszym wysiłkom stać cię na pierwszorzędnego krawca.

Powiedziała to niemal łagodnym tonem, bo zrodziło się w niej całkiem nowe podejrzenie. Nie uwierzyła w zapewnienia Rillieux, że tylko niepotrzebna strata pieniędzy pobudziła go do gniewu. Zaczęła się zastanawiać, czy Paul nie ma innego powodu, by uniemożliwić jej poszukiwania Brama. To przypuszczenie sprawiło, że już mniej śpieszyła się do opuszczenia miasta.

– Czy wiesz o Bramie coś, czego nie chcesz mi powiedzieć? – spytała.

– Nic podobnego – warknął. – Wiem natomiast, że tylko głupiec wyrzuca pieniądze na poszukiwanie kogoś, kto najpewniej od dawna nie żyje.

– Masz jakiś dowód śmierci Brama?

– Dowód? Czy mówimy o jakiejś znakomitości? Twój brat bez wątpienia został prostym majtkiem. Zwłaszcza jeśli zaciągnęli go na pokład wbrew prawu, to nigdzie nie odnotowano jego zgonu.

Mystere nie mogła temu zaprzeczyć, a Paulowi wyraźnie zależało na zmianie tematu.

– Dzięki umiejętnemu zarządzaniu majątkiem i wielkim osobistym wyrzeczeniom udało mi się uzyskać kwartalną ratę mojej... to znaczy rodzinnej inwestycji – rzekł. – Następna wypada w listopadzie. Do tego czasu będziemy mieli mnóstwo dodatkowych wydatków. Zwłaszcza teraz, kiedy się zaręczyłaś.

– A zatem...

– A zatem może być niezbędny jeszcze jeden występ Księżycowej Damy.

Mystere potrząsnęła przecząco głową.

– Zastanów się – przekonywał Rillieux. – To nawet trochę podejrzanie wygląda.

– Co takiego?

– Pomyśl. Odkąd zostały ogłoszone twoje zaręczyny z jednym z najbogatszych ludzi w Nowym Jorku, Księżycowa Dama zawiesiła swą działalność. Nawet najgłupszy żurnalista potrafi wyciągnąć z tego wnioski. – Widząc, że ten logiczny argument dał dziewczynie do myślenia, dodał jeszcze bardziej przymilnym tonem: – Zauważyłem, jak cię zabolało, gdy Evan wyskoczył z tą głupią uwagą na temat pakowania Rafe'a do trumny. Dobrze wiesz, że ten durny osiłek plecie, co mu ślina na język przyniesie. Taka to już rynsztokowa brawura.

Te pozornie szczere zapewnienia nie rozwiały wątpliwości Mystere. Okłamujesz mnie, pomyślała. Słyszałam, jak obaj z Evanem snuliście plany, i wiem, że zamierzacie zabić Rafe'a.

– Nie będzie najmniejszego powodu do stosowania przemocy – kontynuował Rillieux – zwłaszcza jeśli Rafe okaże się dla ciebie szczodry. Wystarczy, że poruszysz z nim tę sprawę w jakimś... intymnym momencie. Wspomnisz na przykład, jak dużo masz wydatków, czy coś w tym rodzaju.

– A jeśli nie okaże się szczodry?

Paul wzruszył ramionami i rzucił Mystere tak bezwzględne spojrzenie, że po plecach przebiegł jej zimny dreszcz.

– Trzeba będzie znaleźć jakieś inne rozwiązanie – powiedział tylko.

– A jeśli to nie on – rzuciła z wyzwaniem w głosie – tylko ja odmówię współpracy?

Prowokowała Paula umyślnie, by potwierdzić swe straszne podejrzenie.

– Nie możesz odmówić – odparł głosem całkowicie wypranym z uczuć. – Zrobisz, co ci każę.

– A jeżeli nie?

– Wtedy zabiję cię własnymi rękami – odparł bez mrugnięcia okiem. – Ja cię stworzyłem, więc mogę cię i zniszczyć.

28

Jak mu się często zdarzało po użyciu gróźb wobec Mystere, Rillieux starał się być niezwykle miły, a nawet udawał skruszonego podczas podwieczorku. Ona jednak odpowiadała mu jakby nieobecnym, wymuszonym uśmiechem. Była pewna prawdziwych intencji Paula i wiedziała, że musi zapobiec rozlewowi krwi. Mimo iż Paul budził w niej coraz większy strach, jego podopieczni byli jej bliscy niemal jak rodzina. Zwłaszcza Rose i Hush. Musi zatroszczyć się o nich, nie tylko o siebie i Rafe'a.

Nie chciała opuścić miasta, zanim nie sprawdzi swych najnowszych podejrzeń co do Paula. Rosło w niej przeświadczenie, że Rillieux maczał palce w porwaniu Brama. Pewien incydent podczas podwieczorku jeszcze nasilił te podejrzenia.

Gdy pili herbatę, zjawiła się popołudniowa poczta i Hush starannie posortował ją na stoliku w holu. Do Mystere przyszła tylko kartka od dawnej szkolnej koleżanki, która właśnie podróżowała po Grecji. Ale na wierzchu stosu korespondencji przeznaczonej dla Paula zobaczyła kopertę opatrzoną złotym herbem Granville'ów. Rillieux chwycił wszystkie listy i skierował się w stronę schodów.

– Nie otworzysz poczty? – zawołała za nim Mystere. – Zazwyczaj robisz to od razu!

– Jestem zmęczony – odparł, nie odwracając się do niej.

Nie była pewna, czy to tylko wymówka; rzeczywiście wyglądał na wyczerpanego. Mimo woli zrobiło się jej go żal, lecz zwalczyła w sobie odruch współczucia. Nawet jeśli się źle czuje, pomyślała, nie zasługuje na nic lepszego, stary łajdak.

Hush zauważył, że dziewczyna bierze ze stojaka swoją parasolkę.

– Mam zaprzęgać konie? – spytał rad, że będzie jej towarzyszył.

– Nie skorzystam dziś z powozu – odparła, burząc jego gęstą czarną jak węgiel czuprynę. – Ale bardzo bym chciała, żebyś potem poczytał mi Wilkiego Collinsa.

Hush zerknął pośpiesznie w stronę schodów i dostrzegłszy, że Paul znajduje się akurat na zakręcie, skąd miał doskonały widok na dół, wyszedł za Mystere na schodki przed frontowymi drzwiami i wetknął jej coś do kieszeni jedwabnej sukni.

Mystere przyjrzała się podarkowi: był to pokaźny zwitek banknotów.

– Prawie sto dolców – pochwalił się Hush, zanim zdążyła coś powiedzieć. – Wszystko dla ciebie. Paul nie ma o tym pojęcia.

– Hush, ja...

Bardzo chciała go przekonać, żeby nie kradł już nigdy i dla nikogo. Byłby to jednak szczyt hipokryzji, skoro sama zamierzała spieniężyć pierścionek Antonii. Prezent od Husha przyda się jej tym bardziej, że ze sprzedażą pierścienia mogły być kłopoty. Niektóre kradzione przedmioty były bardziej „trefne" niż inne; a rozeszły się pogłoski, że policji specjalnie zależy na schwytaniu tego złodzieja. Napomykano o nagrodzie za pomoc w odnalezieniu go, co czyniło ryzykowną nawet rozmowę z paserem na temat klejnotu Antonii.

– Nie musisz się już martwić o Sparky'ego i Lorenza – dodał jeszcze chłopiec.

– A to dlaczego?

– Nie musisz i tyle – odparł wymijająco. – Zapomnij o nich. I tak masz już dosyć na głowie.

– Dziękuję ci za pieniądze, Hush – powiedziała i uścisnęła chłopca. – Mam nadzieję, że kiedyś oboje nie będziemy musieli kraść – szepnęła i zaraz puściła Husha, bo u jej boku ukazał się Baylis.

W tej samej chwili dostrzegła powóz Rafe'a, stojący tuż przy łupkowym krawężniku Great Jones Street, zaledwie kilkanaście metrów od brukowanej uliczki wiodącej do rezydencji Rillieux.

– Wiedziałeś, że on tu jest? – spytała Husha, który nadal stał na frontowych schodach. Poczerwieniała z irytacji, gdy chłopak tylko uśmiechnął się od ucha do ucha i wreszcie zamknął drzwi frontowe.

Po sekundzie wahania zebrała spódnicę wolną ręką i ruszyła w stronę powozu z grymasem gniewu na twarzy. Ciekawe, jak długo Rafe czaił się tam, szpiegując ją w biały dzień.

Pod zdumionym spojrzeniem Wilsona podeszła do powozu od tej strony, gdzie siedział Rafael.

– Może zamierzasz kupić mi smycz i obrożę? – rzuciła ostro.

– Uważam, że i bez tego jesteś wystarczająco spętana – odparł, wpatrując się znacząco w jej spłaszczony biust. – Wsiadaj i przejedź się ze mną jak przykładna narzeczona!

– Nie mam zamiaru.

Ruszyła szparko po trotuarze, tak unosząc parasolkę, by nie widzieć Rafe'a. Wilson nie potrzebował żadnych rozkazów: odwiązał lejce i trzepnął nimi lekko. Konie ruszyły stępa w tym samym kierunku co Mystere.

Rafe otworzył drzwiczki powozu i opuścił stopień.

– Wsiadaj, powiedziałem!

– A ja powiedziałam: nie! Nie jestem jedną z twoich podwładnych, żeby spełniać każdy twój rozkaz.

– Aleśmy hardzi, co? – Wyraźnie nie był w nastroju do znoszenia jej fochów. – Wilson, w prawo! – zawołał, a świetnie wyszkolony stangret natychmiast skręcił w stronę chodnika. Nim Mystere spostrzegła, co się święci, Rafe wyskoczył z jadącego pojazdu i chwycił ją mocno pod łokcie.

Dosłownie wciągnął dziewczynę do wnętrza i posadził obok siebie.

– Puść mnie! – protestowała, odpychając go bez większego skutku.

Roześmiał się z jej daremnych usiłowań jak chłopiec z trzepotania pochwyconego ptaszka.

– Trochę ciszej – powiedział. – Zaraz zaczniesz się wydzierać, że cię gwałcą.

– Nie, bo to by cię tylko rozzuchwaliło. Puszczaj!

– Wilson! – zawołał Rafe do stangreta zza skórzanej zasłonki w oknie. – Jedź do parku. Okrężną drogą.

– Do parku? – powtórzyła Mystere. – Czemu się krępować? Każ mnie od razu zawieźć do swego hotelu.

Roześmiał się znowu; ich twarze niemal się stykały. Ciała też były niebezpiecznie blisko.

– Nie, bo nawet Wilson nie uwierzy, że chcę zasięgnąć twojej rady w kwestii kolei żelaznej.

Nim zdążyła cokolwiek odpowiedzieć, zamknął jej usta pocałunkiem.

Przez kilka niepokojących sekund jej własne pragnienie dorównało jego namiętności, czyniąc tym trudniejszą walkę z pożarem, który mógł unicestwić wszelkie jej plany.

– Czemu znowu mi uciekasz? – spytał zdyszanym głosem, gdy w końcu zdołała odwrócić od niego twarz.

Przesunęła się szybkim ruchem na wolną ławeczkę, starając się uspokoić wzburzony oddech. Zauważyła przez okno, jak Baylis pędzi do drzwi frontowych, by poinformować Rillieux, że została „porwana". Gdyby miała przy sobie pierścionek Antonii i swój bezcenny list, byłaby to idealna okazja do zniknięcia. Okoliczności jednak znów sprzysięgły się przeciw niej.

– Może prostytutka okazałaby się bardziej uległa – odparła ostro.

– Możesz mi wierzyć – zapewnił ją, przegarniając palcami włosy – że postarałbym się o to, gdybym wierzył, że to coś pomoże.

– Rafe? – odezwała się po mniej więcej dwóch minutach pełnego napięcia milczenia.

– Słucham?

Wydawał się lekko zniecierpliwiony, jak znękany rodzic, który chciałby mieć spokojną chwilę na zebranie myśli.

– Jakim człowiekiem jest Trevor Sheridan?

Zmrużył oczy, jakby chciał zadać jej jakieś pytanie. Zamiast tego jednak odpowiedział od niechcenia:

– Zwykły przedstawiciel swego gatunku, o ile wiem: chodzi na dwóch nogach i ustawicznie coś knuje. Nie znam go zbyt dobrze, ale słyszało się to i owo z wiarygodnych źródeł.

– Na przykład co?

Groźnie zmarszczył brwi.

– Słuchaj, on jest dla ciebie za stary, jeśli masz na myśli uwiedzenie. A poza tym bardzo szczęśliwy w małżeństwie z Alaną Van Alen, kobietą wyjątkowo piękną i dowcipną. Wątpię, by on, albo ktokolwiek inny, chciał wspierać nadmiernie ambitną pannę spragnioną towarzyskiej kariery... choć podobno sam niegdyś zaczynał od zera. A gdybyś chciała go ograbić, okazałabyś się skończoną idiotką: zdobył sobie w wyższych sferach przydomek „Drapieżnik".

– Dlaczego go tak...

Rafe zdecydowanym gestem ręki nakazał jej milczenie. Wydawał się niesłychanie zaciekawiony.

– Jeśli to z powodu tego niepodpisanego listu, ostrzegałem cię już, byś nie przywiązywała do niego zbyt wielkiej wagi. Czemu nagle tak się zainteresowałaś Sheridanem?

Nie odpowiedziała, patrzyła mu tylko badawczo w twarz, zastanawiając się, czy może Rafe'owi zaufać.

– Odprawiasz jakieś czary? – spytał poirytowany, odwracając oczy przed jej przenikliwym wzrokiem.

Mystere opowiedziała mu o liście z herbem Granville'ów i Sheridanów, który zjawił się z dzisiejszą pocztą, a którego Paul nie chciał otworzyć w jej obecności.

– Mogę ci wyjaśnić, co zawierał – przerwał jej Rafe – bo sam otrzymałem identyczny. Nie ma w tym żadnej tajemnicy: to po prostu zwykłe zaproszenie na wieczorne przyjęcie, które odbędzie się w najbliższy weekend w rezydencji Sheridana na cześć księstwa Granville. Rillieux z pewnością się go spodziewał, przecież jest za pan brat z panią Astor.

– W każdym razie z całą pewnością nie chciał, żebym ja o tym wiedziała – podkreśliła Mystere. – I po prostu się wściekł, kiedy mu powiedziałam, że nadal poszukuję Brama. Kiedy nalegałam, by mi wyznał, czy wie coś na temat jego zniknięcia, okłamał mnie. Jestem tego pewna.

Milczała chwilę, marszcząc brwi w najwyższym skupieniu.

– To Evan – odezwała się nagle, a raczej pomyślała głośno.

– Jaki znów Evan?

– Człowiek, który odgrywa u nas rolę głównego lokaja. Zawsze był grzeczny wobec mnie, nawet miły. Ale wydaje mi się, że zetknęłam się z nim, jeszcze zanim Paul wyciągnął nas z przytułku.

– Was? A więc Rillieux zabrał także twojego brata?

– Tak. Co tydzień wysyłano nas z sierocińca na ulicę, żebyśmy żebrali na swoje utrzymanie. Paul zobaczył nas w jakimś zaułku, chyba przy Lexington Street. Z jednej strony były domy czynszowe, a z drugiej dużo jadłodajni i sklepów, wiec chyba to tam podeszli do nas Paul z Baylisem. Nie było żadnej przemocy ani gróźb. Zafundowali nam pyszny posiłek w restauracji i wytłumaczyli, jak wspaniałą przygodą będzie ucieczka z sierocińca i zamieszkanie z nową „rodziną". Strasznie nas rozpieszczali i wydawali się naprawdę zmartwieni, gdy Bram został porwany.

– Udawali zmartwionych, to chyba odpowiedniejsze określenie – rzucił Rafe z łagodną ironią. – Czy ty albo twój brat nie wygadaliście się przypadkiem, że macie jakichś bogatych krewnych w Ameryce? Coś takiego mogłoby dojść do starego Rillieux.

– To możliwe, choć oboje trzymaliśmy buzie na kłódkę; matka wyraźnie nam to poleciła. Już bardziej prawdopodobne, że ktoś przeczytał nasz list… ale Bram był zawsze bardzo ostrożny.

– Bardzo ostrożny jak na młodego chłopca. Z pewnością nie nosił go bez przerwy przy sobie. Nawiasem mówiąc, sam chętnie bym kiedyś przeczytał ten list.

Zimny dreszcz przebiegł jej po plecach, gdy uświadomiła sobie, jakie podjęła ryzyko, zwierzając się z sekretu, którego umierająca matka poleciła im strzec jak oka w głowie. Ten mężczyzna udowodnił jej już, że bliskość nie musi oznaczać czułości; była głupia, zapominając, że może to być jeden z ludzi, przed którymi mama ich ostrzegała. Mimo okazywanego zainteresowania mógł po prostu zbierać wiadomości niezbędne do swej prywatnej kampanii wojennej, a nie kierować się troską o nią!

– Tak czy owak – podsumował Rafe, gdy kilka przecznic przed nimi mignął zza drzew Astor House – przywiązujesz zbyt wielką wagę do swej rzekomej więzi z domem Granville'ów. Z całym szacunkiem dla twojej matki, próbowała jakoś utrzymać swoje dzieci przy życiu. Ona… No, dajże spokój! Już nic nie mówię.

Mystere zdumiała nie tylko jego, ale i siebie, gdy na wspomnienie matki pociekły jej z oczu łzy. Jedna spłynęła po twarzy, druga lśniła na policzku.

– Agitujecie za równymi prawami dla kobiet – burknął Rafe – a sama widzisz, jakie jesteście słabe i płaczliwe!

– Ja za niczym nie agituję. Ciekawam, jak ty byś się czuł, gdyby ktoś tak od niechcenia wspomniał o ostatnich chwilach twojej matki. A może śmierć kogoś bogatego jest bardziej tragiczna? Możesz w to wierzyć albo nie, ale biedak potrafi cierpieć równie głęboko.

– Zapominasz, że i moja matka była biedna, gdy serce jej pękło.

Pochylił się ku Mystere i pocałował ją w usta. Tym razem mniej zaborczo, choć równie gorąco. Poczuła znów przyspieszone bicie serca i gwałtowne pożądanie.

– Oto i park – rzekł pełnym napięcia szeptem. – Każemy Wilsonowi zatrzymać powóz?

– Przynajmniej raz zapytałeś mnie o zdanie – powiedziała, rzucając mu przelotny uśmiech.

29

Przez cały tydzień Mystere oczekiwała, że Paul powie o wydanym przez Sheridana przyjęciu na cześć księcia i księżnej Granville. Nie wspomniał jednak o tym ani słowem. Przebywał najczęściej w swoim pokoju, wciąż narzekając, że „przeklęty wiek daje mu się we znaki". Ogólnie biorąc, był uprzejmy, ale wobec wszystkich trzymał się na dystans. Nawet kiedy usłyszał, że Rafe złożył Mystere wizytę i umówił się z nią, że w sobotę wpadnie przed przyjęciem u Sheridanów, nadal zachowywał się tak, jakby nic się nie działo.

Mystere nie mogła tego zrozumieć. Przecież ostatnimi czasy Rillieux nie odstępował boku Caroline, nazywano go nawet żartobliwie Wardem Starszym. Kiedy nie wspomniał o zbliżającym się przyjęciu również w sobotę rano, postanowiła sama poruszyć ten temat.

Zastała Paula przy niewielkim biurku w salonie na dole. Był nadal w szlafroku.

– Paul?

Wolno uniósł głowę znad lektury i światło elektrycznej lampki padło na jego szarą jak popiół twarz. Wyglądał naprawdę mizernie. Mystere zdała sobie sprawę, że to nie jest jego zwykła hipochondria.

– Mów, moja droga, i nie dziw się, że u mnie będzie z tym trochę gorzej. Właśnie zażyłem chininę i w głowie mi huczy.

– Myślałam, że czujesz się lepiej, i właśnie zastanawiałam się, jakie masz plany w związku z przyjęciem u Sheridana. Gdybyś chciał wziąć w nim udział, możesz pojechać ze mną i z Rafe'em.

Nie miała pojęcia, czy Rafe byłby zachwycony taką perspektywą, ale musiała coś wymyślić, by wydobyć z Paula jakąś odpowiedź. Zamiast jednak o wieczorze, zaczął mówić o Rafie.

– Pan Rafael Belloch – mruknął. – Zastanawiałem się, czemu ten człowiek ledwie raczy kiwnąć głową stryjowi swojej narzeczonej.

Te słowa zaniepokoiły Mystere. Czyżby Paul podejrzewał, że Rafe coś wie na jego temat?

– Co masz na myśli? – spytała ostrożnie.

– Nieważne. Nie wybieram się do Sheridana – wreszcie udzielił konkretnej odpowiedzi. – Caroline zgodziła się usprawiedliwić mnie przed nim.

– Ale… dlaczego nawet mi nie wspomniałeś o tym przyjęciu?

– Po co? Sama się o nim dowiedziałaś, nieprawdaż?

Mystere była już pewna, że Rillieux tai przed nią jakiś sekret, nie miała jednak odwagi spytać go o to otwarcie.

– Ale dlaczego nie chcesz, żebym ja tam poszła? – próbowała się dowiedzieć.

– Idź, nie idź, wszystko mi jedno. Czy jednak nie przyszło ci do głowy, że powinnaś okazać czasem trochę rezerwy? – Przyglądał jej się przez chwilę i dodał: – Zwłaszcza po tym imponującym popisie, jaki daliście oboje na przyjęciu u pani Astor w ubiegłą sobotę. Nawiasem mówiąc, Caroline powiedziała mi, że Antonia natychmiast puściła plotkę, jakobyście starannie przećwiczyli tę rzekomo spontaniczną scenę taneczną. A Lance Streeter, specjalista od romantycznych bzdur, przeciwstawił się gwałtownie podobnym oszczerstwom. Zawojowałaś konsula plebejuszy, moja droga. Powinnaś być z tego zadowolona.

– Jestem bardzo zadowolona – odparła z roztargnieniem, bo usiłowała zgłębić prawdziwe intencje Paula. – Od kiedy zmieniłeś swoją strategię w sprawie publicznych wystąpień? Do tej pory przyjmowaliśmy wszystkie zaproszenia.

– To nie żadna strategia, gąsko. Po prostu jestem starym człowiekiem, który ledwie się trzyma na nogach. Lubię bogactwo i poczucie władzy.

– Zwłaszcza poczucie władzy – wtrąciła z rozbrajającym uśmiechem.

– Oczywiście. Spójrz tylko na mnie. Rekompensuje mi ono utratę... sił witalnych, że się tak wyrażę. Przyznaję się bez oporów, jestem jak nietoperz-wampir, krążę wokoło i wysysam krew, z czego się da.

– Paul, ja tylko...

– Ale ty – ciągnął – nie jesteś starym drapieżnikiem, którego przekleństwem są ograniczenia związane z wiekiem. Widzę teraz, że popychałem cię w niewłaściwym kierunku. Czy chcesz stać się taka jak siostry Vanderbilt, które nigdy nie odrzucają żadnego zaproszenia? Pamiętaj, że „przyzwyczajenie rodzi pogardę, a trzymanie się na dystans budzi respekt". Zawsze uważałem, że stare porzekadła są wyrazem najwyższej boskiej mądrości.

Był to logiczny argument, ale mimo wszystko Mystere żywiła nadal podejrzenia. Nic z tego, co powiedział Paul, nie dotyczyło bezpośrednio zaproszenia od Sheridana.

– Cieszy mnie, że stałeś się zapalonym badaczem boskiej mądrości – rzekła potulnym tonem, maskując ironię swej wypowiedzi.

– Jestem kryminalistą, nie heretykiem – odparł szorstko.

To, że Paul otwarcie nazwał siebie kryminalistą, zdumiało ją. Obserwowała go od wielu lat i wiedziała, iż rzadkie wypadki, gdy odzywało się w nim sumienie, towarzyszyły zazwyczaj najbardziej mrocznym występkom.

– Czy ty i Rafe ustaliliście już datę ślubu? – spytał nagle.

– Ja i Rafe? Przypisujesz mi znacznie większą władzę, niż posiadam.

– Bzdura! Nie umiesz wykorzystać władzy, jaka jest ci dana. I nie mam na myśli żadnych zdolności metapsychicznych. Stanowczo powinniście ustalić datę ślubu. Im wcześniej, tym lepiej.

– Paul, zachowujesz się ostatnio bardzo dziwnie. Co cię trapi?

– Może pytanie, gdzie się podziały minione lata? – odparł i wstał z trudem. – Wybacz, moja droga, ale chciałbym się zdrzemnąć.

Patrzyła za nim, gdy niepewnym krokiem wychodził z saloniku. Incydent z diademem okazał się punktem zwrotnym w ich stosunkach. Może Paul poczuł obawę, że traci nad nią kontrolę. To by tłumaczyło wzmiankę o jak najszybszym ślubie.

Ale cała reszta, nietypowe zachowanie w sprawie przyjęcia u Sheridanów i dziwna uwaga, że Rafe ledwie raczy kiwnąć mu głową... zupełnie nie mogła tego zrozumieć.

Rozmyślając nad tym, ruszyła przez pokój w stronę lampy, którą Paul zapomniał wyłączyć. Była może w połowie drogi do biurka, gdy dostrzegła coś kątem oka. Odbijało się jaskrawą bielą od pokrywającej blat bibuły. Nie wiedziała jeszcze, co to, od razu jednak zrozumiała, że Paul nie zapomniał wyłączyć lampy. Umyślnie zostawił ją zapaloną, by Mystere mogła to coś zobaczyć.

Podeszła i zadrżała na całym ciele, gdy uświadomiła sobie, co tam leży. Tyle rozmyślała o innych, a ona sama okazała się swoim najgorszym wrogiem. Ona i jej idiotyczna nieostrożność. Skrawki podartego listu, starannie ułożone i przylepione do arkusza papieru, zostały wyłowione z dna kosza na śmieci. Było to pismo z kancelarii adwokackiej Stephena Breaux.

Nogi ugięły się pod Mystere. Musiała usiąść na fotelu, który zachował jeszcze ciepło ciała Paula.

– Matko Boska – szepnęła tak ogłuszona, że nie czuła trwogi.

– Słowo daję, to nie włosy, tylko perski jedwab – powiedziała Rose, która właśnie rozczesywała miękką szczotką w rogowej oprawie gęste loki Mystere. Entuzjastyczny ton jej głosu był wyrazem nie tylko szczerego podziwu, ale i znakomitego nastroju.

Mystere spojrzała w lustro, napotkała wzrok przyjaciółki i odpowiedziała uśmiechem na jej komplement. Rose była w doskonałym humorze od dwóch dni; konkretnie od wieczoru, gdy zadzwonił Rafe, a ona, Rose, odebrała telefon.

Doskonale znała Mystere i nieraz potrafiła odgadnąć jej myśli.

– Oj wiem, wiem – przyznała, upinając zręcznie mahoniowe pukle i osłaniając je czarną siateczką – ale świat wokół nas jest tak pozbawiony blasku. To takie podniecające, że twój narzeczony odwiedza cię i codziennie dzwoni. To musi być prawdziwa miłość.

Prawdziwa miłość, dobre sobie, pomyślała Mystere. Raczej zwykłe oszustwo. Nie miała jednak serca rozczarować Rose.

– Chyba polubiłaś Rafe'a Bellocha – powiedziała.

– Jest wręcz nieprzyzwoicie przystojny – zachichotała Rose.

– I podobno miał jakieś dramatyczne przeżycia.

– Jakie? Co o nim słyszałaś?

– Powiadają, że jak był małym chłopcem, może w wieku naszego Husha, jego ojciec stracił cały rodzinny majątek w jakichś zagranicznych bankach. I wtedy wszyscy, pani Astor i ta cała banda, odwrócili się od niego, a on strzelił sobie w łeb. Groziło mu więzienie za długi, a nikt mu nie chciał pożyczyć nawet grosza. Nie mógł widać znieść takiej hańby.

Mystere była zdumiona, że wieść głoszona przez jaśnie panią Plotkę niewiele odbiega od prawdy.

– Nie ma sensu wiecznie rozdrapywać starych ran – podsumowała Rose, nie tracąc dobrego humoru. – Wiem, że teraz wszystko wydaje ci się straszne i poplątane, złotko! Ale droga bez żadnych zakrętów byłaby okropnie nudna, no nie?

Odwróciła się i nucąc coś pod nosem, rozłożyła przygotowaną na dzisiejszy wieczór suknię, by sprawdzić, czy nie wymaga jakichś poprawek.

Mystere poczuła nagły gniew na samą siebie. Rose podnosiła na duchu sama myśl o „wspaniałym" małżeństwie, jak je nazywała, a ona nawet w części nie podziela jej optymizmu. Przecież cały świat gra komedię, czemu więc nie udawać szczęśliwej narzeczonej?

– Nad czym tak dumasz, złotko? – spytała Rose, podchodząc do lustra i stając obok Mystere. – Może moje gadanie ci przeszkadza? Mogę nic nie mówić.

– Przepraszam cię za moje ponure miny.

– Jeszcze czego. To ja powinnam cię przeprosić. Męczy mnie to już od środy.

– Co takiego?

– Ano to, jakeś wystąpiła przed Paulem w imieniu nas wszystkich, a myśmy tylko stali jak te kołki.

– Wcale nie musisz...

– Nie mogę mówić za chłopaków, ale ja byłam z ciebie dumna. Niech ci Bozia błogosławi. Ale tak się bałam. Nie tylko o siebie, o ciebie też.

– Bałaś się zachęcać mnie do buntu, prawda?

– Właśnie. Paul jest stary i słabowity, więc nie wydaje się bardzo niebezpieczny. Tylko że Baylis i Evan zrobią wszystko, co im każe, choćby to było nie wiem jakie głupie i złe. Musisz o tym pamiętać. I wynieść się stąd jak najprędzej. To, co wymyśliła pani Astor – wydanie cię za Rafe'a Bellocha – nie może być gorsze od niebezpieczeństwa, które ci tu grozi.

– Nie wiem – odparła szczerze Mystere. – Zastanawiam się czasem, czy „prawo wyboru" to nie jest diabelski wynalazek, żeby nas jeszcze gorzej dręczyć.

– To wynalazek chłopów – poprawiła ją Rose i obie się roześmiały. – Jak nie mogą pokonać nas rozumem, to wynajdują inny sposób, żeby narzucić swoją wolę.

– Chyba to nie tylko mężczyźni, Rosie. Pani Astor prowadzi taką samą grę i zawsze wygrywa. Mogę cię o coś spytać?

– Pewnie, o co tylko chcesz.

– Widzisz, chodzi o Evana. Wspomniałaś kiedyś, że został skazany na sześć miesięcy ciężkich robót. Kiedy to było? Jakieś dwanaście lat temu?

Rose wiedziała już, do czego to zmierza.

– Tak – odparła. – W tym samym czasie, kiedy uciekłaś z sierocińca.

– I Evan wtedy już pracował dla Paula?

– Tak – potwierdziła Rose i nie czekając na dalsze pytania, wyjaśniła: – Załoga Evana często dostarczała do miejskich sierocińców darowane im meble. Paul powiedział mu, żeby miał oko na „obiecujące bezpańskie dzieciaki". Tak to nazywał. Jestem pewna, że wtedy po raz pierwszy usłyszał o was... to znaczy o tobie i twoim bracie.

Meble... Mystere uświadomiła sobie, kiedy i gdzie widziała Evana po raz pierwszy. Był jednym z więźniów w pasiastych strojach i myckach, którzy wnosili nowe łóżka na najwyższe piętro sierocińca przy Jermyn Street. Wszystkie dzieci zgromadzono w największej sali. A Evan, zwłaszcza po specjalnym treningu pod kierunkiem Paula, z pewnością miał oko na wszystkie cenniejsze przedmioty. Umiał również czytać, a Bram chował „ich list" pod materacem.

Mystery spojrzała na Rose.

– Już od dawna wiesz o moim liście, prawda?

– Tak. Nie czytałam go, ale Baylis powiedział mi, co zawiera.

Mystere chciała zadać kolejne pytanie, ale głos jej się załamał.

– Co z Bramem, Rose? – zdołała wreszcie wykrztusić. – Czy Paul i chłopcy zorganizowali jego porwanie?

Rose ujęła ją za ręce.

– Mystere, nie okłamałabym cię, gdybym znała prawdę. Ale nie znam. Są do tego zdolni, ale co by Paulowi z tego przyszło oprócz odrobiny marnego grosza za przymusowego rekruta? A wiesz, że bystry dzieciak jest dla niego na wagę złota.

Mystere uwierzyła jej. Zamilkła na chwilę, próbując to wszystko przemyśleć. Nie mogła jednak pojąć motywów Paula.

– Rose, zupełnie nie rozumiem, jaki on miał w tym cel? I o czym wie, a ja nie mam pojęcia? Trzyma przy sobie te wiadomości od lat i do tej pory ich nie wykorzystał.

– Baylis mówi mi więcej niż Evan, ale tego by mi nie zdradził, choćby nawet sam wiedział. Ale, ale, złotko, znalazłaś już ten sklejony list? Ten, który Paul wyłowił z kosza na śmieci?

Mystere skinęła głową. Serce się jej ścisnęło na to wspomnienie.

– Och, dziewczyno – westchnęła Rose – szkoda, że nie widziałam, jak go drzesz. Wiesz przecie, że Paul sprawdza śmiecie.

– Wiem, ale tyle miałam wtedy na głowie, że nie pomyślałam o tym.

– Tak samo jak ty nie mam pojęcia, co Paul chce z tym zrobić. Może liczy, że Rafe będzie siedział cicho ze względu na ciebie. A potem, jak się pobierzecie, będzie osłaniał i jego.

– Tak, tym bardziej, że kopia tego listu bardzo by go obciążyła, gdyby zrobił Rafe'owi coś złego. Chyba żeby Paul tak zręcznie potrafił urządzić „wypadek", że nikt nie nabrałby podejrzeń.

– Pewnie, że to okropna bolączka – przyznała Rose. – Wcale się nie dziwię, że jesteś taka przerażona. Ale jeśli Paulowi aż tak zależy na waszym małżeństwie, to tobie powinno zależeć tym bardziej. Może to być dla ciebie początek całkiem nowego życia. Pomyśl tylko o tym i nabierz nadziei, złotko.

30

*D*o rezydencji Sheridanów, Wilson! – zawołał Rafe, podsadzając Mystere do powozu.

– Na dolnej Fifth Avenue? – spytał Wilson.

– Tak. Nie pamiętam numeru, ale domyślisz się po natłoku pojazdów.

– W porządku. Raz-dwa będziemy na miejscu.

Powóz ruszył. Rafe odciągnął skórzane zasłonki na obu oknach, wpuszczając do wnętrza słabe światło ulicznych latarni. Nie usiadł obok Mystere, tylko zajął miejsce naprzeciw niej. Przez chwilę przyglądał się jej w milczeniu.

– Stary Rillieux spojrzał na mnie morderczym wzrokiem – odezwał się wreszcie. – Co też mu strzeliło do głowy?

– Już wie, że ty wiesz… o nim, ma się rozumieć. Odnalazł list Stephena Breaux.

– Ooo… byłaś nieostrożna, prawda? Czy to dlatego nie chciał jechać z nami?

– Nie jestem pewna. Mam wrażenie, że od początku zamierzał zostać w domu i liczył na to, że i ja nie pojadę. Chyba nie chce, żebym się zbliżyła z Trevorem Sheridanem ani z księstwem Granville.

– No to czemu się wybrał na bal u Addisonów? Byli tam przecież.

– Owszem, ale odciągnął mnie od nich. Poza tym to było, zanim jeszcze zaczęłam zadawać różne pytania.

– No cóż, rad jestem, że stary łotr zapoznał się z listem Breaux. Niech się trochę pomartwi. Zbyt długo mu się udawało bogacić cudzym kosztem.

– Nie powinieneś go lekceważyć. Jest stary i schorowany, owszem, ale nigdy nie przestaje intrygować. To naprawdę bardzo niebezpieczny człowiek.

– Do diabła z nim! Prawdę mówiąc, ten list idealnie załatwił sprawę. Stanowi ostrzeżenie, ale nie jest donosem na policję ani realną groźbą.

– Tak ci się tylko wydaje.

– Nie zaprzątajmy już sobie nim głowy. Powiedz, ile dostałaś za pierścionek Antonii?

Jego obcesowe pytanie, zadane władczym tonem, zirytowało Mystere. Prawdę mówiąc, postanowiła nieco zaczekać ze sprzedażą pierścionka, aż zamieszanie wokół niego trochę ucichnie, a potem zwrócić się osobiście do Helzera, zaufanego pasera Paula. Trochę się bała odwiedzin w jego składnicy przy Water Street, była to bowiem podejrzana okolica. Samego Helzera spotkała jednak kiedyś w ich domu, był dla niej bardzo miły i grzeczny. Jego nielegalne przedsiębiorstwo prosperowało znakomicie od lat dzięki przezorności i sprytowi właściciela, a zwłaszcza jego dyskrecji. Mystere czuła więc, że się z nim dogada.

– Jeszcze nic – odparła zgodnie z prawdą.

Drwiący śmiech Rafe'a zirytował ją jeszcze bardziej.

– Ach, tak… Przekonujesz się, że głodny pies musi zadowolić się byle czym? Może dostaniesz za szmaragd jedną dziesiątą tego, co naprawdę jest wart.

– Brak ci własnych zmartwień? Dlaczego tak się przejmujesz tym pierścionkiem?

– To oczywiste i doskonale o tym wiesz. Obawiam się, że znikniesz, gdy tylko go sprzedasz.

– A tobie serce pęknie z tęsknoty, co?

– O, pewnie bym potęsknił dzień albo dwa. Ale nie chodzi o moje serce. Twoje zniknięcie upokorzyłoby mnie publicznie. W tym cały problem. Zaraz by się zaczęły rozważania, dla kogo to moja narzeczona puściła mnie w trąbę. Nie mówiąc już o tym, że wpadłabyś w łapy policji.

– To bzdury. Sam najlepiej o tym wiesz – odparła. – Obawiasz się mojej ucieczki z jednego tylko powodu: spaliłyby na panewce twoje chorobliwe zamysły.

– I ty, złodziejka i oszustka, masz czelność nazywać moje plany chorobliwymi? Pomyśl choćby o bandażach krępujących w tej chwili twoje piersi. Czy to nie jest chorobliwe?

– Nie. Wszystko to jest złe i sprzeczne z prawem, lecz nie chorobliwe. Moim celem jest przeżycie, a nie zemsta. Ale ty... ty chcesz zniszczyć nas oboje tylko po to, by wycelować następną strzałę w twardą skórę Caroline!

– Myślisz, że chodzi mi tylko o samą Caroline? Otóż nie. Ja zamierzam zniszczyć całą tę zgraję, nie jedną kobietę. Chcę wykończyć nowojorską elitę, choć nie przeczę, że Caroline stanowi główny cel mego ataku. A poza tym wcale mi nie zależy na zniszczeniu ciebie. Tylko... – urwał.

– Tylko że – dokończyła – podczas walnych bitew zdarzają się przypadkowe ofiary.

Uśmiechnął się, słysząc jej celne określenie.

– Dobrze powiedziane – pochwalił. – Zresztą przyłapałaś mnie już na niegodnym postępku. Ale nie bez powodu zadbałem o to, by uzyskać trochę skandalicznego rozgłosu. Teraz jestem postacią z pierwszych stron gazet i właśnie dzięki temu będę mógł zniszczyć ten przybytek szacowności.

Słowa Rafaela zabolały ją, gdyż od razu pojęła ich znaczenie. Wspólny taniec, kradzione pocałunki, wszystko to było przedstawieniem na użytek reporterów, sposobem zdobycia rozgłosu i widowni do dalszych poczynań. To wyjaśniało, dlaczego poważny człowiek interesu wdaje się w skandaliki warte obsmarowania w prasie. Posłużył się nią tak jak wszystkimi innymi.

– O, tak – odcięła się. – Tak będzie z początku. Przez pewien czas będziesz się napawał swoim okrucieństwem. A kiedy ujrzysz zasadniczy cel, rzucisz się na niego.

W tej chwili widziała tylko część jego twarzy, ale dostrzegła gniew w zarysie zaciśniętej szczęki.

– Przestań się bawić w czytanie myśli, jak ten szarlatan twój stryjaszek. Moje plany dyktuje mi mój geniusz i będę kowalem własnego losu.

– O, nie! Mimo swych możliwości i bogactw jesteś tylko prorokiem zagłady, wieszczącym zniszczenie. Twoje wielkie plany nigdy się nie zrealizują. Prędzej uda ci się obalić piramidę niż panią Astor!

– A co z tobą? Krytykujesz moje plany, a czy sama nie poszukujesz obłąkańczo swego Świętego Graala? Nie tylko brata, który zapewne panuje gdzieś na Tahiti, ale jeszcze fortuny…

Słowa Rafe'a, pełne pogardy, ugodziły ją jak celnie wymierzony cios. Z najwyższym wysiłkiem powstrzymała łzy, by nie mógł szydzić z „beksy".

– Nie wspominałam o żadnej fortunie – poprawiła go. – I nie pojmuję, jak można porównywać moją miłość do Brama z twoją wszechogarniającą nienawiścią!

– Chyba masz rację – przyznał Rafe po chwili milczenia. – Nie dziwię się, że wciąż szukasz Brama, zwłaszcza mając do czynienia z tą okrutną parodią „rodziny" w wydaniu Rillieux. Ja też chciałbym mieć brata, choćby był nie wiem kim. Radzę ci jednak po tylu latach przygotować się na złe nowiny.

To była gałązka oliwna, aczkolwiek niewielka. Mystere postanowiła także wyciągnąć dłoń do zgody.

– Rozprawiłeś się z Perkinsem i Sparkym, prawda? To dzięki tobie odczepili się ode mnie. Wykombinowaliście to do spółki z Hushem.

– Z Hushem? No cóż, pogadaliśmy sobie kiedyś przy kawie i cygarach.

– Przy cygarach?! Krytykujesz mojego stryja, a sam deprawujesz nieletnich.

– Deprawuję? To zbyt mocne określenie. Chyba go raczej zniechęciłem do palenia na resztę życia. Ale powiedz no, czy przy tym „deprawowaniu" nie miałaś przypadkiem i siebie na myśli? Jeśli przemawia przez ciebie bojaźliwa skromność, przestanę wodzić cię na pokuszenie raz na zawsze. Decyzja należy do ciebie.

Nie spuszczał z niej władczego spojrzenia. Czuła do niego żywiołową niechęć, nawet gdy się poddała, odpowiadając ostrym tonem:

– Nie, nie jestem deprawowanym niewiniątkiem, tylko dorosłą kobietą i wiem, co robię. Ale Hush ma zaledwie dwanaście lat.

– Jest wystarczająco duży, by dotrzymać słowa, a nie latać do ciebie z językiem.

– Nic mi nie powiedział. Domyśliłam się z jego zachowania i różnych uwag. Ja… jestem ci naprawdę wdzięczna, Rafe. Za odstraszenie Lorenza i Sparky'ego, ma się rozumieć.

– Nie musisz mi być wdzięczna. Nie chciałem, żeby ci dwaj partacze plątali mi się pod nogami i tyle.

– Nie chcesz okazać ludzkich uczuć, co? Tylko warczysz, kiedy ktoś próbuje okazać ci serdeczność. Czego ty się tak boisz?

– Boję się śmierci, choroby, nędzy – tego co wszyscy. Czyżbyś bawiła się w psychiatrę, znawcę tajników ludzkiej duszy?

– Och, Rafe, przestań! Jak taki inteligentny człowiek może nie pojmować, że zemsta nie wystarczy do życia?

– Już ci mówiłem, oszczędź mi tych pobożnych kazań. Będę żył, jak zechcę, psiakrew! Powinnaś od czasu do czasu zająć się trochę historią, a nie tylko czytać te przesłodzone brednie, za którymi wy, kobiety, tak przepadacie. Głównym motorem dziejów ludzkości jest zemsta, Księżycowa Damo. Ludzie tej miary co Aleksander Wielki i Dżyngis-chan stawiali ją nade wszystko.

– Poddaję się – ustąpiła. – Nikt z tobą nie wygra, bo tylko ty wiesz wszystko i masz zawsze rację.

– Zachowaj to w pamięci – poradził jej Rafe – a dogadamy się znakomicie.

Jechali dalej w pełnym napięcia milczeniu. Mystere patrzyła przez okno na jasno oświetlone domy i doskonale utrzymane trawniki po obu stronach Fifth Avenue. Ten jej odcinek zamieszkiwali przeważnie nowobogaccy, którzy chcieli udokumentować swe prosperujące interesy odpowiednim adresem. Ale nie brakło i wspaniałych rezydencji.

Rafe przerwał wreszcie milczenie, ale niestety obraźliwym przycinkiem.

– Spójrz – zauważył, wskazując na nocne niebo za oknem – jaki olśniewający księżyc. Nie masz ochoty ulec jego wpływom?

– W żadnym znaczeniu tego słowa, panie Belloch – zapewniła go.

– Wyraźnie mnie prowokujesz. Mam cię zmusić, żebyś uległa?

– Tutaj? Na środku Fifth Avenue, w powozie?

– Zdarza się to nieraz i w powozie.

– Podobno nawet bardzo często.

Rozśmieszył go jej urażony ton.

– Być może to kołysanie i trzęsienie dodatnio wpływa...

265

Chciała go uderzyć, ale bez trudu złapał ją za nadgarstek. Z szyderczym śmiechem ściągnął dziewczynę z ławeczki i posadził sobie na kolanach. Zanim spostrzegła, co się święci, jego zgłodniałe usta rozchyliły jej wargi, a język wtargnął do wnętrza, badając je chciwie.

Mystere wyrwał się mimowolny jęk, poczuła żar w brzuchu i jej gniew przerodził się w gwałtowną namiętność, dorównującą jego pożądaniu i rozpalającą je. Dopiero głos Wilsona zatrzymującego konie sprawił, że odwróciła twarz, z trudem chwytając oddech.

– Nadal utrzymujesz, że nie ulegasz tym wpływom? – szepnął Rafe, całując ją w ucho i szczypiąc je lekko zębami, tak iż zapragnęła nagle znaleźć się naga w jego ramionach.

– Wbrew woli – zaprotestowała bez przekonania i podniósłszy się z trudem, siadła w przeciwległym kącie powozu.

– To wszystko wina księżyca – powiedział z niewinną miną.

Wilson dołączył do kolejki pojazdów zbliżających się do wysokiego muru z bloków białego i czarnego kamienia. Masywna żelazna brama od strony ulicy była otwarta na oścież, ukazując rzęsiście oświetlony dom z mansardowym dachem. Francuskie okna także były szeroko otwarte i Mystere widziała tłumy gości na parterze i w przylegającej do niego galerii oraz grupki i pary wymykające się na frontowy trawnik. Szukała wzrokiem Trevora Sheridana; nietrudno go było zauważyć z racji nieodłącznej hebanowej laski ozdobionej złocistym lwem. Teraz jednak nigdzie nie mogła go dostrzec, podobnie jak księcia ani księżnej Granville.

Nerwowe oczekiwanie sprawiło, że Mystere zabrakło tchu. Postanowiła raz na zawsze wyjaśnić – o ile to tylko okaże się możliwe – trapiące ją od lat wątpliwości. Spyta Sheridana prosto z mostu, czy zna jej rodzinę albo czy wie o kimś, kto z Nowego Jorku wysłał do Dublina list ozdobiony herbem Connacht.

Jednakże Rafe najwidoczniej przejrzał jej zamiary. Gdy pomagał jej wysiąść z powozu, poczuł, że Mystere odruchowo szarpie go za ramię, ujrzawszy widniejącego na głównej bramie znanego jej dobrze przepołowionego orła i ramię z mieczem. Przyjrzał się jej skupionej, zdeterminowanej twarzy i zaklął pod nosem:

– Ty skończona idiotko!

Z niespodziewaną siłą, której nie próbowała się nawet opierać, odciągnął ją z brukowanego podjazdu do niewielkiej niszy w okalającym posesję murze.

– Czyś ty postradała rozum, Księżycowa Damo? Nie wyciąga się na prywatne pogaduszki kogoś takiego jak Sheridan podczas oficjalnego przyjęcia – skarcił ją. – I nie zadaje mu się idiotycznych pytań na temat pokrewieństwa.

– Łatwo ci mówić...

– Przede wszystkim – przerwał jej gniewnie – będzie przez cały czas oblężony przez służalców i lizusów, z których co najmniej jeden jest na usługach brukowej prasy. Koniecznie chcesz, żeby twoje najskrytsze tajemnice ukazały się pod sensacyjnymi nagłówkami?

Gwałtowna reakcja Rafe'a sprawiła, że Mystere przemyślała sprawę. Po chwili uświadomiła sobie, że miał słuszność. Była idiotką. Wystarczy, że jeden reporterzyna coś podsłucha, a cała historia ukaże się w prasie ze szczegółami i w obrzydliwie sensacyjnej formie.

– Ale ja muszę z nim pomówić – rzekła.

– Wobec tego jesteś największą kretynką pod słońcem.

– A to dlaczego?

– Bo Sheridan to ktoś, kogo należy się bać. Jest bezlitosny.

– Nie on jeden!

Rafe potrząsnął nią lekko, ze zniecierpliwieniem.

– Posłuchaj: Trevora Sheridana trzeba unikać jak zarazy! Musisz sobie uświadomić, że takie historyjki o rzekomym pokrewieństwie są bardzo pospolite... i przeważnie fałszywe. Powinnaś zacząć od rozmówienia się z adwokatami Sheridana, nie z nim.

– Masz rację – zgodziła się po chwili. – Tak właśnie postąpię.

Kiedy Rafe prowadził ją z powrotem w stronę frontowej bramy, zauważyła w odległości może jednej przecznicy snop iskier strzelających w nocne niebo. Grupa mężczyzn stała wokół wielkiego ogniska rozpalonego po prostu na ulicy. Ich z kolei otaczał kordon policjantów, wymachujących pistoletami i pałkami. Do Mystere docierał gwar zmieszanych głosów; padały drwiny i przekleństwa, ale słów nie było słychać wyraźnie z tej odległości.

– Co tam się dzieje? – spytała Rafe'a.

– To robotnicy portowi protestują przeciwko „wyzyskiwaczom", którzy uniemożliwiają działalność ich związków zawodowych. Na czele tych związków stoją, rzecz jasna, wyłącznie pokojowo nastawione anioły. Uwaga: zbliża się jej królewska wysokość!

Caroline i Ward zatrzymali się przy bramie na widok pary wyłaniającej się z cienia. Rafe zerknął na McCallistera, który nie mógł oderwać oczu od Mystere.

– Spokojnie, Ward – roześmiał się. – Nie gap się lubieżnie. Opanuj się i zachowaj temperament dla żony.

Caroline jednak postanowiła utrzeć nosa Rafe'owi.

– Ustaliliście już datę ślubu? – spytała bez wstępów.

– Niestety, Caroline, w tej powodzi szczęścia całkiem…

– Wszyscy lubią czerwcowe śluby – przerwała mu – ale na to trzeba by czekać prawie rok. Wrzesień bedzie chyba w sam raz, jak myślicie? Skończą się już te okropne upały i zdążycie przed zimą udać się w uroczą podróż poślubną.

Rafe nie był w nastroju do żartów, tym bardziej, że wypowiedź Caroline była poleceniem, nie zaś pytaniem.

– Ale do września – protestowała słabo Mystere, ponieważ Rafe zachował kamienne milczenie – zostały niecałe dwa miesiące. Tak szybko?

Caroline spojrzała na nią przeciągle.

– Zauważyliście, jaki dobroczynny wpływ wywarły już wasze zaręczyny? Słyszy się wreszcie o czymś innym, a nie ciągle o tej Księżycowej Damie.

Mystere utrzymała się na nogach tylko dzięki podporze, jaką stanowił dla niej Rafe. Krew uderzyła jej do twarzy. Caroline wiedziała! Jakimś cudem domyśliła się wszystkiego!

Czcigodna matrona przeniosła wzrok na Rafe'a i dodała:

– Na szczęście dla nas.

Podkreśliła w subtelny sposób owo „dla nas". Jakby chciała ostrzec Rafe'a, że ma się opowiedzieć po stronie elity… albo poniesie straszliwe konsekwencje.

– Idziemy, Ward – zakomenderowała i oboje zniknęli, zostawiając Rafe'a i Mystere pogrążonych w milczeniu. Upłynęło co najmniej pół minuty, nim Rafael je przerwał.

– „Szatan steruje tonącym okrętem, zmierzając w stronę zwaną Krainą Potępieńców". Usłyszałem kiedyś taki kwiatek z ust pewnego kaznodziei.

– Tak... – westchnęła Mystere, studiując jego subtelnie rzeźbiony profil w migotliwym świetle gazowym. – Ale którego z szatanów powinnam się obawiać?

– Nasze imię jest Legion – zacytował tym razem Biblię. – I nie powiesz, że nie zostałaś należycie przed nami ostrzeżona. Postępuj rozsądnie i uważaj co mówisz i do kogo, z Sheridanem włącznie. Caroline wyraziła się jasno: kupimy sobie jej milczenie za cenę wrześniowego ślubu. Wobec tego należy dostosować się do jej życzenia.

– Chyba że ty postanowisz inaczej, co?

– Silniejszy pies zawsze wygrywa.

– A ty uważasz, że masz więcej krzepy niż Caroline. To chciałeś przez to powiedzieć?

– Ja... Psiakrew! – mruknął wściekły, gdy nagle zagrodziła im drogę obła postać stojącego tuż za bramą Abbota Pollarda.

Tym razem przynajmniej wydaje się trzeźwy, pomyślała Mystere.

Zagniewana mina Abbota zdumiała ją, póki nie zorientowała się, że Pollard patrzy na hałaśliwych demonstrantów.

– Rozwścieczone parobki z widłami! A my pozwalamy takim głosować, więc w pewnym sensie mają prawo. Wszystkie kłopoty Ameryki wynikają z jej własnej winy. Mimo że szczodrze opłacamy naszych przedstawicieli, ci zdradzają nas i biją czołem przed tymi brudnymi oszczercami.

– Tak, tak, do diabła ze społeczeństwem i wszystkimi podobnymi bzdurami – warknął niecierpliwie Rafe, przeciskając się obok Pollarda i ciągnąc za sobą Mystere. – Wiesz co, Abbot, zalej się jak najprędzej. Po pijanemu jesteś łatwiejszy do zniesienia.

– A prawda – rzucił za nimi Pollard wystarczająco głośno, by inni usłyszeli. – Zapomniałem, że jesteście w okresie rui. Wyjątkowo bezwstydni ekshibicjoniści.

– Żałosna stara ciota – burknął Rafe. – Założę się, że ma na boku jakiegoś kochasia.

Reszta wieczoru minęła bez żadnych wypadków. Mystere czuła rozczarowanie; zjawiła się tu przecież w nadziei odkrycia czegoś o swej przeszłości. Ale Rafe nie spuszczał jej z oka i wymieniła tylko kilka zdawkowych frazesów z księciem i księżną oraz pogawędziła krótko z Alaną Sheridan. Z groźnym Trevorem nie zamieniła ani słowa. Prawdę mówiąc, łatwiej byłoby obłaskawić dzikiego niedźwiedzia. Ten Irlandczyk miał maniery wzbudzające strach i respekt i nie wydawał się chętny do banalnych towarzyskich konwersacji. Pod tym ostatnim względem bardzo przypominał Rafe'a.

Opuścili przyjęcie po mniej więcej dwóch godzinach od przybycia. Mystere wargi zdrętwiały od sztucznych uśmiechów. Wieczór ten jednak miał dla niej nieoczekiwany i niepożądany skutek. Względy, jakie okazywał jej Rafe – przelotne dotknięcia i komplementy, zaglądanie z uśmiechem w oczy i nieustanne trzymanie się jej boku – sprawiły, iż zaczęła się zastanawiać, czy choćby część tych gestów nie jest objawem szczerego przywiązania.

Na początku ich znajomości zwracała uwagę wyłącznie na słowa Rafe'a. Teraz sam ton głosu, każdy jego odcień miał dla niej ogromne znaczenie. Coraz częściej zadawała sobie pytanie, czy to możliwe, by i on przegrywał w walce z własnym sercem? Wydawało się jej chwilami, że dostrzega w jego spojrzeniu coś więcej oprócz żądzy. Pomyślała też, że osłaniał ją przed Caroline oraz przed Sparkym i Lorenzem z czystej życzliwości.

Mimo to gdy powóz Rafe'a powiózł ich w noc, kierując się w stronę jej domu, raz jeszcze obiecała sobie, że będzie odtrącać wszelkie jego awanse. Nie może zważać na własne zachcianki. Była bezbronna i coraz bardziej zdesperowana, musi więc pamiętać, że największe zagrożenie stanowi dla niej właśnie Rafe. Wszelkie nadzieje powinna wiązać z Bramem i dowiedzieć się jak najwięcej o swej rodzinie. No i postarać się ulotnić z Nowego Jorku przed wrześniem.

„Powinnaś zacząć od rozmówienia się z adwokatami Sheridana, nie z nim samym", sugerował Rafe. Zastosuje się do jego rady. W najbliższy poniedziałek adwokaci z pewnością będą w swoim biurze. Wybierze się do nich.

31

*P*oniedziałkowy ranek był posępny i ciemny; niebo pokrywały ołowiane chmury wróżące deszcz. Mystere, zaprzątnięta niespokojnymi myślami o czekającym ją spotkaniu z prawnikami Sheridana, nie zwracała uwagi na pogodę. Wkrótce gorzko pożałowała tego braku przezorności, choć miała i inne, większe powody do zmartwienia.

W książce telefonicznej Manhattanu podano, że firma Trevora Sheridana mieści się w Commerce Building na Wall Street. Mystere miała nadzieję, że przedsiębiorstwo zatrudnia doradców prawnych. Spędziła prawie cały weekend, przygotowując mowę, którą do nich wygłosi. Jej sytuacja była tym bardziej niebezpieczna, że nie mogła wyjawić zbyt wiele, wskutek czego i jej trudniej będzie uzyskać informacje.

Drugi problem stanowiło to, że nie chciała zostać rozpoznana. Przez chwilę rozważała załatwienie sprawy przez telefon, ale doszła do wniosku, że rozmawiając z jakąś anonimową osobą, zbyt łatwo po prostu odłożyć słuchawkę. Postanowiła więc zmienić wygląd, ale tak, by nie było to gruntowne przebranie. Ponieważ zawsze włosy miała zaczesane w wysoko upięty kok, tym razem związała je w luźny węzeł. Nie obandażowała też biustu. Wiedziała, że jeśli włoży suknię z odpowiednim dekoltem, mężczyźni nie będą zwracać większej uwagi na jej twarz.

Przed wyjściem napisała krótki list do Helzera, pasera Paula, prosząc go o spotkanie w sprawie „obiektu o niezwykle dużej wartości". Potem udała się na poszukiwanie Husha.

Znalazła go w powozowni. Była to dawna stajnia, w której zlikwidowano kilka boksów dla koni.

– Dzień dobry, Hush – powitała go Mystere, wślizgując się do wnętrza przez uchylone drzwi. – Czy jesteś zbyt zajęty, żeby wyświadczyć mi przysługę?

Chłopiec klęczał przed jednym z przednich kół powozu i smarował piastę. Na widok dziewczyny aż rozdziawił usta. Hush nigdy nie widział jej z nieskrępowanym biustem, a cienki materiał sukni jeszcze podkreślał różnicę.

Hush odstawił wiaderko ze smarem i wstał.

– To ty, Mystere?

Roześmiała się.

– A któż by?

– No, przynajmniej głos ci się nie zmienił.

Wpatrywał się w nią tak natarczywie, że aż się zmieszała.

– Twarz mam także tę samą – powiedziała.

Chłopiec poczerwieniał i podniósł wzrok.

Podała mu liścik w czystej zalakowanej kopercie.

– Czy mógłbyś go zanieść do składu pana Jerome'a Helzera na Water Street? Oddaj mu do rąk własnych, koniecznie. A potem zaczekaj na odpowiedź.

– Już lecę – odparł, zerkając ukradkiem na jej pełny biust.

– Bardzo ci dziękuję. Tu masz parę centów na omnibus. Gdyby Paul zrzędził, kiedy wrócisz, powiedz mu... że posłałam cię do szewca z pantoflami do naprawy.

Wyszli razem ze stajni. Hush zatrzasnął drzwi i zabezpieczył je porządnie.

– Mystere? – odezwał się, nim ich drogi rozeszły się przy Great Jones Street.

– Słucham?

– Nie będę pytał, gdzie idziesz i po co, ale... nic ci się nie stanie?

– Nic a nic – zapewniła go, mimo iż poczuła nerwowy dreszcz przed oczekującą ją wizytą.

Tyle miała kłopotów na głowie, tak rozpaczliwie pragnęła znaleźć odpowiedź na niepokojące ją pytania. A zawsze istniało ryzyko, że rozmowa z prawnikami zakończy się katastrofą, ujawniając sieć jej kłamstw i intryg przed całym światem.

Zaprzątnięta takimi myślami poleciła Baylisowi sprowadzić powóz. Prawie nie dostrzegła pierwszych kropel deszczu. Dopiero gdy rozpadało się na dobre, pożałowała, że nie wzięła ze sobą parasolki.

Przynajmniej drogocenny list spoczywał bezpiecznie w jej skórzanej torebce.

Podczas jazdy na Wall Street Mystere próbowała doprowadzić do porządku swój wygląd. Drżała, mimo iż wcale nie było zimno. To nie wilgoć w powietrzu wywoływała te dreszcze. Czuła się od pewnego czasu jak akrobata balansujący na rozpiętej wysoko linie.

Gdyby jej wizyta u adwokatów dotarła do wiadomości publicznej, skutki mogły okazać się katastrofalne. Paul był zdolny do desperackiego czynu, gdyby poczuł się osaczony. A Caroline, choć bardziej przewidywalna, była nie mniej groźna. Mystere ciągle miała przed oczami jej stalowe spojrzenie, które sugerowało, że czcigodna matrona domyśliła się prawdy o Księżycowej Damie. Pani Astor niewątpliwie zauważyła istotną różnicę w jej wyglądzie, gdy zobaczyła ją prawie nagą w bibliotece Rafe'a. Była kobietą nieprzeciętnie inteligentną, doszła więc do oczywistej konkluzji, iż Paul był pomysłodawcą tego triku i oszustem na wielką skalę.

Z przezornością wynikającą z nieustannych kalkulacji Caroline do tej pory nie okazała Paulowi, że coś się między nimi zmieniło. Mystere wiedziała, że chodziło tu przede wszystkim o ocalenie nieposzlakowanej reputacji „starej gwardii". Paul zniknie z towarzystwa, prawdopodobnie po wrześniowym ślubie, na który pani Astor tak nalegała. Ale jakikolwiek skandal mógłby przynieść nieodwracalną szkodę nowojorskiej elicie, zwłaszcza że Caroline była patronką Rillieux i jego bratanicy.

Co za ironia losu, pomyślała Mystere! Rafael pragnął wywołać skandal i zewrzeć się z Caroline w ostatecznym, śmiertelnym starciu. Zdaje się, że pani Astor odkryła jego prawdziwe intencje.

– Commerce Building, madame – oznajmił szyderczym tonem Baylis, podjeżdżając do krawężnika.

Mystere wysiadła z powozu i spojrzała na czterokondygnacyjny budynek z ostrołukowymi oknami i maszkaronami w pseudogotyckim stylu.

W pierwszej chwili nogi zawiodły ją i nie mogła wejść na marmurowy stopień. Czuła zniecierpliwienie przechodniów, którzy musieli ją omijać.

– Dla ciebie, Bram – szepnęła i chwilę później, przemoczona i przerażona, pośpieszyła schodami na górę.

– A co to panią obchodzi – spytał surowo mężczyzna, który raczył wreszcie podejść do kontuaru – czy adwokat pana Sheridana jest obecnie zajęty, czy nie?

Mężczyzna miał około trzydziestki i był lepiej ubrany niż pół tuzina kancelistów w osłonkach na oczy i zarękawkach, którzy pracowali po drugiej stronie kontuaru w wielkim ogólnym pokoju biurowym. Wszędzie dokoła rozlegał się stukot maszyn do pisania, więc Mystere musiała podnieść głos, by ją usłyszano.

– Czy pan jest adwokatem? – spytała grzecznie, gdyż jej rozmówca nie uznał za stosowne się przedstawić.

– To nie pani interes – warknął; bródka á la Van Dyck nadawała mu diaboliczny wygląd. – Niech pani powie po prostu, o co chodzi.

Mystere zrobiło się jeszcze zimniej. Z trudem zdołała opanować drżenie. Teraz, gdy nadszedł moment, by wyjawić swą sprawę, poczuła się wyjątkowo głupio.

– Chciałabym się dowiedzieć – zaczęła tak odważnie, jak tylko mogła, czując, że Baylis obserwuje ją z przeciwległego końca sali (skąd na szczęście nic nie mógł usłyszeć) – czy pan Sheridan nie słyszał przypadkiem czegoś na temat mojej rodziny.

– Czy pani uważa, że do jego specjalności należy również genealogia albo heraldyka?

– Oczywiście, że nie. Ale moja rodzina…

– A o jaką to rodzinę chodzi? Tylko proszę mi nie mówić – szydził kancelista, czy kim tam był – że nie jest pani pewna swego rodowego nazwiska.

Gorąco nagle uderzyło jej do twarzy. Jej rozmówca specjalnie podniósł głos, by mogli go usłyszeć wszyscy urzędnicy, którzy pracowali w pobliżu.

– Prawdę mówiąc, o to właśnie chodzi… – zdołała wykrztusić.

– I zapewne chciałaby się pani dowiedzieć – kontynuował z bezlitosną drwiną – czy przypadkiem nie jest pani spokrewniona z panem Sheridanem albo jego siostrą, księżną Granville?

– Może nie spokrewniona – uściśliła Mystere – ale w jakiś sposób związana. Widzi pan, mam list…

Nim zdążyła otworzyć torebkę, mężczyzna zawołał:

– Słuchajcie no, chłopcy! Ta tutaj ma list! To całkiem zmienia sprawę, no nie?

Wybuchy szyderczego śmiechu zagłuszyły terkot maszyn do pisania. Prześladowca Mystere stał po przeciwnej stronie długiej drewnianej lady oddzielającej klientów od urzędników. Z trzaskiem otworzył jakąś szufladę i wyrzucił z niej na kontuar całą stertę korespondencji.

– Mamy tu około pięćdziesięciu listów – burknął. – A to tylko te, które zachowaliśmy. Chce pani dodać swój do tego stosu? Przerzucił pośpiesznie listy. Mystere poczuła, że serce w niej zamiera: przynajmniej połowa z nich była ozdobiona herbem Granville'ów.

– To stara sztuczka – zapewnił ją szorstko kancelista. – Nie tylko Granville'owie, ale każdy znany arystokratyczny ród jest zasypywany listami od pazernych wałkoniów podających się za krewniaków.

Mystere dopiero teraz uświadomiła sobie, jakim wzrokiem ten człowiek i pozostali urzędnicy spoglądają na jej przemoczoną postać. Była zbyt zaprzątnięta swymi myślami i zdenerwowana, by zastanawiać się nad swoim wyglądem. Cienka suknia, pod którą miała tylko koszulkę i majteczki, była przemoczona do cna. Ostre światło niczym nieosłoniętych żarówek zwisających z sufitu ukazywało z okrutną dokładnością niemal wszystkie szczegóły jej ciała. Czuła na sobie męskie spojrzenia jak nachalne macające ją łapy.

– Za nikogo się nie podaję – rzekła. – Chciałabym tylko porozmawiać chwilę z...

– Zapewniam panią – przerwał jej kancelista – że pan Sheridan nie ma zamiaru wysłuchiwać pani pytań. To, że ktoś jest bogaty, a jego siostra dobrze wyszła za mąż, nie znaczy, że jest krewniakiem każdej sprytnej laluni, która przyjechała do Ameryki i chce się dorwać do złota.

– Myśli, że taka cacana figurka otworzy jej wszystkie drzwi – zadrwił któryś z urzędników. – Umyślnie wlazła pod rynnę, żeby nas wszystkich rozochocić. Wiecie co? Jeśli tak chce się dobrać do korzeni, to chodźmy z nią do magazynu i zaprezentujmy jej nasze korzonki.

Ordynarny żart wywołał nowe drwiny i wybuchy śmiechu.

– Łatwiej naciągać bogatych, niż wziąć się do uczciwej pracy. Tak przynajmniej myślą wszystkie cwane ślicznotki – podsumował rozmówca Mystere. – A teraz wynoś się stąd, nim wezwiemy policję!

Odźwierny w uniformie wypchnął ją bocznym wyjściem. Uwinął się z tym tak szybko, że Baylis nawet nie zauważył jej zniknięcia.

Deszcz przestał padać, ale niebo nadal było szare, a wszystko ociekało wodą. Wall Street wyglądała paskudnie, poznaczona brudnymi kałużami jak dziobami po ospie. Przejechał z turkotem tramwaj, ciągnięty przez wielkiego konia pociągowego o skórze otartej i poranionej od uprzęży. Mystere wyczytała w oczach zwierzęcia rozpacz połączoną z rezygnacją; przez chwilę czuła niemal wspólnotę z tym udręczonym stworzeniem.

Była tak załamana i wyczerpana emocjonalnie, że szła naprzód jak automat, nie wiedząc dokąd. W normalnych warunkach uwolnienie się od Baylisa uradowałoby ją, teraz jednak czuła tylko samotność i rozpacz. Skierowała się Wall Street na północny zachód ku wieży kościoła Świętej Trójcy, odległego o kilka przecznic. Z każdą sekundą coraz lepiej zdawała sobie sprawę z całkowitego zniweczenia swoich nadziei i z tego, jak wulgarną i głupią musiała się wydać urzędnikom w biurze. „Słuchajcie no, chłopcy! Ta tutaj ma list!"

Długo znosiła w milczeniu swe nieszczęścia, ukrywała na dnie serca oczekiwania i marzenia. Ale ta żałosna porażka w biurze Sheridana była ostatnią kroplą przepełniającą czarę, zagładą wszelkich jej nadziei. Potrzebowała kogoś, komu mogłaby się zwierzyć. Prawdę mówiąc – jedynej osoby, która wiedziała o wszystkim.

Tuż przed nią jakiś pasażer wysiadł z wynajętego powozu. Mystere zawołała do dorożkarza, by zaczekał na nią. Do celu jej podróży, tuż za rogiem Broadwayu, było niedaleko, ale nagle zapragnęła znaleźć się tam natychmiast. Podbiegła do dorożki i z pomocą woźnicy zajęła miejsce dla pasażera.

– Dokąd, pszepani?

– Do hotelu Astor House – odparła zdecydowanym tonem.

Tym razem myśl o spotkaniu z Rafe'em sprawiła jej prawdziwą radość. Oczywiście nie powinna pozwolić, by desperacja odebrała jej jasność myślenia. W tej chwili jednak Rafael wydawał się jej przyjacielem, choć on pewnie tak by tego nie określił. Wydawało się jej także, że był odrobinkę mniej zdecydowany w kwestii swoich światoburczych planów; modliła się, by całkiem z nich zrezygnował.

Mimo straszliwego zawodu w biurze Sheridana doszła do wniosku, że nie grozi jej bezpośrednie niebezpieczeństwo. Rafe mógł mieć słuszność, że Paul uzna list Breaux za ostrzeżenie, a nie groźbę.

Zresztą nie miało to większego znaczenia. I tak musi uciekać z Nowego Jorku, nim Rafe – jej przyjaciel czy też nie – zostanie zmuszony do niechcianego małżeństwa. Może jej zniknięcie, będące szokiem dla nowojorskiej elity, ucieszy Rafaela. Co za odpowiednie, ironiczne zakończenie tego burzliwego epizodu w jej życiu.

Dorożka zatrzymała się przy krawężniku przed frontem hotelu. Mystere zapłaciła woźnicy i skierowała się w stronę wielkich obrotowych drzwi. Była zziębnięta, przemoczona i wyglądała jak uliczna żebraczka, ale mimo wszystko modliła się, by zastać Rafe'a. Nagle wydał się jej ocaleniem, a tak rozpaczliwie potrzebowała ratunku!

Była może w odległości dziesięciu kroków od drzwi, gdy Rafe wyłonił się z wnętrza budynku. Ich spojrzenia się spotkały.

Na ustach Mystere pojawił się uśmiech pełen nadziei. Ale w następnej sekundzie w drzwiach ukazała się Antonia Butler, ujęła Rafe'a pod rękę. Dla Mystere ten moment był kulminacją wszelkich niedoli jej życia.

32

Rafe patrzył, jak jej usta zaczynają rozchylać się w uśmiechu, patrzył na pierwszy błysk radości w jej oczach, gdy Mystere go rozpoznała. Chwilę później zauważyła Antonię i uśmiech zgasł w ciągu jednego uderzenia serca. Odwróciła się gwałtownie, przebiegła na drugą stronę ulicy i uciekła w stronę City Hall Park.

Chciał pobiec za nią, ale Antonia, która najwyraźniej nie dostrzegła Mystere, ścisnęła go za ramię i rzuciła jakąś uwagę o wyraźnym podtekście seksualnym. I nic dziwnego, skoro przez ostatnią godzinę prowokował ją każdym słowem i gestem.

Teraz jednak zignorował jej słowa, wciąż patrząc na oddalającą się Mystere. W pierwszej chwili nie był pewien, czy to ona.

Miała przemoczone ubranie i ociekające deszczem rozwiane przez wiatr włosy. Ale te oczy jak niezapominajki nie mogły należeć do nikogo innego.

Niech to wszyscy diabli, zaklął w duchu. Tak się starał wywrzeć piorunujące wrażenie i proszę, kto przyjął cios. A co gorsza, nieoczekiwanie przyłapał się na tym, że czuje się winny wobec Mystere.

Antonia powtórzyła coś urażonym tonem i uświadomił sobie, że czeka na jego odpowiedź.

– Co? – zapytał szorstko.

Stanęła jak wryta, pociągnęła go za ramię i zmusiła do zatrzymania.

– Co? – przedrzeźniała jego bezwiedne pytanie. – Ty mnie wcale nie słuchasz, Rafie Belloch.

– Oczywiście, że słucham – zapewnił odruchowo.

– Nie słuchasz, to jasne jak słońce – upierała się. – Twój wyjątkowy nastrój do ryzykownej przygody wygląda raczej na zwykłe wyrzuty sumienia.

– Naprawdę? – odrzekł bezwiednie. Był tak zaabsorbowany, że dodał z niezamierzoną szczerością: – Ty, w każdym razie, nic nie powiesz.

Zmarszczyła brwi, i nie bez powodu, bo to on zainicjował uwodzicielski rytuał.

– Tak sądzisz? – Kokieteryjna uraza Antonii przerodziła się w prawdziwy gniew. – Nie zapominaj, że to ty do mnie zadzwoniłeś. I ty mówiłeś o „zabawie w łamanie konwencji", nie ja.

– Oczywiście – przyznał tak łagodnym tonem, że tylko zmieszała się jeszcze bardziej. Nadal ignorował Antonię, śledząc wzrokiem Mystere znikającą za wysokim żywopłotem.

Sam Farrell miał rację, pomyślał. Pogardę pani Astor mogę nosić jak odznakę honorową. Ale nie pogardę Mystere.

Sięgnął po portfel, wyjął z niego banknot i wetknął w dłoń Antonii.

– Pożyczyłbym ci mój powóz – powiedział, wyjmując rękę spod jej ramienia – ale może być mi potrzebny. Bez trudu znajdziesz dorożkę. Wybacz, proszę, coś mi nagle wypadło.

Antonia rozdziawiła usta, zdumiona jego grubiaństwem, ale Rafe już ją zostawił. Przedzierał się w poprzek Broadwayu rów-

278

nie lekkomyślnie jak Mystere, ścigany przekleństwami rozgniewanych woźniców.

Rafe dogonił przemoczoną Mystere, zanim zdążyła dotrzeć do Chambers Street.

– Mystere! Zaczekaj!

– Czyżbyś pokłócił się z Antonią – spytała, przyśpieszając kroku – skoro rozstaliście się tak nagle?

Wybiegł przed nią, żeby zablokować wąską furtkę w parkanie otaczającym park.

– Nie jest tak, jak myślisz – zapewnił.

– Przepuść mnie – zażądała.

– Nie, dopóki nie pozwolisz mi wytłumaczyć. Byliśmy po prostu na kawie w restauracji hotelowej. Nie poszliśmy na górę.

– Prosiłam, żebyś mnie przepuścił – powtórzyła.

– Zorganizowałem to wszystko, żeby sprowokować Caroline, bo wiedziałem, że to do niej dotrze. I tak się stanie. Może nawet już się stało.

– I uważasz, że to cię usprawiedliwia? – rzuciła pewnie.

– Dobrze wiesz, że Lance Streeter i ta plotkarska banda pijawek zrobią z tego okropną aferę. Ludzie nie mają pojęcia, że nasze zaręczyny to oszustwo. To, co dzisiaj zrobiłeś, upokorzy bardziej mnie niż kogokolwiek innego. A przysięgałeś, że nie chcesz mnie zniszczyć.

– Mylisz się – odparł. – Mówisz o ludziach, ale dla nich prowincjonalna moralność nie istnieje w tym zepsutym mieście. To Caroline będzie kipieć, bo okaże się, że jej napięte wodze puszczają.

– Och, Rafe, przyprawiasz mnie o mdłości. Ty i Abbot naprawdę jesteście tacy sami. Chcesz pokazać pani Astor, że jej zamknięty świat upada. Ale gdzie zwycięstwo w tym, że ma się rację?

Rafe nie lubił przyznawać się do porażek. Nie mógł jednak zaprzeczyć, że przynajmniej w tym momencie Mystere osaczyła go.

– Rozumiem twój punkt widzenia – przyznał. – Zniżyłem się do nikczemnej taktyki. Ale spójrz na to z mojej strony. Za cenę kolacji i kilku nudnych godzin z Antonią mogę pognębić mojego wroga. Bez naruszania prawa zdobywam przewagę w walce z Caroline.

– Więc dlaczego jesteś teraz tutaj i blokujesz mi drogę? Dlaczego nie jesteś z Panną Koński Uśmiech, stwarzając twoje drogocenne „wrażenie grzechu"?

– Z powodu spojrzenia, które posłałaś mi kilka minut temu. Było jak dźgnięcie nożem. Dlaczego przyszłaś do mojego hotelu?

Gwałtowny rumieniec był tylko częścią jej odpowiedzi, ale lepszą częścią, sądząc po jego uśmiechu.

– Dziś rano poszłam do biura Sheridana – wyjaśniła, ścierając deszcz z żałośnie mokrej twarzy.

– Przypuszczałem, że możesz to zrobić. I…?

Przez chwilę drżał jej podbródek, ale opanowała się i odpowiedziała:

– To była klęska. Chyba udało mi się utrzymać w tajemnicy moją tożsamość, ale roześmiali mi się w twarz. I nic dziwnego.

Powiódł wzrokiem po jej postaci, od mokrych włosów do kształtnych kostek. Mokre splątane włosy wyglądały jeszcze bardziej dziko. Przez cienki materiał bawełnianego stanika odznaczały się wyraźnie ciemne sutki.

– Nieskrępowane piękno – zauważył z uśmiechem.

– Wyglądam strasznie – odparła z uporem.

– Mylisz się. Wyglądasz na dziką i nienasyconą… naprawdę bardzo ponętnie. – Pocałował ją w mokry nos. – Co teraz zrobimy? Usiądziemy i zagramy na harfie?

– Nie masz już Antonii do rozrywki?

– Nie. Byłem dla niej szorstki, teraz twoja kolej.

– No cóż. Jestem przyzwyczajona do twojej szorstkości. Ale powiem ci – zapewniła – że nie pójdę z tobą teraz do hotelu. Nie zaraz po tym, jak robiłeś tam słodkie miny do niej.

– W porządku. A co powiesz na taki plan? Wygląda na to, że się wypogodzi. Zabiorę cię do domu, żebyś mogła się przebrać w suche rzeczy. Potem wybierzemy się na wagary i wypłyniemy w mały rejs po Hudsonie. Co ty na to?

Pomyślała, że to wspaniały pomysł. Musiała odetchnąć od zamkniętego, zatłoczonego świata Manhattanu. Potrzebowała również czyjejś troski, pocieszenia…

– Tylko jeden warunek – dodał. – Kiedy będziesz się przebierała, nie obwiązuj się tym przeklętym bandażem.

Uciekła wzrokiem w bok, ale skinęła głową.

– Jeśli uważasz, że potrafisz nad sobą zapanować...

– Do diabła, nie będę nawet próbował. Ale jestem pewien, że poradzisz sobie z tym.

Ich oczy spotkały się i oboje wybuchnęli śmiechem.

Kiedy Mystere przebierała się w suche ubranie i rozczesywała grzywę splątanych włosów, Rafe zatelefonował do załogi swojego jachtu w basenie portowym na Manhattanie i polecił przygotować „Odważną Kate" do rejsu.

Gdy przybyli na miejsce, turbiny parowe były już w pełnej gotowości i po kilku minutach jacht płynął wokół Battery, kierując się przez City Harbor na północ do ujścia Hudsonu. Rafe oprowadził Mystere po statku.

Największe wrażenie wywarł na niej luksus głównej kabiny z aksamitnymi, złotymi zasłonami i niewielkim piecem z niklowanym wykończeniem. Elektryczne oświetlenie całego jachtu zapewniał generator pokładowy napędzany przez silniki.

W końcu oboje usadowili się na dziobie, oparli o okrężnicę i patrzyli, jak miasto stopniowo przechodzi w wiejskie pastwiska, gdy płynęli dalej na północ. Na trawiastych brzegach New Jersey roiło się od tymotki i koniczyny, z lądu leniwie machali do nich wędkarze. Mystere mogła po prostu odwrócić się tyłem i udawać, że miasta wcale nie ma. Słońce stało wysoko na niebie niczym zaklinowane i przyjemnie grzało jej szyję i ramiona.

Kiedy zadymione, hałaśliwe miasto zostało jeszcze dalej za nimi, ogarnął ją leniwy spokój. Rafe też był w dobrym nastroju. Nie burczał do niej jak zwykle, lecz naprawdę z nią rozmawiał.

– Kim była prawdziwa Kate? – zapytała go. – Jakąś pięknością, którą uwodziłeś, dopóki nie złamała ci serca?

– Nie, ale w pewnym sensie jest moją miłością. To dzielna dziewczyna z zachodu, która uratowała jeden z naszych pociągów, kiedy zmyło estakadę. Przebyła wzburzoną rzekę w zupełnej ciemności i zatrzymała nadjeżdżający pociąg. Miała wtedy zaledwie piętnaście lat i dla wszystkich kolejarzy stała się bohaterką.

– Bohaterką – powtórzyła w zamyśleniu Mystere. – Zupełnie inaczej niż Księżycowa Dama. Różnica między sławą i niesławą.

Przyglądał się jej w milczeniu jak zahipnotyzowany. Długie włosy koloru kawy zostawiła rozpuszczone, żeby spadały na kark i ramiona. Słońce tworzyło złocistą koronę na jej głowie.

– Ta różnica – rzekł wreszcie – jest być może mniej oczywista, niż myślimy.

Nie była pewna, czy dziwne skrzywienie jego ust miało oznaczać uśmiech. Wiedziała tylko, że przywarła do niego, całując jego szorstkie wargi z pasją gorętszą niż lipcowe słońce.

– Czasami boję się myśleć o chwili, kiedy nie będziesz ze mną – wyznała niemal szeptem.

Przestań, ostrzegł ją wewnętrzny głos. Nie burz tej bliskości, choćby była iluzoryczna, bo nawet chwilowa iluzja jest lepsza od samotnej egzystencji bez pocieszenia, bez intymnego dotyku tego mężczyzny.

Smakował delikatną skórę na jej szyi, a jego wargi wywoływały elektryzującą reakcję, która przyprawiała Mystere o drżenie.

– Nie musimy teraz o tym myśleć – szepnął jej do ucha. – Dzień się kończy. Wróć ze mną na Staten Island. Na noc.

Milczała przez jakiś czas, patrząc na rzekę rozstępującą się przed dziobem jachtu w białej fali. Uspokajająca cisza stała się bolesna, potem dręcząca.

Rafe przesunął w górę swoją rękę spoczywającą na biodrze Mystere i zaczął pieścić jej pierś.

– Rafe – zaprotestowała przeciwko tej śmiałej pieszczocie, ale nie próbowała odsunąć się od niego.

– Mam powiedzieć Skeelsowi, żeby wracał na Staten Island?

Podniosła na niego wzrok, przysłaniając oczy przed słońcem.

– Tak – poddała się, znużona utarczkami i groźbami, znużona walką z własną słabością do niego.

Wkrótce będzie musiała uciec od wszystkiego i wszystkich, uciec od tego co znajome w nieznaną przyszłość pełną niebezpieczeństw. Ale przynajmniej dziś zazna kilku godzin szczęścia w łóżku Rafe'a Bellocha, wiedząc, że rano, jeśli będzie sprytna, skorzysta z szansy uwolnienia się od Rillieux i zniknie na zawsze.

33

Słońce wypaliło się do gasnącego żaru na zachodnim horyzoncie, gdy „Odważna Kate" została przycumowana w przystani na Staten Island.

– Głodna? – zapytał Rafe, kiedy szli pod rękę ku masywnej bramie jego posiadłości w Garden Cove.

– Umieram z głodu – przyznała, uświadamiając sobie, że od śniadania nie miała nic w ustach. – To dziwne – dodała, uśmiechając się do niego w gęstniejącym mroku.

– Co?

– Zadajesz mi takie niewinne pytania i nie ciągniesz mnie jak niegrzeczne dziecko. Idę obok ciebie z własnej woli.

– Wydajesz się rozczarowana. Wolałabyś przymus?

Jego ton był żartobliwy, ale nie umknęła jej dwuznaczność tych słów.

– Przymus zwalnia od odpowiedzialności – odrzekła. – Ale wolę sama decydować o swoim losie.

– Wybór, jak powiedział kiedyś pewien mędrzec, to oś przeznaczenia.

– Tak – niemal szepnęła, gdyż Rafe nie miał pojęcia, jak prawdziwie zabrzmiało to w jej uszach. Jej własne przeznaczenie dotarło do rozdroża i teraz musiała szybko podjąć trudną decyzję, który kierunek wybrać. W obu roiło się od niebezpieczeństw, ale przysięgła sobie, że dzisiejszej nocy nie będzie o tym więcej myśleć. Nawet jeśli Rafe jej nie kocha i zapewne nigdy nie pokocha, wystarczą jej kłamstwa. Chciała przestać martwić się o wszystko, czuć przyjemność, bliskość i ciepło, czuć się chciana i potrzebna, zamiast być wiecznie wykorzystywana, ścigana i przerażona.

– To tylko my, Jimmy – powiedział Rafe, gdy dotarli do bramy. – Po naszym wejściu skocz do kwatery Milly i poproś, żeby przygotowała lekką kolację na dwoje. Nie musi gotować.

– Załatwione, szefie.

– Aha, potem zbiegnij do piwnicy i przynieś butelkę... chyba burgunda, dobrze?

Ciężkie żelazne wrota zaskrzypiały, kiedy Jimmy je otworzył, a potem znów zamknął. Mystere czuła, jak mierzy ją spojrzeniem i zarumieniła się w ciemności, zastanawiając się nagle, ile już razy przystojny Rafe Belloch przyprowadzał na noc kobietę do domu. Ale wytrwała w nowym postanowieniu i odpędziła te myśli. Nie zawracaj sobie głowy ponurą rzeczywistością, upomniała się. Przez tę jedną noc żyj w bajkowym świecie i sama dopisz szczęśliwe zakończenie.

Gdy kucharka przygotowywała posiłek, Rafe i Mystere sączyli wino w salonie od frontu.

Mystere spacerowała po pokoju i przyglądała się oprawionym fotografiom z bardziej szczęśliwych czasów w życiu Rafe'a. By wzmocnić słabe światło świecznika, Rafe rozpalił niewielki ogień w kominku. Krwistopomarańczowe płomienie tańczyły za ozdobną osłoną kominka, a Rafe bez słowa przyglądał się Mystere w chybotliwym świetle. Ona też na niego spoglądała.

– Teraz wiem, dlaczego jesteś taki przystojny – powiedziała, wskazując zdjęcie stojące na obramowaniu kominka. – Twoi rodzice byli ładną parą.

– Zawsze tak uważałem – odparł bardziej tęsknie niż gorzko.
– I choć nie okazywali tego publicznie, bardzo się kochali.
– Rafe?
– Mhm?
– Co zamierzasz zrobić z ultimatum Caroline? To znaczy, z wrześniową datą ślubu?
– Nie martw się o wrzesień – zbył ją. – Zanim nadejdzie, sprawy się rozstrzygną.

Taka odpowiedź nasunęła tylko więcej pytań. Ale w drzwiach właśnie ukazała się Ruth i oznajmiła, że podano do stołu w jadalni.

Z przyjemnością jedli lekki posiłek złożony z kanapek, sera i świeżych owoców. Mystere rozkoszowała się ich spokojną, miłą rozmową. Nie znała Rafe'a od tej strony. Nie wiedziała, że potrafi być taki czarujący. Twardy władca swojego imperium okazał się oczytany w poezji i literaturze klasycznej i z entuzjazmem mówił o powieściach skazanego na wygnanie Amerykanina Henry'ego Jamesa.

– Ale do diabła z Jamesem – powiedział nagle, patrząc na nią tak, że poczuła nerwowe skurcze w żołądku. – Chodźmy na górę. Chcę ci pokazać coś pięknego.

Oświetlając drogę trójramiennym świecznikiem, poprowadził ją wspaniałymi schodami z toczoną balustradą. Główna sypialnia zajmowała skrzydło wychodzące na północny wschód. Postawił świecznik na komodzie obok drzwi i przeprowadził ją za rękę przez duży pokój do szerokich okien.

– Ten dom stoi na wzgórzu – wyjaśnił i rozsunął przejrzyste koronkowe zasłony i brokatową draperię. – Widok można w pełni docenić dopiero po zmroku.

Zaskakujące piękno Manhattanu oświetlonego gazem i elektrycznością niemal zaparło jej dech. Światła za ciemną przestrzenią Upper Bay błyszczały niczym miliony gwiazd.

Rafe odciągnął klamki i otworzył pionowe skrzydła okien. Poczuła, jak łagodny nocny wiatr pieści jej twarz niczym badawcze palce.

Stanął tuż za nią, otoczył ramionami i oparł brodę na jej głowie. Przez kilka minut patrzyli w milczeniu na widok rozciągający się przed nimi jak wspaniała diorama.

– Z tej perspektywy nie widać brzydoty ani cierpienia świata – zauważyła w końcu cicho. – Chciałabym móc zawsze patrzeć na miasto z tego miejsca.

– Więc dzisiejszej nocy czas zatrzymał się tutaj – odrzekł, całując jej szyję. Potem odwrócił ją twarzą do siebie i przyciągnął blisko, by pocałować w usta.

– Tak – zgodziła się z gorzko-słodką uległością. – I jedyny świat, jaki będziemy mieć, to świat, który stworzymy.

Zaprowadził ją do mahoniowego łoża z baldachimem. Kiedy skromnie weszła za dwuczęściowy parawan obok, Rafe zaprotestował.

– Nie. Chcę patrzeć, jak się rozbierasz. Jak tamtej nocy w salonie.

– Tym razem to też rozkaz?

– Nie. Prośba.

– Więc spełnię twoje życzenie.

Zrzucił buty, zdjął kamizelkę i koszulę. Był teraz nagi do pasa. Już wiedziała, że jest silny, ale szeroki, umięśniony tors i płaski jak deska brzuch znów ją mile zaskoczyły. W gazowym świetle mięśnie jego ramion wyglądały niczym węzły stalowej liny.

Przysiadł w nogach łoża i przyglądał się z podziwem, jak Mystere zostawia stos ubrania u swoich stóp. Tym razem nie czuła palącego wstydu, tylko wzbierający żar.

– Obróć się wolno – powiedział, gdy stanęła naga.

Zrobiła to, obserwując, jak pożądanie zmienia wyraz jego twarzy. Jego podniecenie potęgowało jej własne. Wstał i uniósł ramiona w niemym przyzwaniu, które przyciągnęło ją bliżej z magnetyczną siłą. Kiedy jej nagie piersi spotkały się z jego muskularnym torsem, obojgu jednocześnie wyrwał się jęk.

Czułość jego pocałunku szybko przerodziła się w chciwe, nienasycone łaknienie. Fakt, że oboje należeli do innych światów i skakali sobie do gardeł z powodu wszystkiego, od kradzieży do wymuszonego małżeństwa, wydawał się jej teraz trywialny. Za dużo czasu spędzili na walce.

„Czas zatrzymał się tutaj".

To zdanie brzmiało w jej głowie jak poemat.

Rafe wziął ją na ręce i zaniósł do łoża. Opuścił ją na jedwabną pościel i ukląkł obok na podłodze. Całował i drażnił jej sutki. Mystere wstrzymywała oddech, gdy brał do ust najpierw jeden, potem drugi. Wiedział dokładnie, jak mocno ścisnąć, żeby rozpalić ją jeszcze bardziej.

Pieścił jej ciało, dopóki nie poczuła się tak, jakby płonęła wewnątrz.

– Chodź do mnie – szepnęła i przyciągnęła go.

Wstał i zdjął spodnie. Zakazany widok jego wzwodu przyprawił ją o drżenie. Gdy położył się przy niej, mruknęła mu do ucha:

– Chcę cię mieć w sobie.

Wsunął jedną rękę wysoko między jej uda. Jęknęła z rozkoszy pod dotykiem jego palców, kiedy otwierał ją niczym płatki kwiatu pokrytego rosą.

Tylko przez kilka krótkich chwil, gdy wchodził w nią pierwszy raz, znów była świadoma jego rozmiaru. Ale rozkosz przerastała wszelki ból i kiedy wolno, ostrożnie penetrował ją całą swą długością, czuła się otwarta dla niego, dostosowana. I wzbierał w niej błogosławiony krzyk rozkoszy, gdy zaczął poruszać się mocniej, szybciej.

Znów zaskoczył ją jako kochanek, gwałtowny i wymagający, ale także czuły i namiętny, równie gotowy dawać rozkosz, jak jej doznawać. Wciąż i wciąż doprowadzał ją do szczytów ekstazy, a jej nienasycenie dorównywało jego własnemu. Za nimi, za otwartymi oknami, mrugały światła Manhattanu, nadeszła i minęła północ.

Nie była pewna, kiedy dokładnie z jej gardła zaczęły się cisnąć na usta słowa „kocham cię", ale jakoś zdołała je stłumić. Chociaż w tym momencie przepełniało ją to uczucie i zdawała sobie sprawę, że jest prawdziwe – niewywołane jedynie chwilowym uniesieniem – wiedziała również, że nie wolno jej tego powiedzieć. Nie tylko dlatego, że on jej nie kocha, lecz również dlatego, że ta noc musi być ich ostatnią.

W końcu, zmęczeni i wyczerpani, zapadli razem w drzemkę w sennej plątaninie nagich rąk i nóg. Mystere śniła, że jest wielką damą i jedzie powozem z herbem Granville'ów. Z jednej strony siedzi przy niej Rafe, z drugiej uśmiechnięty Bram.

Ale potem wszystko poszło źle. Przystojne rysy Brama rozpłynęły się i przemieniły w lisią twarz Paula, który śmiał się z niej dziko. Gdy zwróciła się o pomoc do Rafe'a, stał się rogatą, diabelską wersją pani Astor, która wrzeszczała do niej z demoniczną radością: „I co teraz, ty mała, brudna złodziejko?"

Obudził ją odgłos ptaków świętujących wschód słońca.

Okna wciąż były szeroko otwarte, a od zatoki wiał chłodny wiatr, więc wzdrygnęła się lekko, kiedy odrzuciła kołdrę. Rafe jeszcze głęboko spał, teraz nawet przystojniejszy, bo nie miał na twarzy swojej zwykłej pogardy dla całego świata. Łoże było w opłakanym stanie po ich namiętnej miłości, pościel uwolniła się z poszewek, puchowy materac zsunął się częściowo na podłogę.

Czuła przyjemny ból między nogami, gdy cicho i ostrożnie wyplątywała je z jego nóg. Pocałowała go w usta, tylko raz, bardzo delikatnie, potem wstała z łoża i zaczęła zbierać swoje ubranie.

Ubierała się w otwartym oknie, wiatr przyprawiał ją o gęsią skórkę. Patrzyła, jak na wschodzie różowieje horyzont i wstaje nowy dzień. W dole na przystani publicznej widziała już pierwszy prom i śpieszyła się, żeby go złapać.

Ale kiedy odwróciła się i spojrzała na śpiącego Rafe'a, omal nie straciła odwagi. Tak łatwo byłoby po prostu zrezygnować i wpełznąć z powrotem do ciepłego łoża obok niego... ale nie,

nie, rozkazała sobie bezlitośnie. Być może teraz to łatwy sposób, lecz gdyby została, przedłużyłaby tylko cierpienie obserwowania, jak wszystko się rozpada.

Caroline Astor i Paul oczekiwali ślubu – każde z nich z różnych powodów i każde było potencjalnie niebezpieczne: Paul, jeśli doszłoby do małżeństwa; Caroline, gdyby nie doszło. A Rafe był najbardziej kłopotliwy z całej trójki.

Gdyby jakimś nieszczęśliwym zbiegiem okoliczności poślubił ją, byłby to związek bez miłości, wbrew jego woli; mógłby także wszystko sabotować z bezlitosnej żądzy zemsty. Tak czy inaczej, jej największą szansą na pozostanie wolną była ucieczka. Zwłaszcza teraz, gdy katastrofalna wizyta w biurze Sheridana przekonała ją, że ona i Bram nie mają żadnego związku z domem Granville'ów. Dalsze pozostawanie w Nowym Jorku było bezcelowe i niebezpieczne.

Wczoraj, kiedy Rafe zabrał ją do domu, żeby przebrała się w suknię z jasnego francuskiego muślinu, dostała od Husha odpowiedź Helzera na jej liścik. Dziś miała spotkać się z nim w sprawie pierścionka. Jeśli dopisze jej szczęście, będzie tylko musiała ukryć się w swoim pokoju na Centre Street najwyżej na kilka dni.

Skończyła się ubierać i w konsoli pod lustrem przy drzwiach znalazła papier, pióro i kałamarz. Zostawiła Rafe'owi krótki list i w progu rzuciła mu długie spojrzenie.

Pokój nagle rozpłynął się, gdy z oczu trysnęły jej łzy i poczuła bolesny ucisk w krtani, jakby utkwił tam gwóźdź. Musisz odejść, upomniała się. Ten ból to nic w porównaniu z tym, co cię czeka, jeśli zostaniesz. Desperacja Paula, pycha Caroline, mściwość Rafe'a – to wszystko cię zmiażdży, jeśli nie znikniesz.

Potem, przysięgając sobie, że więcej się nie obejrzy, opuściła mężczyznę, którego kochała, i ruszyła przed siebie, by stawić czoło niepewnemu przeznaczeniu.

– Niech to szlag – mruknął wściekle Rafe po przeczytaniu krótkiej wiadomości, którą Mystere zostawiła na komodzie. Nie miała czasu wysuszyć atramentu i niektóre litery rozmazały się, ale były czytelne.

„Odchodzę na zawsze i błagam, żebyś mnie nie szukał. Tak jest dużo lepiej. Dziękuję Ci za ostatnią noc. Ułatwiłeś mi udawanie przed samą sobą, że mnie kochasz".

I w ostatnim przejawie buntowniczego ducha podpisała się: Księżycowa Dama.

Przez kilka chwil, gdy pośpiesznie się ubierał, był niemal oszalały z gniewu na nią. Przywykł do rządzenia, do całkowitego kontrolowania sytuacji, a jeśli chodzi o kobiety, to on je rzucał, nie one jego.

Ale kiedy złość zaczęła mu mijać, zastąpiła ją chłodna, dręcząca obawa. Wbrew swoim zapewnieniom nie ustrzegł jej sekretu przed panią Astor i wystraszył tych głupich szantażystów po prostu dlatego, żeby utrzymać kontrolę nad przebiegiem wydarzeń. Nie chodziło tylko o kontrolowanie sytuacji, ale i o jego urażoną męską dumę – kobieta, którą ostatniej nocy trzymał w ramionach, była jedyną na świecie, która do niego pasowała. Wiedział, że musi ją odnaleźć, zanim ucieknie mu zbyt daleko.

To twoja wina, że nie mogła podpisać się jako Mystere, pomyślał z gorzką szczerością. Prawie nigdy nie wymawiałeś jej imienia...

Poszukiwania nie będą łatwe, nie przy jej znajomości miasta pozwalającej na przetrwanie. Będzie musiał skorzystać z pomocy, ale znajdzie odpowiednich ludzi. W końcu jest człowiekiem, który przenosi góry. Znajdzie ją, choćby miał poruszyć niebo i ziemię.

34

*P*odsumowując, panowie, decyzja o konsolidacji wszystkich naszych krótkich linii na Środkowym Zachodzie jest ostateczna. Umożliwi radykalną reorganizację na szczeblu zarządzania, a obecny system siedemnastu kierowników terenowych zostanie zastąpiony systemem trzech nadzorców regionalnych ulokowanych w Detroit, Cincinnati i Omaha.

Wyraźny, pewny i mocny głos Rafe'a z łatwością wypełniał dużą salę posiedzeń, gdzie prawie trzydziestu dyrektorów Belloch Enterprises siedziało wokół długiego prostokątnego stołu z polerowanego dębu. Minęła właśnie dziesiąta rano i kończyła się druga godzina zebrania.

Mimo że Rafe był rzeczowy i dobrze zorganizowany, wyglądał na zmęczonego i czasami wydawał się zaabsorbowany czymś innym. Sam Farrell siedzący na końcu stołu zauważył, że jego szef co kilka minut niecierpliwie zerka na zegarek.

Rafe znów zaczął mówić. Ale wtem z holu dobiegły odgłosy zamieszania i gniewne protesty kobiety.

— Nie obchodzi mnie, czy jest tam Jezus Chrystus z apostołami. Powiedziałam, że zobaczę się z Rafe'em Bellochem i zrobię to teraz!

Drzwi otworzyły się gwałtownie i wkroczyła wzburzona Caroline Astor. Ward biegł obok niej niczym generalski adiutant. Pod pachą niósł piękną skrzyneczkę z drewna różanego. Dwaj z prywatnych strażników Belloch Enterprises podążali za nimi i przepraszająco wzruszali ramionami do Rafe'a.

— Powiedziała, że będziemy musieli ją zastrzelić, żeby ją zatrzymać — wyjaśnił zakłopotanym tonem jeden z nich.

— Straciliście okazję, chłopcy — mruknął Rafe, zdając sobie sprawę, że wszyscy zebrani gapią się z rozdziawionymi ustami. Kilku, którzy nie rozpoznali natarczywej kobiety, szybko poinformowano, że to „ta" pani Astor.

— Panowie — zawołała rozkazująco — muszę prosić was wszystkich o opuszczenie tej sali! Mam do pana Bellocha kilka słów na osobności i to nie może czekać.

Zapadła cisza niczym w sali wykładowej po apelu o zgłaszanie się ochotników. Wszystkie oczy wędrowały od pani Astor do szefa firmy. Rafe jeszcze nigdy nie czuł tak dotkliwie ciężaru przywództwa. Ale szybko uratowała go dyplomacja Sama.

— Panowie — zasugerował Sam, wstając z krzesła — przyda nam się przerwa. Ja osobiście nie mam wątpliwości, że panią Astor sprowadza pilna sprawa, bo inaczej nie byłoby jej tutaj. Zawieśmy zatem nasze spotkanie do odwołania.

— Dziękuję panu — odrzekła ze sztywną uprzejmością. — I czy zechciałby pan zostać?

Sam zerknął pytająco na Rafe'a, który wzruszył ramionami i skinął głową. Gdy tylko sala opustoszała i zostali we czworo, Caroline przeszła do rzeczy.

– Widziałeś gazety, ty pozbawiona skrupułów kanalio? – natarła na Rafe'a.

– Nie – odparł apatycznie. – Byłem zajęty.

– Ale wczoraj miałeś czas na mały wybryk z Antonią, co?

– Kawa i napoleonki? – zaprotestował. – Gdzie tu skandal?

– Jesteś doprawdy podły, Rafe. Jesteś Patriarchą Czterystu, oficjalnie zaręczonym, i rozumiesz doskonale, jak będą zinterpretowane twoje poczynania.

– Doprawdy? Była o tym jakaś wzmianka? – zapytał z irytującą niewinnością.

– Wzmianka? – powtórzyła z oburzeniem, a jej głos przybrał bardziej surowy ton. – Wszyscy plotkarscy pismacy aż piszczą z radości, że mogą obwieścić czytelnikom, że najwyraźniej odrzucasz wszelką przyzwoitość. A ponieważ byłam „orędowniczką" twoich zaręczyn, nazywają to zemstą Ojca Nowojorczyka.

Wbrew jej oburzeniu, Rafe'owi spodobał się docinek i ledwo mógł zachować powagę.

– A co by napisali, Caroline – zapytał spokojnie – gdybyś uwiodła mnie, jak kiedyś planowałaś?

Sam, który stał, bo pani Astor też stała, wyglądał na oszołomionego, co rzadko mu się zdarzało. Ward zbladł, bez wątpienia z obawy przed reakcją Caroline.

Przez moment aż trzęsła się z gniewu, ale po chwili jej żelazna wola znów wzięła górę i odezwała się z chłodną determinacją w głosie:

– Ward, przynieś skrzyneczkę.

Spojrzała na Rafe'a.

– Chcesz być szczery, tak? Więc pozwól, że się przyłączę. Oskarżasz mnie o zabicie twoich rodziców. Jeśli naprawdę w to wierzysz, honor nakazuje, żebyś ty zabił mnie.

Uniosła wieczko skrzyneczki wyścielanej filcem.

Rafe popatrzył na dwa piękne pistolety pojedynkowe zdobione kością słoniową i srebrem. Na kolbach widniały inicjały W.B.A.

– Rodzinny spadek mojego męża – wyjaśniła bez potrzeby.

– I nie, nie wie, że je wzięłam.

– Mam cię zamordować z zimną krwią? – zapytał Rafe, z trudem zachowując powagę. – Czy wyzywasz mnie na pojedynek?

– A dlaczego nie? Znam zasady. Mam sekundanta, ty też, więc wszystko odbędzie się prawidłowo, przy świadkach. W tej wielkiej sali łatwo zrobimy dziesięć kroków. Czy nie tak „obrażeni" dżentelmeni tacy jak ty załatwiają poważne sprawy?

– Starzejesz się, Caroline. Pojedynki są zabronione. W dzisiejszych czasach walczą za nas prawnicy.

– Zabronione? Też coś! Współudział w kradzieży również, panie Belloch, ale to nie powstrzymało cię przed dochowaniem tajemnicy Mystere, prawda?

Rafe miał ochotę się roześmiać, ale jej stanowczość onieśmielała go. Caroline wyjęła jeden pistolet i podała mu kolbą do przodu.

– Bierz – zażądała. – Z pewnością przekonasz się, że jest prawidłowo naładowany. Nie pozwolę wciąż obrzucać się błotem dlatego, że ty żywisz do mnie urazę. Weź go, Rafe. Jeśli zabiłam twojego ojca, zastrzel mnie. Albo ja cię zastrzelę, bez względu na rezultat.

– Caroline, nie…

– Nie zastraszysz mnie, Rafe, ani nie wzbudzisz we mnie poczucia winy za tchórzostwo twojego ojca. Więc zastrzel mnie, nie masz alternatywy.

Rafe wziął pistolet, ale jednocześnie wyrwał Caroline skrzyneczkę. Wręczył ją Samowi i włożył broń na miejsce.

– Ward, na litość boską – parsknęła Caroline i podtrzymała go, bo wydawał się bliski omdlenia.

– Poczekam na zewnątrz z innymi – wymówił się Sam, widząc, że nie będzie już potrzebny.

Rafe przechadzał się w milczeniu, przez cały czas czując na sobie wzrok Caroline. Odezwała się pierwsza, gdy tylko pomogła Wardowi usiąść.

– Skończ tę zajadłą grę, którą prowadzisz, Rafe. I przed końcem września będzie ślub. Jeszcze jedna sztuczka, jak ta wczorajsza z Antonią, i zniszczę cię, Rafie Belloch, w ten czy inny sposób. Pocisk albo bankructwo.

– To miłe, Caroline – odrzekł ze znużeniem, wciąż zbyt zaprzątnięty myślami o Mystere, by obchodziło go coś innego. Ale o dziwo, melodramatyczny popis Caroline z pistoletami zgasił jego pragnienie zniszczenia matrony. Gdyż w głębi jej gniewu i urażonej godności dostrzegł ten sam fanatyzm klasowy, który zniszczył jego ojca.

Wbrew skupieniu całej mojej niechęci na Caroline, uświadomił sobie, nie jestem przeciwko żadnemu indywidualnemu łajdakowi. Jestem przeciwko niemodnemu stylowi życia, który jest już w agonii.

Przez te wszystkie lata żył, by zabić chimerę, która egzystowała tylko w jego umyśle. I za sprawą swej krótkowzrocznej złośliwości najlepsze, co mu się kiedykolwiek przydarzyło, nawet teraz, to była ucieczka od własnego życia.

– Prawdę mówiąc, Caroline – powiedział po chwili – masz sporo racji. Na końcu mój ojciec przez moment okazał się tchórzem. Nikt go nie zamordował, sam wybrał śmierć i stąd wzięła się moja uraza. Ale nigdy mnie nie przekonasz, że po śmierci nie został skrzywdzony przez tych, którzy byli mu winni lepsze traktowanie. Z tobą włącznie.

Pani Astor trochę złagodniała. Taki błyskotliwy, męski, przystojny i... nieosiągalny.

– Być może istotnie trochę cię skrzywdziliśmy – przyznała.

– Nie mnie, moich rodziców.

– Tak, choć zaimek nie jest ważny. Chodzi mi o to, że jesteś głupcem. Najwyraźniej kochasz Mystere, czy kimkolwiek ona naprawdę jest. A jednak byłeś gotów ją zniszczyć, byle dać upust dziecinnej niechęci.

Przyjął te słowa w milczeniu, bo osaczyła go.

Jej ton stał się bardziej rzeczowy.

– Cały sekret przetrwania, Rafe, polega po prostu na tym, żeby odrzucić ból i żyć dalej. Za dużo rozmyślasz. Zaabsorbowanie własnym nieszczęściem to przywilej jedynie klasy średniej, nie naszej, stojącej wyżej w hierarchi społecznej. Miałam nadzieję, że Mystere pomoże ci to zrozumieć.

Mystere... Rafe sądził, że pani Astor nie mogła się jeszcze dowiedzieć o jej ucieczce. Jeśli tego skandalu boi się Caroline, to bomba z pewnością wybuchnie, gdy zniknięcie

Mystere zostanie odkryte. Rafe nagle uświadomił sobie, że podejrzenia skoncentrują się na nim, ostatniej osobie, która ją widziała.

– Och, nie zrozum mnie źle – dodała Caroline. – Oczywiście ścięło mnie z nóg, kiedy w końcu domyśliłam się, kim ona musi być. Naturalnie ludzie nie mogą się tego dowiedzieć, bo staniemy się pośmiewiskiem. Ale nie obchodzi mnie, czy jest Nierządnicą Babilońską. Lubię ją.

Rafe skinął głową.

– Wiem. Zawsze miałaś do niej słabość.

– Nic na to nie poradzę; jest zniewalająca. I pełna życia. Nie potrafię tego nazwać, ale ma coś w oczach. Szuka czegoś...

– Pozazmysłowego?

– Właśnie. Oczywiście może tego nie znaleźć, ale niech będzie błogosławiona za to, że szuka. Bóg jeden wie, że ta dziewczyna nie jest aniołem, ale chciałabym być taka jak ona. Jeśli kiedykolwiek zacytujesz coś z tego, co teraz powiedziałam, nazwę cię kłamcą.

– Och, Ward mnie poprze – odrzekł Rafe z mimowolnym cynizmem. Doskonale wiedział, że Ward nigdy nie zaprzeczy słowom pani Astor w obawie, że wyrwą mu język za bluźnierstwo.

– Możemy zawrzeć rozejm? – zapytała łagodnie Caroline.

Rafe napotkał jej błagalne spojrzenie i zrozumiał, że Mystere cały czas miała rację. Tylko pani Astor wciąż trwa, zraniona, lecz zwycięska, na polu bitwy, gdzie ścierają się potężne siły.

– Dobrze – zgodził się, bo teraz pragnął jedynie odnaleźć Mystere.

Jego uległość skłoniła Caroline do rzadkiej szczerości.

– Sam nas nie słyszy, więc nie będę zupełną hipokrytką. Ja też byłam gotowa głupio zaryzykować, żeby zostać twoją kochanką, Rafe. Nawet własną godnością, gdybyś mnie wykorzystał, a potem rzucił. Wiedziałeś o tym, prawda?

– Przyszło mi to do głowy – odparł dyplomatycznie.

– Ale w żadnym wypadku nie zrobisz tego teraz, bo jesteś zakochany – dodała, akcentując z lekką zazdrością dwa ostatnie słowa. – A przy okazji, nie mogę się skontaktować z Mystere. Jej... „stryj" twierdzi, że nie wróciła na noc do domu. Domyślam się, że jest u ciebie?

– Tak – skłamał.

– Na litość boską, bądźcie dyskretni. Trzymaj ją z dala od twojego hotelu. I powiedz jej, żeby do mnie zadzwoniła – poprosiła Caroline i dodała: – Chodźmy, Ward. Rafe musi wracać do pracy.

Ale Rafe nie miał takiego zamiaru.

– Ty zamkniesz posiedzenie – polecił Samowi, gdy ten zajrzał do sali. – Jadę do Paula Rillieux. Jezu, ależ wszystko pogmatwałem.

– Być może – odrzekł Sam – ale wyprostujesz to, szefie. Pamiętasz, co powiedziałeś swoim inżynierom, kiedy linia Rock Island ugrzęzła w Walnut Creek? Podglebie nie utrzymałoby głębokich pylonów i wszyscy chcieli się poddać.

Rafe uśmiechnął się szeroko.

– Oczywiście, że pamiętam. Powiedziałem, że jeśli nie możemy podnieść mostu, musimy obniżyć rzekę. I niech mnie diabli, jeśli jej nie obniżyliśmy.

– Zajmę się tutaj wszystkim – zapewnił Sam. – Jedź szukać Mystere.

Paul Rillieux potraktował zachowanie i ton Rafe'a Bellocha z rozbawieniem i pewną pogardą. Spodziewał się tej wizyty od chwili, gdy późną nocą zorientował się, że Mystere w końcu uciekła.

– Gdzie ona jest? – powtórzył pytanie gościa, kładąc laskę na kolanach i wyciągając się w fotelu. – Jedzie na zachód, jak mawiamy o kobietach, które podróżują samotnie. Choć wątpię, żeby sprzedawała swoje ciało, bo jest na to zbyt dumna...

– Wiem, jaka jest, Rillieux – przerwał mu niecierpliwie Rafe.

Lisią twarz Paula wykrzywił szeroki uśmiech.

– Z pewnością.

– Masz mniej przyjaciół, niż myślisz, starcze. A podeszły wiek nie chroni skazańca przed więzieniem.

– Wchodzi pan do mojego domu i grozi mi?

– Twojego domu? – Rafe wstał, przeszedł salon w kilku krokach i zbliżył się do Rillieux. – Pytałem, gdzie jest Mystere, i czekam na odpowiedź.

– Tylko bez nerwów, panie Belloch. – Rillieux trzykrotnie stuknął końcem laski w podłogę. Niemal natychmiast otworzyły się boczne drzwi i do pokoju wkroczył tęgi „lokaj", którego Rafe znał jako Evana. Pod pachą trzymał strzelbę.

– Lepiej naucz się dobrych manier, ty tchórzliwa kupo gno-ju – doradził Rafe'owi gburowatym tonem – bo podziurawię ci brzuch ołowiem.

Rafe nie miał wyboru; musiał się wycofać. Morderczy błysk w nieprzyjaznych oczach Evana był wyraźny i tylko przypominał, że grzechy Mystere nie były w końcu takie wielkie. To zło Rillieux więziło ją tak długo w tej jaskini zbójców.

– Kiedy ktoś przyznaje się do winy – powiedział Paul do swojego gościa – ława przysięgłych nie jest potrzebna. Mniej więcej potwierdzam wszystko, o co mnie pan oskarża. A co do pańskich poszukiwań Mystere, zamierzam z panem współpraco-wać. Jestem całkowicie przekonany, że jeszcze nie mogła opuścić miasta. Ale w tej chwili nie znam jej dokładnego miejsca pobytu. Kilku moich ludzi już nad tym pracuje.

– Nie dziwię ci się, Rillieux, bo Mystere jest twoim klu-czem do majątku. To ty pozbyłeś się jej brata, prawda? Nasłałeś na niego bandę porywaczy, bo gdyby był jakiś spadek, mógłbyś łatwiej trzymać Mystere w garści. Rozumiem, że powiedziała ci o swoim cennym liście.

Wzmianka nie wywarła na Rillieux wrażenia. Musiał czytać list z firmy prawniczej w Nowym Orleanie i wiedział, że nie ma sensu udawać przed Bellochem.

– I co, jeśli nawet zorganizowałem uprowadzenie chłopaka? – skontrował. – Choć traktuję to pytanie retorycznie. Pamiętaj-my, że sam fakt posiadania przez te dzieci pewnego listu i moja wiedza o nim wcale nie czynią tego listu ważnym. Przez lata ro-biłem dyskretne rozeznanie, ale bez rezultatu.

– I już cię to nie interesuje – dokończył Rafe – bo teraz masz na celowniku moje pieniądze.

Paul wykonał ręką przeczący gest.

– Przecenia pan możliwości starego, chorego człowieka. Aczkolwiek, skoro już mówimy o pieniądzach, siatka moich lu-dzi została postawiona w stan pogotowia i Mystere nie wymknie się z miasta.

- Rozumiem, że to propozycja.

Rillieux wzruszył ramionami.

- W tej chwili nie ma pan wyjścia. Jeśli chce pan znaleźć Mystere, ze mną ma pan największe szanse. Jestem w stałym kontakcie z moimi ludźmi.

- Ale dotychczas nic nie zdziałaliście.

- To się zmieni, zapewniam pana. A kiedy to nastąpi, będzie pan pierwszą osobą, której dam znać.

Rafe skinął głową, bo był zbyt zdesperowany, żeby odmówić. Ale na razie nie uzgodnił żadnej zapłaty; niech stary łajdak wyobraża sobie, co chce.

Kiedy tylko Rafe opuścił dom, Rillieux zaczął się denerwować. Belloch też ma rozległe znajomości i ludzi na swoje rozkazy. Mystere ma tylko dwie drogi ucieczki z miasta: statkiem lub koleją. To oznacza, że trzeba obserwować kasy biletowe na nabrzeżu i na Grand Central Station. Ludzie Bellocha mogą ją zauważyć pierwsi albo policja, jeśli sprawa dostanie się do wiadomości publicznej.

Rillieux doszedł do wniosku, że Belloch nie zamierza dzielić się z nikim swoją fortuną, a Mystere nie jest już posłuszną małą dziewczynką podatną na sugestie.

Jeśli chciał się obłowić, musiał to zrobić teraz, nie potem. A później uciec, zanim Caroline go zmiażdży.

- Rozpuść wiadomość na mieście – polecił Evanowi. – Trzysta dolarów nagrody dla tego, kto złapie Mystere i przyprowadzi do mnie. Belloch jest mocno przybity; zapłaci każdą sumę, żeby znów wziąć Mystere w ramiona.

35

*T*rzy dni spędzone w pokoju na Centre Street wystarczyły Mystere za przypomnienie, jaka zepsuta i rozpieszczona stała się w roli kuzynki Rillieux. Szybko też zdała sobie sprawę, jaka była głupia, sądząc, że jedna noc szczęścia i rozkoszy może wybić jej z głowy Rafe'a. Wręcz odwrotnie: żywe wspomnienia o nim były torturą podczas długich bezsennych nocy w obcym niewygodnym łóżku z guzowatym materacem.

Kiedy pokazywano jej ten pokój, stało w nim kilka eleganckich starych mebli. Ale gdy zjawiła się tu we wtorek po ucieczce od Rafe'a, ładne sprzęty zniknęły. Zamiast nich zastała proste sznurowe łóżko i brzydką prymitywną umywalkę ze sprzedaży katalogowej.

Ponurą toaletę bez okien dzieliła z trzema innymi lokatorkami. Wszystkie zdawały się jej nie lubić. I była zmuszona do spartańskiej diety złożonej z artykułów, które nie psuły się szybko, gdyż w pokoju zawsze było gorąco, a nie miała lodówki ani kuchenki. W pobliżu na Broadwayu i Sixth Avenue było kilka czystych restauracji, ale bała się rozpoznania i wychodziła tylko z konieczności.

Jej gospodyni, pani Cunningham, była ponurą, tęgą, starzejącą się wdową z fałdami skóry, które szpeciły interesującą strukturę kostną jej twarzy. Była niezbyt uprzejma i wydawała się wiecznie niezadowolona, ale przynajmniej nie wtykała nosa w cudze sprawy i nie wypytywała Mystere.

Jednak inne lokatorki nie grzeszyły taką dyskrecją. Chłodno odrzucała ich próby nawiązania rozmowy, zawsze uprzejmie, lecz z celową wyniosłością, w nadziei, że taki snobizm okaże się na tyle znajomy, iż uchroni ją przed stwarzaniem wrażenia „innej". Najwyraźniej udało się, gdyż wczoraj rano podsłuchała krótki dialog pod swoimi drzwiami. Drwiące głosy celowo mówiły donośnie, żeby dowiedziała się, jak ją nazywają.

– Zaprosimy nową lokatorkę na lunch, dziewczęta?

– Och, to ty nie wiesz? Margrabiny nie jadają z pospólstwem.

– Nie, bo przez swoją pychę wolą żuć suchą bułkę.

Ich śmiech zabrzmiał gardłowo, trochę wymuszenie, bo naprawdę jej nie lubiły.

A niech dają upust swojej prostackiej niechęci, pomyślała. Aby tylko nie zastanawiały się nad nią. Jeśli dopisze jej szczęście, niedługo stąd zniknie i to miejsce zatrze się w pamięci.

Dobiła targu z Jeromem Helzerem i teraz jej ucieczka z miasta była przynajmniej opłacona, nawet jeśli niepewna. Wciąż jeszcze drżała na wspomnienie Water Street; tamtejsze domy majaczyły niedaleko wśród swoich cuchnących ustępów i smrodu zgnilizny.

Helzer potraktował ją z zawodową uprzejmością, ale początkowo chytrze udawał, że wzbrania się przed zakupem, gdyż pierścień Antonii zbytnio rzuca się w oczy. Jednak bez wątpienia puścił w ruch swoją tarczę ścierną i piłę z diamentowym ostrzem, zanim jeszcze zdążyła wrócić do swojego pokoju, bo nie słyszała, żeby ktoś inny potrafił lepiej szlifować drogie kamienie i szybciej się ich pozbywać. Nie obchodziło ją to, gdyż zapłacił jej tysiąc dolarów gotówką, bez pytań, a to wystarczyło na podróż i chwilowe przetrwanie. Przy odrobinie szczęścia do czasu, aż znajdzie zatrudnienie za godziwą zapłatę.

Zdecydowała się na Boston, bo znała tam porządne dzielnice z pokojami do wynajęcia za rozsądną cenę. Wiedziała też, że nie może się ociągać, gdyż szuka jej zbyt wielu ludzi. Trochę podnosiła ją na duchu świadomość, że zatajenie jej ucieczki leży w interesie niemal wszystkich. Nikt nie zyskałby na rozgłosie prasowym, z wyjątkiem samych gazet. Mimo to sprawa mogła się rozejść, bo wśród domowej służby nowojorskiej elity było wielu informatorów.

Ułożyła więc najlepszy plan, jaki potrafiła, wiedząc że Grand Central Station i biura Trans-Atlantic oraz innych linii okrętowych będą pod ciągłą obserwacją. Spodziewała się mniejszego zainteresowania rzekami i zarezerwowała już w Hudson River Line miejsce na rejs do Crotonon-Hudson. Stamtąd zamierzała pojechać koleją do Bostonu.

Jej statek odpływał dziś o dziewiątej rano z przystani na West Street. Obudziła się długo przed świtem i zmagała z własnym strachem, który przyprawiał ją o świdrujący ból głowy. Bała się nie tylko nieznanego, ale również faktu, że na zawsze zniknie z życia Rafe'a. Kiedyś modliła się o to, teraz miała cichą nadzieję, że zjawi się i zatrzyma ją.

O ósmej rano poszła na postój dorożek przy Fourteenth Street i szybko załatwiła z drugim woźnicą transport jej kufra na przystań parowców.

Z twarzą ukrytą za koronkową woalką wdowy Mystere wcisnęła się głęboko w tylne siedzenie dorożki, czując się naga i odsłonięta, bezbronna wobec niezliczonych oczu. Znów pomyślała z obawą o wielkim drewnianym budynku terminalu, gdzie ktoś z ulicy mógł się łatwo zaczaić wśród pasażerów z biletami.

Zaprzątnięta tymi troskami nie od razu zorientowała się, że dorożka jedzie w kierunku Lower East Side, zamiast do City Harbor.

– Proszę pana! – zawołała zdenerwowana do woźnicy. – Jedzie pan złą drogą do West Street!

– Wiem dokładnie, gdzie jestem, droga pani – zapewnił ją, trzasnął batem w koński zad i przyśpieszył, żeby pasażerka nie mogła wyskoczyć.

Dopiero teraz uświadomiła sobie, że nie ma pojęcia, co się stało z dorożką wiozącą jej kufer. Przeraziła się, gdy pędząca szkapa skręciła w labirynt niewybrukowanych zaułków wzdłuż doków.

Zatrzymali się przy pustym nabrzeżu tak gwałtownie, że omal nie zsunęła się z siedzenia.

– Chyba mam tę małą cwaniarę, której szukasz! – zawołał woźnica do kogoś niewidocznego na zewnątrz. – Chodź zerknąć na jej buźkę.

Starała się zapanować nad oddechem, strach paraliżował jej mięśnie. Przez kilka sekund rozważała, czy nie wyskoczyć z dorożki. Ale zanim zdążyła coś zrobić, zza brezentowej zasłony wyłoniła się wielka, zła, nieogolona twarz, żeby na nią spojrzeć. W nozdrza uderzył ją odór lichej whisky.

– Przyjrzyjmy ci się bliżej, panienko – powiedział Sparky i sięgnął do jej woalki.

– Ręce przy sobie! – zaprotestowała, odpychając jego dłoń.

– Ostra jesteś, ty mała suko – pochwalił. – Może lepiej sprawdzę, czy nie masz broni.

Sięgnął do jej piersi. Mystere z szybkością atakującego węża ugryzła go mocno w rękę. Sparky ryknął z bólu i wściekłości.

– Lubisz twardą grę, co? – burknął ochrypłym głosem. – Ja też.

Zobaczyła, że unosi prawą pięść, ale zanim zdążyła się zasłonić, uderzył ją w lewą skroń z taką siłą, że dosłownie ją zamroczyło. Była bezradna, gdy zerwał jej woalkę.

Na jego nalanej twarzy pojawił się szeroki uśmiech, kiedy ją rozpoznał. Dorożka zakołysała się gwałtownie, gdy zwalisty mężczyzna władował się na siedzenie obok Mystere.

– Masz dobre oko, Hiram! – zawołał do woźnicy. – Złapałeś naszą przepiórkę. Jedźmy teraz na Great Jones Street po nagrodę.

– Wezmę to – powiedział Paul do Rose, wstając z fotela. Powiesił laskę na przedramieniu, żeby wziąć od niej tacę. – Mówiłem ci, kiedy Mystere trafiła tu po raz pierwszy, że masz trzymać się od niej z daleka. Czy to jasne?

– Ależ, Paul, ja tylko...

– Za bardzo jej współczujesz, Rose.

– Ktoś musi – zjeżyła się. – Widziałam tego siniaka na jej twarzy!

– Dobrze, dobrze, jest tu bezpieczna i nikt nie zamierza jej skrzywdzić. Nie chcę, żebyś wszystko zepsuła. Nie chcę, żebyś z nią spiskowała, słyszysz? Jest moją... to znaczy naszą ostatnią szansą na zdobycie jakiegoś kapitału, zanim będziemy musieli uciekać. Rafe'a Bellocha stać na to, żeby nam zapłacić.

Na tacy była miska zupy, chleb i masło, szklanka mleka i trochę przyborów toaletowych. Paul zaniósł to do oświetlonej gazem piwnicy, gdzie mieściła się jadalnia dla służby. Wyjął z kieszeni klucz i otworzył drzwi ukryte za dużym piecem węglowym.

Prowadziły do małego magazynu bez okien zagraconego narzędziami ogrodowymi i artykułami spożywczymi. Do środka wpadało dość światła, by dostrzec Mystere leżącą na boku na pikowanym sienniku. Nadgarstki i kostki miała związane sznurem.

Paul postawił tacę na drewnianej skrzyni. Potem wyjął Mystere knebel.

– Muszę mieć tę szmatę w ustach? – zaprotestowała. – Nie jestem z tych, co wrzeszczą.

– Wiem, ale trudno przewidzieć, kogo tu licho przyniesie, i wolę nie ryzykować. Masz tu pyszny krupnik, Rose ugotowała – dodał przymilnym tonem. – Przykro mi, ale chłopców akurat nie ma, więc nie mogę rozwiązać ci rąk. To niebezpieczne.

Doszło do tego, że teraz moja mała dziewczynka może mnie pokonać. Będę musiał cię nakarmić.

– Nie jestem głodna – spróbowała warknąć. Ale jej głos zabrzmiał ochryple i ospale; słowa przychodziły wolniej niż zwykle. Ledwo pamiętała przyjazd tutaj i to, jak Paul wlał jej siłą do ust całkiem smaczny płyn. Cokolwiek to było, szybko straciła przytomność. – Która godzina? – zapytała.

– Około piątej po południu. Spałaś cały dzień.

– Spałam? Raczej byłam nieprzytomna po narkotyku.

Paul wzruszył ramionami.

– Jak go zwał, tak go zwał. Masz, spróbuj trochę.

– Nie – odwróciła głowę. – Jeśli mnie zmusisz, wypluję to na ciebie.

Paul westchnął z rezygnacją i odstawił miskę z powrotem. Skrzywił się, gdy spojrzał na dużą opuchliznę nad jej skronią. Nawet w kiepskim świetle wyglądała paskudnie.

– Głupio zrobiłaś, kochanie, opierając się takiej świni jak Sparky – pouczył ją.

Mystere nie odpowiedziała, choć w duchu była zadowolona, że z nim walczyła; wybiła mu z głowy pomysł zgwałcenia jej. Sparky nie posunął się dalej.

– Nie chcę zdenerwować Bellocha – dodał Paul. – Nie sprzedam mu zepsutego towaru, bo jest tak samo porywczy jak ty.

Jęknęła z bezsilnej rozpaczy.

– Paul, nie. Proszę, rozważ jeszcze raz, co robisz. Wypuść mnie, błagam.

Pokręcił siwą głową i wydął wargi niczym bezlitosny księgowy.

– To nie wchodzi w rachubę, moja droga. Wysłałem już Husha po niego. – Musiał dostrzec w jej oczach błysk nadziei, bo dodał ironicznie: – Nie spodziewaj się, że ten chłopak uratuje cię jak Tomek Sawyer, bo nie wie, że tu jesteś. I nie patrz tak na mnie; nie mam wyboru. Już wiem, że z moich wielkich planów nic nie wyjdzie. Jestem zniszczonym starym człowiekiem, który musi oszczędzać oddech, żeby ostudzić owsiankę. Wymknęłaś mi się spod kontroli, inni też się wymykają. A najgorsze, że podejrzewam, iż Caroline „ostygła" w stosunku do mnie, co może oznaczać zupełną klęskę. Ale mam jeszcze coś wartościowego dla Rafe'a Bellocha: jego narzeczoną.

– Paul, źle to wszystko rozumiesz. Rafe nie zamierza mnie poślubić.

– To ty się mylisz. Rozmawiałem z nim. Potrzebuje cię jak spragniony wody na pustyni. Kocha cię, a ty kochasz jego. Nie zaprzeczaj.

– Przyznaję, że go kocham. I co z tego? On mnie nie kocha i nie ożeni się ze mną. Ile razy mam ci to powtarzać? To niebezpieczny, nieprzewidywalny człowiek, a ty jesteś głupcem, skoro myślisz, że możesz nim manipulować tylko dlatego, że jesteś zdesperowany.

– Zgadza się, jestem głupcem – przyznał smutno. – Starym głupcem, który o wiele za długo prowadził głupią grę. Ale nie zamierzam umrzeć w więzieniu, kochanie. Spodziewam się, że Belloch wkrótce tu będzie i zaczniemy się targować na serio. A teraz, jeśli nie chcesz jeść, muszę cię z powrotem zakneblować.

– Nie – zaprotestowała bliska łez. Zdała sobie sprawę, że gra skończona. A była już prawie wolna, prawie ochroniła mężczyznę, którego kochała. Rozpacz dusiła ją niczym stryczek. – Proszę cię, błagam, nie krzywdź mnie.

To były jej ostatnie słowa, zanim wepchnął jej knebel.

– No, cóż – odparł. – Skoro wszyscy mamy iść do piekła, Mystere, to przynajmniej będę poganiaczem.

36

Miasto zaczynało pogrążać się w ciemności, gdy Hush wrócił z Rafe'em Bellochem. Paul, Baylis i Evan czekali w salonie. Na kolanach tego ostatniego leżała strzelba.

Hush nie zawracał sobie głowy pociąganiem za dzwonek, otworzył drzwi frontowe własnym kluczem. Rafe zatrzymał się w progu salonu i przez moment patrzył na trzech mężczyzn.

– Aaa… pan Belloch – powitał go zadowolony z siebie Paul. – Cieszę się, że mógł pan wpaść.

– Oto i szef kupy łajna – odparł Rafe. – Złodziej i kombinator, który z wprawą naśladuje lekceważący ton pani Astor.

Evan łypnął na niego i poklepał śrutówkę.

– Jesteś odważny jak cielę – powiedział z pogardą. – Uważaj, co gadasz, bankierski rajfurze, bo cię podziurawię.

Rafe zignorował go, wciąż patrząc na Rillieux.

– No więc jestem. Gdzie Mystere?

– Zapłaci mi pan za tę informację, panie Belloch. I to dużo.

– Prędzej dopilnuję, żebyś smażył się w piekle. Gdzie ona jest?

Evan i Baylis wymienili drwiące spojrzenia. Evan wstał z krzesła i wycelował strzelbę w Rafe'a.

– Swoimi metodami nic tu nie zdziałasz, Belloch – warknął.

– Jesteś teraz w naszym domu i mamy prawo wywalić cię stąd jako intruza.

– Hush – powiedział cicho Rafe, bo chłopiec stał w holu tuż za nim. – Odejdź na bok. Dobry chłopak. Wasza kolej, panowie.

Dał kilka kroków w głąb pokoju, robiąc miejsce dla Jimmy'ego i Skeelsa, którzy nagle wyłonili się z holu, gdzie czekali. Mężczyźni stanęli po obu stronach swojego szefa z pistoletami gotowymi do strzału.

Rafe też miał pistolet w kaburze pod pachą. Wyciągnął go i każdy z trzech przeciwników znalazł się na muszce.

– Może zdołasz mnie zabić – powiedział Rafe do Evana chłodnym tonem – ale to jednostrzałowa strzelba. Moje życie za wasze trzy. Odłóż broń albo pociągnij za spust.

Evan zbladł jak płótno. Nie czekał na rozkaz Paula. Żaden z trzech mężczyzn naprzeciw niego nie wyglądał na przestraszonego. Położył strzelbę na podłodze. Jimmy podszedł i zabrał ją.

– Zacznijmy od początku – powiedział Rafe do Rillieux. – Gdzie przetrzymujesz Mystere?

– Żebyś zgnił w piekle – odparł z furią Paul. – Powiedziałem, że zapłacisz mi za tę informację.

Rafe przyjrzał się całej trójce.

– Wystarczy na was puszka prochu. Hush!

– Tak, proszę pana?

– Czy Mystere może być gdzieś w tym domu?

– Nie wiem, proszę pana. Nie widziałem jej.

– Tracisz czas – zapewnił Rafe'a Rillieux. – Nie ma jej nigdzie w pobliżu.

Zamieszanie wywabiło Rose z jej kwatery. Zajrzała do pokoju i wstrzymała oddech na widok wyciągniętej broni.

– Rose? – zagadnął ją Hush. – Trzymają tu Mystere? Mów prawdę.

Rafe odwrócił się i spojrzał na rudowłosą służącą. Zbladła, ale tylko pokręciła głową. Strach odebrał jej mowę.

– Wszyscy się ciebie boją, staruchu – powiedział Rafe do Rillieux. – Ale w holu jest telefon. Może ta sprawa zainteresuje inspektora Byrnesa.

Rillieux spokojnie przyjął blef.

– Być może. Zwłaszcza kiedy pozna tożsamość Księżycowej Damy. I dowie się, że ty ją ochraniałeś, żeby mieć przyjemność w łóżku.

Drwiąca mina Paula zdawała się pytać Rafe'a, czy teraz też jest taki wszechmogący jak Bóg. Ale to Rose w końcu przerwała impas.

– Proszę pana – zwróciła się z wahaniem do Rafe'a. – Wiem, gdzie jest Mystere.

– Niech cię szlag trafi, Rose, milcz! – wybuchnął Paul z ostrzegawczym błyskiem w gniewnych oczach. – Uprzedzałem cię, że nielojalność będzie...

– Och, zamknij się, Paul – parsknęła. – Zbyt długo siedziałam cicho, kiedy znęcałeś się nad tą biedną dziewczyną. Mam dosyć ciebie i twojego chamstwa. Możesz zrobić ze mną, co chcesz, ale nie będę dłużej twoim wiernym psem.

– Nic ci nie zrobi – uspokoił ją Rafe. – Dopilnuję tego. Czy ona jest w tym domu, Rose?

– Tak, proszę pana. Na dole, w piwnicy. Zaprowadzę pana.

– Pójdziesz z nami, Rillieux – rozkazał szorstko Rafe. – Jimmy, ty i Skeels zostaniecie tutaj i przypilnujecie tych dwóch. Jeśli będziecie musieli ich zastrzelić, proszę bardzo. To oszczędzi obywatelom kosztów żywienia ich w więzieniu.

Nic tak nie wyostrza umysłu, jak niewola, uświadomiła sobie z rozpaczą Mystere.

Nie miała pojęcia, ile czasu minęło, ale skrępowane ręce i stopy dawno już zdrętwiały jej od więzów. Powietrze w magazynie było ciężkie i duszne. Od knebla bolały ją usta i oddychała z trudem. Ale to umysł dręczył ją bardziej niż ciało.

Mając tyle czasu na rozmyślania o swojej tragicznej sytuacji, porzuciła wszelką nadzieję na ratunek. To, co się z nią stanie, zależało od Paula i od wypadków, których nie mogła przewidzieć ani kontrolować. Ale zakończenie wydawało się nieuniknione: Rillieux ją zabije.

Jeszcze nigdy, nawet w najczarniejszej otchłani nieszczęścia, nie czuła się taka bezradna i samotna. Płakała, dopóki starczyło jej łez. Kiedy w końcu drzwi otworzyły się gwałtownie i usłyszała głos Rafe'a, zamiast radości ogarnęło ją straszliwe przerażenie.

– Niech cię szlag, Rillieux – burknął Rafe, gdy pośpiesznie uwalniał ją z więzów. W blasku świecy, którą trzymała Rose, widać było wyraźnie paskudny siniak na lewej skroni Mystere. – Zamierzałeś dostarczyć mi zwłoki jako pannę młodą?

Przestraszony nagłą furią Rafe'a Paul zaczął głośno protestować.

– Posłuchaj, ja nie…

– Zamknij się, ty bezlitosny stary draniu. – Rafe zaczął delikatnie masować ręce i nogi Mystere, żeby przywrócić krążenie. – Dałeś jej też narkotyk. Widzę to po jej źrenicach.

– Tylko porządną dawkę Miss Pinkerton, żeby mogła zas…

– To czyste laudanum; mogłeś ją zabić. Zejdź mi z oczu, zanim cię zastrzelę. Pomóż mi, Rose, dobrze?

Rose podeszła, żeby pomóc, ale przerwał im chłodny głos Rillieux.

– Nie uratujesz jej, Belloch.

Rafe gwałtownie uniósł głowę. Mystere zobaczyła błysk małego damskiego pistoletu w dłoni Paula. W jednej chwili zrozumiała, że jej najgorsze obawy się spełnią.

– Nie, nie pozwolę ci go skrzywdzić! – krzyknęła.

– Chronisz go? – parsknął Paul. – To ja zabrałem cię z ulicy i…

– I porwałeś mojego brata! – oskarżyła go.

– Gdybym kiedykolwiek mógł dotrzeć do Sheridana, żeby sprawdzić, czy ta fortuna jest twoja, nam obojgu opłaciłoby się pozbyć Brama – odparł.

Mystere wpadła w histerię.

– Co mu zrobiłeś?! – wrzasnęła.

Rafe ledwo mógł ją utrzymać na sienniku.

– Skończył tak, jak prawie każdy biedny chłopak. W morzu.
I na Boga, mam nadzieję, że już zgnił na karmę dla ryb. – Twarz
Rillieux przybrała morderczy wyraz. – Miał taki sam wredny
charakter jak ty. I zginiesz z mojej ręki, zanim coś zyskasz na
moich machinacjach. – Odbezpieczył pistolet i przystawił jej do
opuchniętej skroni.

Dziki ryk zdawał się pochodzić z czeluści piekła. Zanim Mystere zdążyła się zorientować, co się dzieje, Rafe zaatakował Paula
z zajadłością wściekłego psa.

Stary Rillieux nie byłby dla niego żadnym przeciwnikiem,
gdyby nie pistolet.

Huknął strzał. Niebieski dym zawisł w powietrzu niczym
testament.

Rafe zgiął się wpół.

Rose krzyknęła.

Rozwścieczony Paul stał nad Mystere, raz po raz odciągał ku-
rek i naciskał spust, jakby nie zdawał sobie sprawy, że pusta broń
już nie wypali. Na górze zadudniły kroki, gdy zaalarmowani ludzie Rafe'a starli się z Baylisem i Evanem.

– Jeszcze zemszczę się na tobie, ty zdradziecka suko! – wrzasnął Rillieux do Mystere. – Nigdy się ode mnie nie uwolnisz! Ilekroć obejrzysz się za siebie, będziesz drżała ze strachu, że siedzę
ci na karku!

Cisnął jej w twarz bezużyteczny pistolet i uciekł z piwnicy
zewnętrznymi schodami.

Bez wątpienia Baylis czekał już na niego w powozie.

– Rafe! Rafe! – zaszlochała Mystere, niemal pełznąc do zgię-
tej wpół postaci.

– Gońcie go! – warknął Rafe do swoich ludzi, kiedy ukazali
się w drzwiach. – Nie pozwólcie mu uciec!

– Rafe, jesteś ranny! – zawołała Mystere, patrząc, jak jej ręka
na jego boku staje się czerwona.

Rafe wyprostował się z twarzą ściągniętą bólem.

– Zdaje się, że Ruth będzie musiała opatrzyć następną ranę.
Ale to nic groźnego. Pocisk przeszedł na wylot.

Wspięli się po schodach do salonu. Rose przyniosła bandaże, Rafe pociągnął solidny łyk brandy. Zanim opróżnił szklankę,
wróciły mu kolory.

– Weź jaśnie panią na górę i zrób jej kąpiel. Jest blada jak duch – powiedział Rafe.

Mystere nie chciała go zostawić i Rose musiała ją niemal wlec po schodach wśród ciągłych zapewnień, że rana Rafe'a nie jest śmiertelna.

Szybko zajęła się Mystere. Rafe czekał niecierpliwie w górnym holu, gdy pomagała jej wykąpać się i przebrać w bieliznę nocną.

Podszedł do niego Jimmy.

– Ten staruch zniknął – powiedział. – Jego pachołki też. Rozpłynęli się. Nie możemy ich nigdzie znaleźć.

Rafe skinął głową z ponurą rezygnacją.

– Ratuj się kto może. Powiedz Skeelsowi, żeby czekał na nas na jachcie. Ty zostań tutaj.

Jimmy przytaknął i wrócił na dół.

Chwilę później z sypialni Mystere wyłoniła się Rose.

– Już odpoczywa, niech ją Bóg błogosławi – zameldowała Rafe'owi. – Ale nie jest bardzo śpiąca i prosi pana do siebie. Nie musi pan pukać, ona czeka.

Kiedy oddaliła się, żeby zejść na dół, zawołał za nią:

– Rose?!

Odwróciła się.

– Tak, proszę pana?

– Mystere pochodzi z Irlandii, więc przypuszczam, że jest katoliczką, prawda?

Rose wyglądała na zaskoczoną.

– Tak, proszę pana.

– Wyślij Husha po księdza. – Rafe wręczył zdumionej kobiecie kilka banknotów. – To powinno wystarczyć. Powiedz Hushowi, żeby sprowadził kogoś z kościoła Świętego Patryka.

– Ale proszę pana – zaprotestowała Rose. – Mystere nie jest umierająca. Nie potrzebuje ostatniego…

– Idź już – przynaglił.

Rose zeszła na dół, a Rafe udał się do sypialni. Poczuł nagły przypływ ulgi, gdy zobaczył Mystere odpoczywającą wygodnie w łóżku z pięknymi włosami rozrzuconymi wokół głowy na poduszce. Mimo iż siniak był wciąż nabrzmiały i ciemny, czuła się

na tyle dobrze, że przywitała Rafe'a ciepłym, choć trochę nie-
śmiałym uśmiechem.

– Jak się czujesz? – spytał.

– Powinnam ciebie o to zapytać – odrzekła.

Uśmiechnął się wesoło.

– Wierz mi lub nie, ale bywało gorzej.

– Obawiam się, że kiepsko się spisałam jako uciekinierka.

– Jesteś całkiem dobra w wymykaniu się z łóżka mężczyzny
– zapewnił ją.

– Nie przyszło mi to łatwo. Chciałam wpełznąć tam z powrotem i obudzić cię pocałunkiem.

Rafe przysiadł na łóżku i delikatnie odgarnął jej włosy na
bok, żeby dokładniej obejrzeć siniak.

– Rillieux to zrobił czy jego ludzie?

– Nie, to był Sparky.

Rafe w milczeniu skinął głową. Zanotował sobie w pamięci,
żeby porozmawiać o tym z Samem. Sparky niedługo przestanie
bić kobiety.

– W każdym razie żałuję, że nie wpełzłaś z powrotem do
łóżka – rzekł.

Kołdra była odwinięta, a jedwabna koszula nocna Mystere przylegała do ciała, uwydatniając pełne piersi. Zauważyła, że
przygląda się jej, i odruchowo podciągnęła kołdrę wyżej.

– Co z panią Astor? – zapytała, zmieniając temat. – Wie, że
próbowałam uciec?

– Przekonałem się, że Caroline generalnie wie dużo więcej
niż ktokolwiek podejrzewa. Ale to bez znaczenia.

– To ma znaczenie i dobrze o tym wiesz.

Pokręcił głową.

– Caroline cię uwielbia. Czy wiesz, że to ona zaczęła roz-
głaszać, że Księżycowa Dama przeniosła się na zachodnie wy-
brzeże?

– Ale… dlaczego?

– Żeby odwrócić od ciebie podejrzenia, byś mogła bezpiecznie zostać w mieście.

– Być może będzie wobec mnie mniej wspaniałomyślna,
kiedy nasze małżeństwo nie dojdzie do skutku. Albo kiedy mści-
wy Rafael Belloch zrealizuje swój skomplikowany plan.

– Co do drugiego punktu – odparł Rafe – Caroline przyszła zobaczyć się ze mną i nawet wyrzuciła z sali zebrań moich dyrektorów, żeby zakończyć tę sprawę.

– I...?

Rafe uśmiechnął się krzywo na to wspomnienie.

– Powiedzmy po prostu, że wyrównaliśmy rachunki. To znaczy, ona wygrała, a ja to zaakceptowałem. Co do pierwszego punktu... – Przysunął twarz do jej twarzy i delikatnie pocałował cienką jak bibułka skórę na jej powiekach. – Miała pani rację, pani Belloch. Nie warto żyć dla zemsty.

Pani Belloch... Te nieoczekiwane słowa przyprawiły ją o szybsze bicie serca. Wstąpiła w nią nowa nadzieja, ale jej oczy spochmurniały od wątpliwości.

Rafe zmarszczył brwi. Źle to odczytał.

– Chyba że mnie nie chcesz – poprawił się i odsunął trochę.

– Bardzo się starałam nie zakochać w tobie – wyznała szczerze.

– Więc nie ma problemu. Zrobię z ciebie uczciwą kobietę. Posłałem już po księdza. Weźmiemy ślub tutaj, w tym domu. Dzisiaj.

– Rafe, nie możemy.

– Możemy i weźmiemy. Nie musisz się obawiać Rillieux, bo ten stary cap uciekł. Poza tym, o ile wiem, jesteś w ciąży. Tak?

Zarumieniła się.

– To jeszcze nic pewnego.

– Więc rozegrajmy to bezpiecznie. A poza wszystkim, to uspokoi Caroline. Chce naszego ślubu, nie wielkiego wesela. Chyba że ty...

– Rozgłosu wystarczy mi już na dwa życia – zapewniła go.
– Nie zależy mi na weselu.

Uciekła spojrzeniem przed jego wzrokiem.

– Więc skąd ta dziwna niechęć? – zapytał ostro. – Przed chwilą powiedziałaś, że mnie kochasz.

– Rafe, czy ty nie rozumiesz? To jest mój powód: miłość. Tylko z miłości mogę wyjść za mąż. Nie ty jesteś problemem, tylko twoje motywy. Uspokoić Caroline, zrobić ze mnie uczciwą kobietę... Jeśli... jeśli nie możesz mnie pokochać, muszę znaleźć innego mężczyznę, który będzie mógł.

Znów pochylił się nad nią. Tak blisko, że czuła jego ciepło.

– Tego ranka, kiedy mnie zostawiłaś – powiedział głosem ożywionym uczuciem – moją pierwszą reakcją był gniew. Ale potem... Pamiętasz, jak mi mówiłaś, co czułaś po porwaniu Brama? Jakby razem z nim zabrano ci połowę duszy.

Przytaknęła, starając się nie rozpłakać.

– Tak samo się czułem, kiedy bałem się, że na zawsze zniknęłaś z mojego życia. Mystere, prawda jest taka, że twoja zraniona dusza pasuje do mojej. Jedyny sposób, w jaki możemy się pocieszyć, to być razem. Kocham cię, moja tajemnicza dziewczyno, kocham całym sercem. Wyjdziesz za mnie?

– Tak – szepnęła. Opadły wszystkie więzy, które nie pozwalały jej odwzajemniać miłości. Niemal bała się w to uwierzyć. Zawahała się, ale kiedy poczuła wokół siebie jego ramiona, znów zaczęła mieć nadzieję. Pomyślała, że to może laudanum i własny umysł płatają jej paskudne figle, ale gdy popatrzyła na jego twarz pełną miłości, bezradnie poddała się długiemu i namiętnemu pocałunkowi.

Przerwało im nieśmiałe pukanie do drzwi.

– Tak?! – zawołała Mystere.

Weszli Rose i Hush.

– Hush przyprowadził księdza – wyjaśniła Rose. Ledwie tłumiony uśmiech mówił, że odgadła, dlaczego Rafe posłał po duchownego. – To miły starszy mężczyzna, ojciec Perry. Czeka na dole.

– Przyślijcie go na górę – polecił Rafe. – Wy oboje też tu przyjdźcie, bo chyba potrzeba dwoje świadków. A przy okazji, chcielibyście zamieszkać z nami w Garden Cove? Nie będzie więcej kradzieży, tylko uczciwa praca za uczciwą zapłatę.

– Człowieku! – wykrzyknął rozpromieniony Hush, gdy zdał sobie sprawę, że byłby blisko ukochanej Mystere. – Jasne, że tak, panie Belloch!

– Ale ostrzegam cię – dodał Rafe z udawaną powagą. – Żadnych umizgów do mojej żony. Słowo dżentelmena?

– Przysięgam – obiecał chłopak, promieniejąc z dumy.

– A teraz, obaj panowie, wynocha stąd – zarządziła Rose i zakrzątnęła się, żeby nie zauważyli jej łez radości. – Nie będzie ślubu w sypialni. Dotrzymajcie towarzystwa księdzu, dopóki Mystere nie będzie odpowiednio ubrana i nie przyprowadzę jej na dół. Przecież nie wyjdzie za mąż w bieliźnie! Co by ojciec Perry o nas pomyślał?

W ciągu godziny rana Rafe'a została zabandażowana i wymienili z Mystere przysięgi małżeńskie. Zrobiło się zbyt późno, by wracać na Staten Island, więc młoda para zdecydowała, że spędzą noc poślubną w rezydencji na Great Jones Street.

Baylis, Evan i Rillieux dawno zniknęli, ale Jimmy miał spędzić noc na dole na wypadek, gdyby któryś z nich okazał się na tyle głupi, żeby wrócić.

Gdy późnym wieczorem Rafe rozpinał suknię Mystere, mruknął jej do ucha:

– Nie znalazłaś swojego brata, ale przynajmniej znalazłaś męża. Jesteś szczęśliwa?

Łzy jej napłynęły do oczu i poczuła, jak rozpiera ją radość.

– Jeden nie zastąpi drugiego – odparła. – Ale owszem, panie Belloch, jestem niezmiernie szczęśliwa.

Rozebrali się w świetle małej lampy elektrycznej. A gdy Mystere zgasiła lampkę, Rafe zauważył blask księżyca wpadający przez okna mansardowe.

– Podejdź do okna – szepnął jej do ucha tuż przed wejściem do łóżka.

– Ale po co?

– Proszę. Tylko na moment.

Zupełnie naga Mystere podeszła w milczeniu do okna i odwróciła się wolno. Srebrzysta poświata spływała na nią niczym gwiezdny pył. Widząc na sobie pełne uwielbienia spojrzenie Rafe'a, poczuła się jak bogini nocy wyrzeźbiona z kości słoniowej i ożywiona bożą iskrą.

Długo milczał.

– Księżycowa Dama – powiedział w końcu głosem pełnym miłości i pożądania. – Chodź teraz do łóżka, moja Księżycowa Damo – dodał, wyciągając ręce.

Kiedy szła przez pokój do męża, zdawała się sunąć niczym blask księżyca po powierzchni spokojnego morza.

Epilog

Trevor Sheridan pochylił się do przodu w swoim wyściełanym fotelu z drewna orzechowego, oparł przedramiona na biurku i zaczął czytać wiadomość wystukaną starannie na maszynie. Leżała na bibularzu i przyszła dwa dni wcześniej z korespondencją wewnętrzną. Autor był jednym z jego najlepszych urzędników. Siedem lat temu zaczynał w firmie jako goniec i miał wzorową kartotekę pracy.

„Szanowny Panie!

Kilka miesięcy temu do biura przyszła młoda kobieta, żeby dowiedzieć się o ewentualne związki między nią i rodziną Sheridan lub Granville. Wspominam o tym tak późno tylko dlatego, że całkiem niedawno zobaczyłem w „Timesie" zdjęcie żony Rafe'a Bellocha. Przysiągłbym, że to ta sama kobieta, która odwiedziła Pańskie biuro.

Jedna czy dwie osoby obecne w biurze tamtego dnia też to zauważyły. Czułem się w obowiązku wspomnieć o tym, gdyż twierdziła, że ma pewien list, i pomyślałem, że zechce go Pan zobaczyć.

Z wyrazami szacunku
Nathan Winkler"

Kiedy Sheridan skończył czytać i składał z powrotem kartkę, usłyszał kroki w holu za otwartymi drzwiami swojego biura na pierwszym piętrze Commerce Building. Podniósł wzrok i zobaczył w progu Rafe'a i Mystere Bellochów.

– Zapraszam, zapraszam – powitał ich i wstał, gdy weszli. Wskazał dwa rzeźbione pozłacane fotele z epoki Ludwika XVI na wprost biurka. – Proszę siadać. Cieszę się, że zgodzili się państwo przyjść.

Jego swobodne powitanie wydało się Mystere nieco wymuszone, jakby uprzejmość była obca jego naturze. Jedna strona ust Sheridana wykrzywiła się w grymasie, który mógł być uśmiechem. Albo po prostu chce warknąć, pomyślała.

Właściwie po raz pierwszy spotkała się z Trevorem Sheridanem i natychmiast poczuła do niego antypatię. Jego zawziętość była jeszcze bardziej zauważalna z bliska i Mystere uznała, że gdyby wierzyć pierwszemu wrażeniu, pasowałby do niego przydomek Bestia. Ale przypomniała sobie, że początkowo nie lubiła również swojego męża, a później ta awersja przerodziła się w namiętną miłość.

– Muszę przyznać, panie Sheridan – zaczęła trochę nerwowo – że od pańskiego telefonu wręcz umieram z ciekawości.

– Ja również, pani Belloch, odkąd dowiedziałem się o pani wizycie. Na szczęście bystry pracownik zawiadomił mnie o tym, kiedy uświadomił sobie, kim pani jest.

Mimo palącej ciekawości Mystere nie mogła powstrzymać gniewnego zmarszczenia brwi na wspomnienie tamtego deszczowego dnia i domniemanej sugestii Sheridana, że tylko kobieta z towarzystwa zasługuje na uwagę.

– Pański personel potraktował mnie gorzej niż morderczynię, panie Sheridan.

Uniósł ręce z bibularza i rozłożył w bezradnym geście.

– Proszę wybaczyć, pani Belloch, jeśli staliśmy się tutaj cynicznym bractwem. Przyznaję, że nie jestem wzorem rycerskości dla moich podwładnych. Opowieści, które tu słyszymy, są przygnębiająco podobne. Z tego, co wiem, z pani historią włącznie.

– To wszystko nie ma nic do rzeczy – wtrącił zniecierpliwiony Rafe, człowiek interesu przyzwyczajony do rządzenia. – Niech pan po prostu spojrzy na list.

Mystere otworzyła drżącymi rękami srebrną klamerkę torebki, potem zamszowy woreczek z listem. Wyjęła zniszczoną kartkę i ostrożnie rozłożyła.

– Kiedyś zamokła i atrament się rozmazał – wyjaśniła. – Przy końcu jest nieczytelna, z podpisem włącznie.

– Akurat tam – zauważył Sheridan cynicznym tonem.

Rafe zacisnął dłonie na poręczach fotela, ale Mystere posłała mu błagalne spojrzenie i opanował się. Nie mógł się powstrzymać od lekkiego uśmiechu, gdy uświadomił sobie, że zapewne sam użyłby takiego tonu.

Sheridan wziął kartkę. Milczał przez następne dwie czy trzy minuty i z opuszczoną głową studiował list. Przechylił lampę z brązu, aż zadźwięczały długie pryzmatyczne fasety, i skierował światło na biurko. Mystere obserwowała go z rosnącym niepokojem, nieświadomie przycupnięta na samym brzeżku fotela.

W końcu podniósł wzrok i przyjrzał się uważnie jej twarzy, jakby miał wyrzeźbić jej podobiznę. Jego piwne oczy były niesamowicie ciemne i nawet teraz gniewne.

– Oczywiście mogłaby pani przypominać żeńską linię rodu – zauważył, jakby głośno myślał. – Nigdy nie spotkałem Maureen ani nie widziałem jej podobizny. Szczerze mówiąc, ma pani zbyt klasyczne rysy jak na kogoś z Sheridanów. Mara twierdzi, że mamy swoje piękności, ale nie w pani typie.

– Jak na kogoś z Sheridanów? – powtórzyła niepewnie.

Jego ton stał się niespodziewanie emocjonalny.

– W porządku, napisałem ten list do mojego kuzyna Brendana. Ponad dwadzieścia lat temu, kiedy zaczynałem robić majątek.

– Więc mój ojciec był Sheridanem – powtórzyła, patrząc na Rafe'a. – Och, dzięki Bogu, że wreszcie to wiem – dodała cicho z nagłym wzruszeniem. Szok, zdumienie i radość zalały ją niczym rzeka po otwarciu śluzy. – Jestem kimś. Bram jest kimś – zaszlochała, pragnąc z całego serca, żeby Bram był teraz z nią i dzielił jej szczęście.

– Matka Brendana była z Sheridanów – zastrzegł. – Ale oczywiście po ślubie zmieniła nazwisko. Moja nie, jako że mój ojciec był Sheridanem. Wszystko, co musi pani zrobić, aby dowieść, że jest pani córką Brendana, to podać mi swoje nazwisko.

– Przecież pan wie, że nie może – wtrącił się Rafe. – Powiedziała to panu, kiedy pan dzwonił.

Sheridan wolno pokiwał głową.

– Wiem. Ale przy ustalaniu pokrewieństwa nie przyjmę niczego na wiarę. Pani musi mi udowodnić, że kuzyn Brendan rzeczywiście był pani ojcem. Jeśli potrafi pani tego dowieść, stanie się pani członkiem rodziny Sheridanów z wszelkimi prawami przysługującymi naszemu nazwisku.

– Niech pan posłucha, Sheridan – zaprotestował Rafe. – Zrozumiałbym taki sceptycyzm przy innych roszczeniach, którymi pan się zajmuje. Ale przed chwilą przyznał się pan do napisania tego listu. To chyba nie jest częścią procedury?

– Nie, ale co z tego? Nie mam pojęcia, jak pańska żona weszła w posiadanie tego listu.

– Owszem, ma pan – odparował Rafe. – Jej słowo, że ona i brat dostali go od matki. Ale podejrzewam, iż insynuuje pan, że Mystere go ukradła. Bez wątpienia po to, by dobrać się do waszej ogromnej fortuny.

– Może darowałby pan sobie to szyderstwo – upomniał go Sheridan – gdyby znał pan aktualną wartość tej ogromnej fortuny, panie Belloch.

– Jestem pod jej wrażeniem. Każdy kto liczy się w tym mieście wie, że jest pan właścicielem wielkich magazynów na Pearl Street i pański majątek wystarczyłby do kupienia kilku państw. Ale bądźmy szczerzy: mój też. Moja żona nie potrzebuje dwóch majątków, lecz rodziny.

Sheridan znów uśmiechnął się połową ust.

– Możliwe, że mówi prawdę; to znaczy taką, jaką zna. Ale skąd mam wiedzieć, od kogo dostała ten list i jak tamta osoba weszła w jego posiadanie? Gdyby mogła mi przynajmniej podać swoje nazwisko, byłbym bardziej przekonany.

Sheridan zamilkł na chwilę, przyglądając się imponującej powierzchowności Mystere w jasnym świetle lampy elektrycznej. Już mu wyjaśniła, kiedy wypytywał ją podczas ich przedwczorajszej rozmowy telefonicznej, że nie zna swojego nazwiska, co było dość niezwykłe. Przekonała go jednak, że to możliwe, zważywszy jej ówczesny młody wiek.

– Być może w przeszłości życie spłatało pani okrutnego figla – zauważył. – Ale najwyraźniej koło fortuny odwróciło się.

– Myślicie jak mężczyźni – zganiła ich obu. – Mówicie o „fortunach", jakby tylko to mnie obchodziło. Nic nie rozumiecie; pieniądze nigdy nie były dla mnie ważne. Ponad wszystko pragnę odnaleźć mojego brata Brama. I poznać nasze nazwisko.

– Oczywiście. W pani wypadku nie chodzi o pieniądze, lecz o miłość – podsumował Sheridan z subtelnym, lecz wyczuwalnym sarkazmem.

Twarz Rafe'a stężała.

– Nie zadzieraj ze mną, Sheridan. Mnie nie jest tak łatwo zniszczyć, jak kilku innych, których zrujnowałeś.

– Och, przestańcie – poprosiła Mystere. Nie była w nastroju do brania udziału w starciu dumnych mężczyzn.

– Pani Belloch jest bardzo przekonująca – przyznał Sheridan. – Ale muszę wiedzieć trochę więcej o pani rodzinie w Irlandii. Proszę wrócić tu z jakimś dowodem. Pani brat byłby idealny, bo jest starszy i musi więcej pamiętać. Wtedy oficjalnie uznamy was oboje za Sheridanów.

– Uprzedzałem cię, że twarda z niego sztuka – powiedział Rafe, gdy odebrali płaszcze od portiera na dole i wyszli z Commerce Building. – Ale do diabła z jego skrupułami. Dam głowę, że jesteś jego krewną, i niech ci Bóg dopomoże. Jego przyznanie się do napisania tego listu to najlepszy dowód.

Pomógł Mystere wsiąść do powozu i kazał Wilsonowi jechać do Battery.

– Nie, on ma rację – powiedziała Mystere. – Nie mogę dowieść, że mam prawo posiadać jego list. I uświadomiłam sobie teraz, że nawet gdybym mogła... on też nie ma pojęcia, gdzie może być Bram. Chyba cały czas miałeś rację.

– Ja? Co masz na myśli?

– Moje poszukiwania Brama. Wiem, że uważasz to za stratę czasu.

Omal się nie rozpłakała. Zerknęła na późnojesienny wieczór na zewnątrz. Przechodnie kulili się na chłodnym wietrze. Tu i tam opatulono już drzewa przed nadejściem mrozów.

– Mylisz się – zapewnił Rafe. Wziął ją pod brodę i odwrócił jej twarz w swoją stronę. – Weterani z pułku mojego ojca zawsze mi mówili, że nikt nie jest naprawdę martwy, dopóki się o nim pamięta. Trzymasz twojego brata przy życiu na swój własny sposób. Nigdy nie będę cię za to winił.

Słowa, które miały ją pocieszyć, wywołały tylko gorące łzy.

– To Paul – powiedziała cicho. – To on stał za zniknięciem Brama.

Rafe zastanowił się nad tym i po chwili odrzekł:

– Latem, kiedy się ukrywałaś, przepytałem Rillieux. Oczywiście niczego konkretnego nie wiedział, ale przyznał, że wydał Brama bandzie porywaczy, żebyś to ty dziedziczyła ewentualną fortunę.

Zimna, paraliżująca rozpacz ugodziła ją niczym arktyczny szkwał.

– Poświęciłam tyle lat i pieniędzy – zaczęła lamentować – na daremne poszukiwania Brama. Och, Rafe, wtedy przynajmniej miałam nadzieję, której się kurczowo trzymałam. Już nigdy go nie znajdę.

Przy ostatnim słowie jej głos przeszedł w szloch i z płaczem oparła się o Rafe'a.

– Głowa do góry – szepnął jej kojąco do ucha. – Jeszcze nie wszystko stracone, Księżycowa Damo.

Podniosła na niego zapuchnięte, zaczerwienione oczy.

– Nie mogę myśleć o niczym innym.

– Powierzyłem tę sprawę najlepszemu detektywowi jakiego znam – zapewnił ją.

– Samowi Farrellowi?

Przytaknął.

– Chyba nie chcesz powiedzieć… Więc Sam wie, gdzie…

– Nie, nie Sam. Ale znalazł kogoś, kto jest najlepszą szansą na odszukanie Brama. Wziąłem już trochę wolnego w biurze, bo chcę się osobiście wybrać do tej osoby. Znajdziemy twojego brata.

Mystere patrzyła na niego z zachwytem i podziwem. Jeśli kiedykolwiek wątpiła, czy ją kocha, to teraz przestała. Zarzuciła mu ramiona na szyję i przytuliła się do niego z nieopisaną radością.

– Powinni byli mnie ostrzec – wymamrotał Rafe w jej włosy.

– Przed czym? – zapytała z twarzą promieniejącą szczęściem.

– Że potrafisz również kraść serca. – Pocałował ją. – Kocham cię, Księżycowa Damo.

Za 2 tygodnie kolejna książka
z serii *Romans Historyczny:*
„Bal maskowy" – Connie Brockway

Za dnia Helena jest damą do towarzystwa lady Tilpot, największej zrzędy w Londynie. Nocą tajemniczą pośredniczką między
dwojgiem rozdzielonych kochanków. Ukryta pod maską i przebraniem, odwiedza miejsca, które powinna omijać.